모듈러 2

THE MODULOR

Le Corbusier 저
손세욱, 김경완 역

씨아이알

MODULOR 2
by Le Corbusier

모듈러 2

모듈러 재판에 즈음하여

『모듈러』의 초판은 매우 빨리 팔렸다. 전 세계를 통해 모듈러는 호평을 받았다. 모든 지역의 건축가들은 신비가 아니라 형태의 창조에 맡겨진 도구로, 또 아인슈타인 교수가 지적하듯이 '나쁘고 어려운 것을 좋고 쉽게' 만들기 위한 단순한 목적으로 인식했다. 모듈러는 스케일이다. 음악가들도 스케일을 갖고 진부하거나 혹은 아름다운 음악을 만든다.

모듈러의 초판이 모두 팔리자 의미 있는 사건이 발생했다. 밀라노에서 열린 9회 트리엔날레에서 이탈리아 국립도서관과 파리국립도서관의 도움으로 도서전시회가 조직되었다. 목적은 예술적으로 기술적으로 모든 조형적 작품의 뿌리에 있는 학자들을 찾아서 여러 시대 여러 나라를 통하여 수행되었던 연구들을 비교하는 것이었다. 그리하여 빌라르 드 온느쿠르Villars de Honnecourt(13세기), 프란시스코 디 지오르지오Francesco di Giorgio, 피에로 델라 프란체스카Piero della Francesca, 루카 파시올리Luca Pacioli, 뒤러Dürer, 알베르티Alberti, 들로음Delorme, 캄파노Campano, 바바라Barbara, 카즌Cousin, 세를리오Serlio, 팔라디오Palladio, 레오나르도Leonardo, 갈릴레이Galilei, 데카르트Descartes 등의 원판들을 함께 볼 수 있었다. 또한 슈파이저Speiser, 케이서Kayser, 위트코워Wittkower, 룬드Lund, 기카Ghyka 등 대단한 최근 작품도 있었다.

트리엔날레의 회장 롬바르도Ivan Matteo Lombardo의 요청으로 이 전시회는 모듈러의 그래픽 전시로 끝났다. 모듈러에 대해 그는 "현대 건축에서 비례문제를 해결하는 중심축pivot이다."라고 적었다.

1951년 9월 26일부터 29일까지 열린 트리엔날레에서 첫째 국제회의는 '신적인 비례Divine

Proportion'라는 제목으로 구성되었는데, 학자, 수학자, 미학자, 건축가, 예술가들이 모든 대륙에서 참가했다. 국제회의가 폐막하기 전에, 이 일을 계속할 영구적 연구 그룹을 설립하고, 결실을 맺도록 결정되었다. 이 책의 저자는 이 그룹의 회장으로 선출되었다. 동시에 비례에 관한 2회 국제회의를 뉴욕에서 개최하려는 의견을 뉴욕 현대미술관MoMA에서 해외로 타전했다.

모듈러의 초판 출판과 이러한 최근 사건 사이에 독자들에 의해 많은 참여가 있었다. 많은 논평, 제안과 반대제안, 비평과 정보의 항목들은 8장의 "그 다음은 이용자가 말하게 하자."라고 하는 우리의 초판 결론에 응답하여 세계 여러 곳에서 받았다. 우리는 출판의 참여를 매우 중요하게 믿고 있으며, 그리고 더욱이 우리 스스로는 1948년 이후 유럽과 미국에서 도시계획, 건축, 조형예술의 대규모 작품에 모듈러를 적용했다. 다른 기술자들 또한 모듈러를 적용했다.

그러고 나서 우리는 『모듈러 2』라고 제목을 붙인 새로운 책을 출판하기 위해 준비하면서 출판사와 계약하기로 결정했다. 척도의 관계를 통해 성취된 조화의 멋있는 인간의 문제라는 문은 헛되이 열리지 않았다. 이런 종류의 생각은 전문가들의 소지품으로부터 사라졌고, 또는 비밀이 되기도 했고, 신비주의 속으로 감추어졌다. 우리는 『모듈러 2』가 독자들의 도움으로 우리 시대의 문제들을 긴밀히 연계되도록 이 주제를 계속 발전되리라 희망한다.

1951년 10월 8일, 파리

르 코르뷔지에

옮긴이 말

『모듈러』 1권과 2권은 근대 건축계의 귀재 르 코르뷔지에Le Corbusier(1887-1965)의 대표적 저서 중의 하나이다. 그의 본명은 샤를 에두아르 잔느레Charles Edouard Jeanneret다. 1887년 스위스의 작은 도시 라쇼드퐁La-Choux-de-Fonds에서 태어나, 그곳에서 공예학교를 나왔다. 1965년에 78세로 생을 마감할 때까지 330여 개의 크고 작은 건축 도시 작품을 계획했고, 그중 100여 개 작품이 실현되었다. 실현된 대표작으로는 사보아주택, 마르세유의 위니테 다비타시옹, 롱샹 성당, 라투레트 수도원 등이 있다. 50여 권의 저서도 남겼으며, 대표작은 『건축을 향하여』, 『도시계획』, 『오늘날의 장식예술』, 『빛나는 도시』, 『인간의 집』, 『모듈러』 등이다. 미술과 조각 작품도 많이 남겼으며, 〈타임〉지가 선정한 20세기를 빛낸 100인 중에 유일한 건축가이다.

초기 르 코르뷔지에는 큐비스트 화가의 한 사람으로서 많은 정열을 갖고 활약하였는데, 1919년 이후 그의 구성에는 그림의 수법으로 직각나선이나, 황금비율, 대수표에 따른 나선 구조, 5각형 등 기준선이 사용된 비례 체계를 스스로도 확실히 표명하고 있었다. 그 후 그의 관심은 회화보다도 건축에 쏠리며, 특히 건축이론의 영역에서도 풍부한 자질을 나타내게 되었으며, 잡지 《에스프리 누보》를 주재하고, 예술과 과학에서 창조적인 인간의 새로운 사고를 소개하였다. 르 코르뷔지에는 그의 사상적 숙성에 따라서 공간개념에 대한 의의를 깊이하면서도 그의 두뇌는 모든 공작물의 형태를 규정하고 있는 척도(모듈)의 문제에 집중하여 적극적인 체계화를 지향하게 되었다. 그리고 제2차 세계 대전 중에 황금비를 기본으로 한 하나의 실용적이고도 흥미 있는 비례 체계를 만들었다. 그것이 여기서 말하는 모듈러Le Modulor(황금척)이다.

르 코르뷔지에 자신의 발언을 빌려서 말하면, 모듈러는 '인체의 치수와 수학과의 결합에서 만들어진 것을 계량하는 도구'이며, 인체뿐만이 아니라 '광장에서 책꽂이에 이르기까지 여하한 디자인에도 적용할 수 있는 척도'라고 설명하고 있다.

모듈러는 발명된 이래, 수많은 건축가가 평면이나 입면을 완성하기 위해 일반적으로 사용하는 도구가 되었다. 그러나 그것이 건축 자체의 질을 보장하지 못할 것이다. 다른 비례 체계 이상은 아닐 수도 있다. 즉, 모듈러를 사용하여 양호한 건축을 만드는 것은 모듈러 없이 양호한 건축을 만드는 것과 마찬가지로 어려운 일이다. 설사 더 어렵다고까지는 하지 않더라도 모듈러가 건축가에게 근본적 결정을 내리는 것을 면제해주는 것은 아닐 것이다. 음악에서 음계가 있어도 작곡가는 화음의 전개 작성을 처음부터 면제받지 못하고 있는 것과 같다고 할 수 있다. 모듈러가 작업을 단순화하고 경감화하는 것은 건축가가 길을 제대로 택한 뒤의 일이다. 그때야 비로소 치수가 차례로 도출되는 것이다. 모듈러는 공식적인 비판을 받으면서, 발전하고, 세계 사람들로부터 지지를 받기까지 이르렀다. 그리고 이 책을 읽으면, 모듈러를 채용하지 않는 것이 손해이고, 보급시켜야 한다고 생각할수록 그 유효성을 인정하지 않을 수 없게 된다.

1권에서도 자세하게 기술되어 있듯이, 모듈러는 우리가 물건의 형태를 결정할 때, 아름다운 치수를 주는 도구를 찾는 것에서 비롯되었다. 그리고 많은 옆길을 보면서 발견한 것이었는데, 의외로 많은 다른 분야에까지 관련되었음을 2권에서 가르쳐주고 있다. 모듈러라는 도구는 유효하게 사용할 수 있는 범위가 조형예술은 물론이고, 음악에도 미치고, 또 수학을 통해 여러 과학 분야에도 스며들고, 기술을 통해 산업계에도 파급되고 있다. 1권과 함께 속편인 2권을 읽을 때, 마치 탐정소설의 해결편을 읽는 것처럼 매우 흥미롭고, 여러 측면의 건축 · 도시계획에 적용되고 있어서 많은 새로운 지식들을 습득하게 한다. 더불어 이 책의 매력은 여러 페이지마다 삽입되어 있는 르 코르뷔지에의 스케치와 작품사진으로 모듈러라는 비례 체계를 체계적으로 설명하면서도 그의 작품세계를 알 수 있게 한다.

르 코르뷔지에 『인간의 집』 이후 한동안 하지 않았던 번역 작업을 출판사의 요청으로 다시 하였으나, 모듈러 1권과 2권의 많은 원고량, 까다로운 문장, 알기 힘든 인물명과 장소명, 책의 여러 곳에서 나오는 구어체, 함축적인 문학적 표현 등으로 역사서나 이론서 같은 연구 저작물에서 못 느끼던 번역의 어려움을 안겨주었다. 그러나 여러 어려움을 무릅쓰고 번역하기로 마음먹은 것은, 연구할 가치가 있는 건축가의 사고가 생생하게 살아 있는 문헌을 후학들이 직접 접하는 일이 아주 소중하다는 생각 때문이었다. 이러한 의미에서 고전의 번역을 기획한 도서출판 씨아이알의 김성배 사장님과 출판부 여러분, 특별히 교정 작업에 애를 많이 써준 정은희 씨에게 감사드린다.

2016년 3월

목 차

1부

발언은 사용자에게

1장 • 서문 Preliminaries

최근 몇 년 동안 사용자들과 대화가 이루어졌다.
나는 그 동안 축적된 근본적 사실 중 세 개를 채택하였다. 그중 첫째는 모듈러의 정확한 기하학적 도형을 우루과이인과 프랑스인, 젊은 두 사람의 건축가 공동 작업에서 발견한 것이다. 두 번째는 이공과 대학의 광산과 졸업생으로 파리에서 은퇴한 사람이 모듈러의 대수적 설명을 제안해온 것이다. 그리고 마지막으로 한 위대한 수학자가, '그림과 수와 동시에 호소할 수 있는 것, 이것이 우리 삶의 진짜 목적'이라고 선언해온 것이다.

모듈러의 응용이 6년 동안 세계 곳곳에서 이뤄지고, 실험의 첫 단계가 시작되었다.

세브르 가 35번지에 있는 나의 아틀리에에서도 모듈러를 6년간 응용하면서, 규모가 크거나 아주 작은 일에 대해서도 그것을 구성할 때에 강한 확신을 갖게 되었고 창작을 하는 때에는 무한한 정신의 자유를 느꼈다. 단단한 대지에 도달한 것이다. 확신을 얻은 것이다. 전보다 자신을 갖게 되었다. 그러나 모듈러의 스케일이 있는 부분은 아직 너무 큰 빈틈이 남아 있었다. 그래서 약간의 빈곤함을 드러내고 있을지도 모른다. 몇몇 통신자들은 이 빈틈을 보조적인 급수로 메우자고 제안했다.

어떤 사람들은 구체적인 도구를 갖고 싶다고 표명해왔다. (어떤 사람은 건축을 위해서, 또 어떤 사람은 도시계획을 위해서) 예를 들어 실제 치수에서 인체의 각 단계를 0에서부터 2.26m까지 갖는 눈금이 붙은 자, 또는 주머니에 넣는 줄자 같은 것 말이다. 이들의 제안은 모듈러의 '세는 방법'과 같은 미묘한 문제와 관련이 있을지도 모른다.

건축가의 직능에 유효한 기본적인 치수를 작은 종잇조각에 간단한 표로 실용화함으로써 유효하면서 신나는 간소화가 나타났다. 빨강색 표와 파랑색 표. 그러나 그것보다 좋은 것이 있다. 머리가 조금 좋은 사람에게는 머릿속에 이들 수치를 집어넣어, 물질적인 도구 없이 일을 할 수 있도록 하는 것이다.

그리고 이 주장을 관철시키고 나서, 지그재그로 전개하는 논의, 요행이나 의심이 구불구불한 길에서 다룬 물질적인 사실, 혹은 형이상학적인 신비한 방향으로 전개되어 갔다. 한

편에는 안전한 철로, 또 다른 편에는 심연이었다. 인생이란 그런 것, 이것이 인생의 법칙인 것 같다.

모듈러에 대한 반대는 일어나지 않았다. 다만 인체에 따라 치수가 붙어 있지 않는 시스템에서, 그 발명자가 우리의 이름과 너무 비슷한 명칭을 붙인 것이 나타났다. 모든 것을 논의 · 고려해본 결과 모듈러가 일반인들의 관심을 끌고 있는 점은, 인체와 근본적으로 연결되어 있다는 것 때문으로 이것은 르네상스 사람들의 '신적 비례Divine Proportion'에서도 생각지 못했던 것이었다. 모듈러의 인체와의 관계에 따른 치수 결정은, 오히려 기존의 척도법 가운데 특히 이 분야에서 매우 높은 곳까지 도달한 '이집트의 큐빗Egyptian Cubit'과 밀접한 관계가 있는 것 같다.

모듈러는 어떻게 세상에 알려진 것인가? 그것은 1948년 12월에 편집을 마치고 1949년에 발간된 『모듈러』란 책에 따른 것이다. 프랑스어 초판 6,000부가 순식간에 팔렸다. 1951년에 제2판이 나왔다. 다음에 영어로 번역되었다. 뒤이어 일본어, 독일어, 스페인어로도 번역되어 출간되었다. 여러 곳으로 퍼지면서 젊은 사람들이 찾고 있는 자유를 주는 듯한 도구 혹은 재능과 상상력이 없는 사람들에게도 힘을 줄지도 모르는 도구로 보급되었다. 마지막에 호기심을 가진 부류는 잠시 옆으로 밀어둔다.

큰 전문지에서는 대대적으로 모듈러에 대한 기사를 다루었고, 몇 개 회의에서도 논의되었다. 이러한 움직임 속에서 증기나 연기처럼 사라지지 않는 건설적인 의견도 나왔다.

우리에게 모듈러를 발견했던 초기의 신비감은 사라졌다. 여기서 신비감이라는 것은, 직감에 따라서 발명된 것을 설명하는 어려움을 의미하는 것이다. 그것은 비례에 대해 오랫동안 주목해온 것에서 생겨난 직감이었다. 이 경우 이 기적을 '인간'이 아니라 '수', 즉 신의 작업이라고 했다. "처음부터 '이 벽 뒤에서 신들이 연기한다. 그들은 우주를 구성한 숫자이다."라고 선언한 것이었다. 문을 열고, 그 안에서 신들이 맡고 있는 것을 본 것이다. 가정해 보면, 마침 좋은 숫자에 해당하는 행운을 얻은 것이다. 숫자 놀이가 인간 척도를 조절하는 것의 유용함을 느낀 것이다. 어떻게 이런 결정이 이루어진 것일까? 예전부터 우리는 조화를 알아내는 것에 목표를 두고 정열을 기울였다. 그렇게 인생의 50년 동안 삶의 곳곳에서 기회를 얻고 풍부한 자료를 축적할 수 있었던 것이다.

개인적인 여러 경험을 통해 도시계획 · 건축 · 조각 · 회화 · 그래픽 등 동종의 범위에서 답을 얻어낼 수 있었다. 어떤 길을 가고, 같은 길을 다시 밟고, 같은 질문을 하고, 같은 회답을 제안해왔던 것이다. 모든 수평선을 찾고 탐사한다. 인간은 안테나를 갖춘다. 적극적인 생활의 매 분에 겹쳐진 열정적인 관찰을 50년간 계속하면, 어느 길모퉁이에서 빛을 찾아내는 것이 가능하고, 설명도 가능하고, 용서할 수도 있다. 그 인간이 햇빛을 보고, 발견하는 것이다.

그리고 메아리가 답하며 여러 가지 목소리로 해설하고, 지구의 모든 분야에서 서신으로 감격적 공명이 일어났던 것이다. 이를 통해 타인들에게 회자되는 힘도 얻었다. 속셈 없이 또한 완고한 미치광이 짓이라 하지 않고, 그것을 하는 것이 허락된 듯하다. 그리고 하나의 직업에서 출발한 연구 성과가 여기에 들어 있다. 그리고 이 사건은 시적인 감성 작업과 조형 예술을 해왔던 재능이나 전문성을 넘어섰다. 왜 예술 분야에서 과학 분야로 넘어가서는 안 되는 것일까. 대화자가 오히려 그것을 지적하고, 몇 가지 방법을 제안한다. 본인은 항상 단순한 일의 도구라는 한계를 벗어나지 않겠다고 생각해왔다. 또 가능한지도 모르는 진리 탐구와 형이상학, 흔히 있는 순수 철학자의 포부 쪽으로도 향하는 것을 원하지 않았던 것 같다.

* * * * *

모듈러는 스스로 새로운 문을 열었다.

우리는 소박한 연구의 범위에 머무르기 위해, 여기에 수학자이자 고견을 가진 문화인인 르 리오네le Lionnais의 편지를 인용해본다.

파리, 1951년 2월 12일

(전략) 아시다시피, 저는 어떤 부류의 저자들이(당신은 그런 사람이 아니라는 것을 서둘러 말씀드리지만) 황금수의 이용에 관해서 어느 정도 신비주의와 흡사한 관점으로 예상하고, 또 그쪽으로 끌어들이는 것을 비난합니다. 황금수the Golden Mean에 대하여 논할 때 항상 이 점에 대해서 개인적 태도를 분명히 해둘 필요가 있습니다. 그러나 이에 관해 장황하게 말할 필요는 없습니다. 왜냐하면 이 점에서 우리의 태도는 일치하고 있으니까요. 기술면에서 저는 황금수가 특히 특수한 또는 특권을 가진 관념을 드러내고 있다고는 생각하지 않습니다. 하지만 유효한 약속이 되는 것은 있을 수 있습니다. 그런 일은 여러 경우에 일어나는 것으로, 하나의 약속을 비록 그것이 임의의 것이라도 그것을 충실히 따른다면 대단한 진보를 나타낼 수 있습니다. 왜냐하면 그것이 하나의 선택이 되고 질서 확립의 기준이 될 수 있기 때문입니다. ABC 순이라고 하는 것은 당연한 근거는 없으나 대단히 편리하므로, 이것을 비난하는 것은 잘못된 것이겠지요. 저는 여기서 더 이해할 수 있도록 만들기 위해 제 생각을 과장하는 예를 들면서 '극단으로 가려는' 수학자의 결함에 빠졌습니다. 물론 모듈러가 조형 예술에서 절대권을 강요하는 것이 허락될 정도로 독자적인 성격을 띠고 있지는 않습니다만, 그래도 이를 추천하고, 다른 수들과 함께 예술가와 기술자의 주의를 끄는 특성이 있습니다.

수학자는 이런 점에 경계하고 있다.

이에 대하여 '나'라고 하는 건축가, 도시계획자, 화가의 수정안은 이렇다. 수학자는 수를 취급하는 사람이며, '신'들의 사자이다. 인간은 그 정의에서도 신이 아니다. 그리고 시인인 나는 이렇게 선언한다. 인간은 우주와 접하기 위해서, 지상 1.60m에 있는 눈을 이용한다. 눈은 앞을 보고 있다. 왼쪽이나 오른쪽을 보기 위해서는 머리를 돌려야 한다. 사람의 인생은 시각의 끊임없는 연속이며, 계속이며, 집적이다. 인간은 '물질적인 몸'을 가지고 있다. 그는 사지를 움직여 공간을 차지한다. 사람의 공간은 새의 공간도 아니며 물고기의 공간도 아니다. 항공에 따라 인간이 새의 눈을 얻은 것은 잘 알고 있지만, 정신만이 파악한 것이며, 육체는 그 기능과 한계에 머무르고 있다. 황금수라는 것은, 현대 수학자에게는 참으로 저속한 것일지도 모른다. 그들은 갖고 있는 계산기에 따라 놀라운 조합을 발명했다(그들에게는 그럴지도 모르지만, 우리와 같은 모르는 사람에게 있어서는 그렇지 않다.). 그래도 황금수는 우리 주위에서 발견되는 것의 일부를 다루고 있다. 예를 들면, 나뭇잎의 세부, 거목이나 관목의 구조, 기린과 인간의 골격처럼 이미 수만 년 전부터 일상적으로 있어 왔다. 이는 대단한 것이다. 우리들의 환경을 형성해가는 것이다(하지만 고등수학은 그렇지 않다).

인간의 환경에 관한 임무를 가진 노동자로, 그것을 만들어내고, 유지하고, 개조해나가는 것에 따라서, 황금수의 수학적인 저속함에 우리는 조금도 비관하지 않는다. 심지어 건설하고, 조각하고, 그림을 그리고, 공간에 질서를 부여하는 직업인으로서, 우리는 황금수를 이용하는 재료로서 볼 때, 조합의 풍부함에 감탄하게 된다.

* * * * *

모듈러의 새로운 기하학 도면이 생겼다. 이번에는 정확한 것으로, 1942년의 가정을 확인할 수 있다. 즉, 팔을 든 사람의 전체 높이를 2.20m로 가정해보자. 이를 1.10m의 정방형을 2개 겹친 안에 넣어보자. 이 2개의 정방형에 걸쳐 제3의 정방형이 뭔가 해답을 줄 것이다.

직각의 정점이 세 번째의 위치를 정하는 데 도움이 될 것 같다. 이 현장용 틀, 게다가 안에 인간을 넣은 것은(팔을 든) 인체치수와 수학에 합친 일련의 치수에 도달하는 것이다(1권 34페이지).

이 도형은 1951년에 세브르 가의 연구실에서, 후스틴 세랄타Justin Serralta(우루과이 사람)와 메조니에Maisonnier(프랑스인)가 발견했다. 그것은 지적으로도 미적으로도 충분히 만족을 준다. 이것은 1951년 밀라노 트리엔날레의 '신적인 비례Divine Proportion'의 전람회에 비트루비우스Vitruvius나 빌라르 드 온느쿠르Villars de Honnecourt, 피에로 델라 프란체스카Piero della Francesca, 뒤러Dürer, 레오나르도 다 빈치Leonardo da Vinci, 알베르티Alberti 등의 초판본이나 원고와 함께 훌륭한 장소에 전시되었다. 이 도형은 바젤Basel 대학의 수학자 안드레아스 슈파이저Andreas Speiser 교수는 (그는 음악과 조형 예술의 수학에 큰 공헌을 한 사람이지만) 이렇게 말했다. "얼마나 아름다운 도형인가!"

* * * * *

외부 세계의 목소리를 연대기적으로 들어보자.

가브리엘 드쉬Gabriel Dessusm(프랑스 국립전기사업의 영업부 부장)는 1950년 4월 29일에 이렇게 썼다.

> 지금 막 『모듈러』를 읽었습니다. 나는 당신과 마찬가지로 '스케일'을 갖는 것이 필수적이라고 생각합니다. 그렇지 않으면 눈은 임의적인 치수로 헤매고 말테니까요. 그리고 그 스케일은 기하학적인 계열에 따라야 할 것입니다. 왜냐하면 눈은 균형으로 평가하기 때문입니다. 수세기 동안의 경험은 황금수에 따른 비례가 가장 만족스

럽다는 것을 증명해왔습니다. 비록 양쪽으로 여닫는 문과 창문을 위해서만 숫자 2와의 관계가 필요하다고 해도 말입니다.

당신의 모듈러의 비례는 가장 튼튼한 기초 위에 서 있다고 생각됩니다. 그 외에 건축은 인간이 살 수 있도록 만드는 것이므로, 건축 요소인 치수는 인간과 함께 볼 수 있게 되며, 인간과의 관계는 '정확한' 미적인 관계여야 합니다. 따라서 선택된 시리즈는 '평균적인' 인간의 주요 치수를 포함하고 있어야 합니다. 이 점에서 당신이 선택한 사람보다 좀 더 크거나 작은 사람을 뽑으면 안 될까요? 이 요소가 하나의 건축적 디자인과 다른 것 사이에서 변화를 줄 수 있지 않을까요? 저는 미적인 결과로서 대단한 차이를 동반하지는 않는다고 생각합니다. 양산부품을 합리화한다는 점에서 하나 또는 두 개의 시리즈로 한정하는 편이 간단하다는 것은 의심할 여지가 없지만.

저는 스스로 당신의 지적 모험인 필요성necessity을 재구성하고 있으며, 이런 이유로 당신의 제안이 성공할 것이라고 믿고, 또 그런 의미에서 귀중한 책을 제 서고에 둘 수 있어서 감사합니다.

제르멩 바신Germain Basin 파리 국립미술관장은 1950년 12월 3일 이렇게 써서 보내왔다.

10진법과 피트-인치법에서 공통된 치수를 찾아낸 남자는 하나의 목적을 위해 일하고 있다. 그것은 보편성이라는 것으로 올바른 동기이다.

피에르 퀴리 가에 있는 파리의 생물 · 화학 · 물리학회 회장 피에르 지라르Pierre Girard는 이렇게 써서 보내왔다.

> 당신의 책 속에는 대단히 감격스러운 것이 포함되어 있습니다. 인간의 작품으로서, 그것이 세워진 것이라도, 쓰거나 그린 것이라도, 그것은 우리를 구성하는 근간이어야 하며 그것이 당신의 글에 표현되고 있습니다.

지라르의 증언은 비록 그가 학자이지만 나를 너무 추켜세우고, 너무 칭찬하고 있어서 여기에 다시 쓸 수 없다. 원래 이 책을 집필하는 동안 받은 칭찬은 생략하려고 생각했다. 이 편지를 써준 사람은 다음과 같이 맺고 있다.

> 나는『모듈러』를 읽고, 당신 이름이 미래 세계에 생활예술의 가장 위대한 창시자로 남아 있을 것이라고 생각합니다.

이 표현은 지나치다고 생각하지만 미래 세계에서는 다른 식으로 살 것이 확실하다. 그리고 내게는 위대한 생물학자가 그렇게 말한 것이 중요하다.

* * * * *

나는 다음에 말하는 '증언Testimony' 항에서, 파리의 건축가 게타르Guettard의 편지를 다룰 것이다.

그는 편지를 보냈을 뿐 아니라 나를 찾아왔다. 그는 숫자로 가득한 이상한 사나이로 느껴졌다. 중세였다면 피타고라스파의 광신자 승려였는지도 모른다. 현대 사회 어딘가에

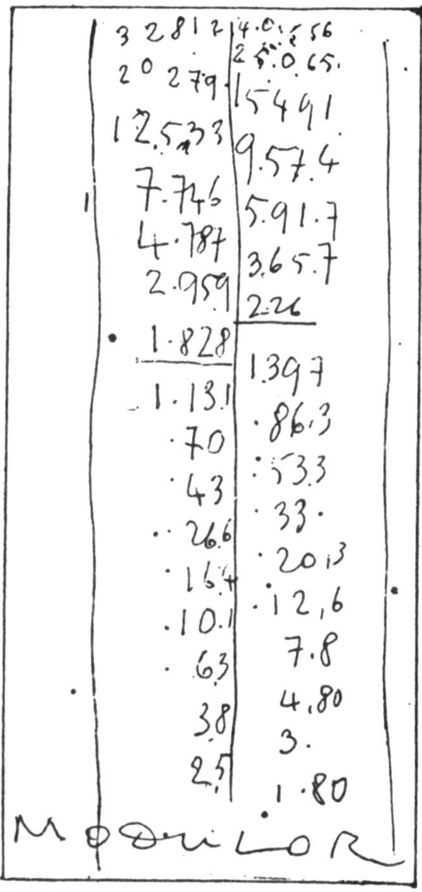

《 그림 1 》

표면 아래에서 드루이드Druids, 피타고라스Pythagoras, 플라톤Platon, 카발라Kabbala 등 옛 사람들과 함께 살고 있을 것 같은 사람이었다.

그는 "당신의 모듈러는 외부에서 왔을 때 열쇠가 되는 숫자를 접촉할 수 있기 때문에 훌륭합니다. 113은 열쇠가 되는 수입니다."라고 말한다.

그가 말하고 있는 동안, 나의 113은 센티미터에 불과하다. 그 외에 아무것도 아니다. 이것을 영국 치수로 바꾸면 몇 피트 아닌 4가 되어버릴 뿐이다. 그 이상의 것은 아니라고 자문자답했다. 여기에는 아무것도 신비한 것이 없다.

다시 현실로 돌아와, 여기에 개인적인 모듈러 표《그림 1》를 삽입한다. 그것은 내 서재에서 여기저기 바꿀 때마다, 압정으로 구멍 투성이가 된 그 종잇조각이다. 이 쪽지를 바라보고 있으면 기쁘고 안심된다.

여기에 그 쌍둥이인 것이 있다. 같은 표이지만 유형화된 것이다.(이것은 세브르 가의 연구실에서 각각의 제도자의 책상에 압정으로 박혀 있는 것이다.)

* * * * *

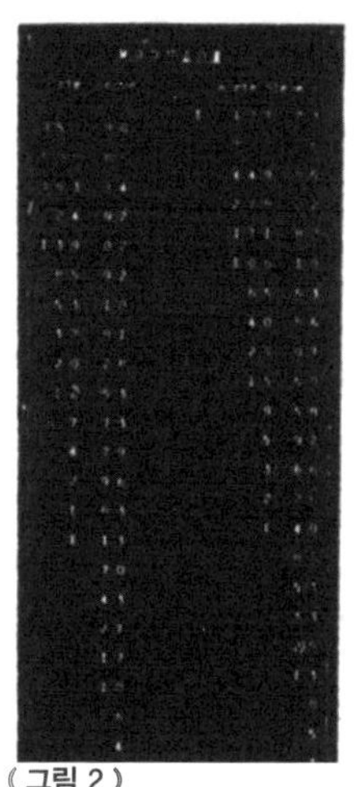
《 그림 2 》

여기에 있는 것은 영국의 건축과 학생협회의 잡지 《플랜*Plan*》의 표지에 있던 것이다. 그곳의 젊은이들은 매력적이고, 진솔하며 열정적인 친구들이다. 그들은 모듈러를 존중한다. 게다가 해학까지도 이해한다. 마침 물에서 나온 오리가 날개를 떨듯이, 그들은 위원회 명단과 함께 모듈러맨이 머리를 아래로 숙인 그림을 발행했다. 꽤 재미있다.

게타르의 글 외에도 예루살렘의 알프레트 노이만Alfred Neumann과 네로만Neroman 등이 거론될 것이다. 후자의 두 사람은 모듈러자의 어떤 단계인가에서 빈틈을 지적하고 있다.

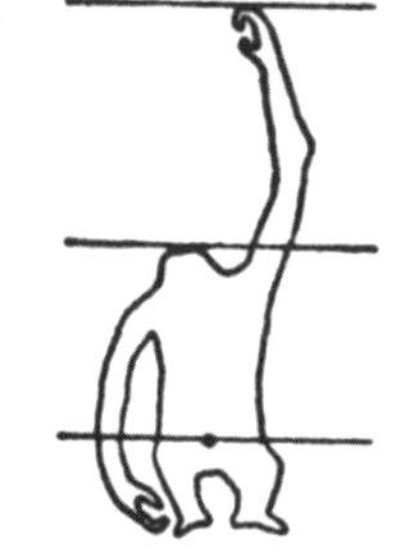
《 그림 3 》

이 중간 단계의 부재는 113의 상하에 관계가 있다. 이러한 제안은 다른 방향의 관심에서 나온 것이다. 나는 그것을 진심으로 받아들이고 이미 해명했다. 나는 수학자가 아니라 예술가, 말하자면 시인이다.

그러므로 최상급의 탐구에 무엇보다 순수한 것을, 혹은 가장 강렬한 것을 찾는 데 몰두하고 있다. 머릿속을 비례에 대한 생각으로 꽉 채우고 오직 조화를 추구하는 것에 마음을 집중해 수학이 필요한 공간과 용적과 비례를 다룬다. 정확함에서 태어난 광선의 빛, 불꽃, 불은 말할 수 없는 공간으로 이끌린다. 그것은 신성한 그 자체이지 마술적인 것은 아니다. 마술적이라는 것에는 악마가 들어간다. 그것도 당당하게 혹은 웃는 얼굴로 들어올 수 있다. 하지만 신성한 곳에는 발을 들여놓을 수 없다.

1945년에 나는 〈말할 수 없는 공간L'ESPACE INDICIBLE〉의 초고를 발표했다.

공간을 차지한다는 것은 인간들, 짐승들, 식물들, 구름이 그런 것처럼 살아 있는 것의 최초 동작이며, 평형과 지속을 표현하는 근본적인 것이다. 실존의 첫 번째 증명은 공간을 점유하는 것이다.

꽃, 풀, 나무, 산, 이 모든 것들은 똑바로 서서 자신의 환경 속에 살고 있다. 만약 거대한 모습 때문에 주의를 끄는 것이 있다면, 그 자체가 주변과 서로 호응하고 있는 것이다. 우리는 그 앞에 멈춰 서서, 바라보고, 공간 속에 교향악적 조화에 감격하며 다양한 자연과의 관계에 대해 깨닫는다. 그리고 우리가 무엇을 보았는지 측정한다.

건축이나 조각, 회화는 당연히 공간과 연결되어 있으며, 각각 적절한 방법에 따라 공간을 관리해야 할 필요성이 있다. 여기서 근본적으로 말하고자 하는 바는 미적 감정의 열쇠는 공간의 기능과 관련이 있다는 것이다.

주변 환경에서 예술 작품(건축, 조각, 회화)의 효과는 물결치는, 절규하는, 동요하는(아테네 아크로폴리스의 파르테논), 분출하는, 마치 폭발물에 의해 빛나는 것 같은 그것이다. 그로 인해 먼 곳과 인근의 전망이 흔들리고 영향을 받아 지배되거나 어우르기도 한다.

환경의 반응으로, 방의 벽과 그 치수, 도시 광장을 둘러싼 다른 입면, 풍경의 평평함과 경사 또는 산의 구부러진 외곽선 그리고 벌거벗은 평야의 지평선, 이 모든 분위기가 이 예술품이 있는 장소를 둘러싸고 있다. 예술 작품, 즉 인간 의지의 상징은 거기에 혹은 깊게, 혹은 억지로 강요하듯이, 혹은 밀도 높게, 또는 얇게, 혹은 격렬하게, 혹은 부드럽게 압박하는 것이다. 거기에 잘 부합하는 현상이 발생하고, 그것은 수학처럼 정확한 조형적인 음향 효과가 나타난다. 그리하여 이러한 현상은 기쁨을 가져다주는 세련된 것(음악), 또는 빈축을 사는 소음이라고 부를 수 있다.

나는 야심찬 주장을 하려는 것이 아니라 1910년경, 나와 동시대 예술가들인 입체파의 훌륭한 창조적 힘으로 도달한 공간의 '찬미'에 관해 다루고 싶다. 그들은 4차원의 세계에 대해서, 직관적으로 혹은 좀 더 통찰력을 가지고 말했다. 그러나 그 정도는 아무래도 좋다. 그들이 일생을 바쳐 예술, 특히 건축 · 조각 · 회화 이 세 분야를 통해 조화를 탐구함으로써

나 자신은 이 현상을 관찰할 기회를 얻었다. 4차원의 세계란 무한한 자유의 순간에 창조적인 수단으로 특별히 만족할 만한 조화를 만들어내는 예술품인 것 같다.

이것은 예술가에 의해 선택된 소재의 효과가 아니고, 모든 것에서 이루어진 비례의 결과가 이루어낸 승리이다. 예술품의 본질적인 속성뿐만 아니라 예술가의 의도의 실현은 의도했든 의도하지 않았든, 존재하든 존재하지 않았든, 어쨌든 존재하지 않아도 그 자체의 직감으로 존재하는 것으로 획득하고 동화되어 잊어버린 지혜에 기적적인 촉매 작용을 할 것이다. 왜냐하면 완성된 작품은 여러 가지 의도를 가지고 있어서, 그 자체가 하나의 세계이며, 아는 사람에게는 그것이 성공이라고까지 느껴진다. 즉, 가치를 아는 사람들은 알 것이다.

'바닥을 헤아릴 수 없는 깊이가 크게 열리고, 모든 벽들을 제거하고, 우연의 존재를 없애면, 표현할 수 없는 공간의 기적이 실현될 수 있다.'[1]

이런 말을 인용하고 나서 과거로 거슬러 올라가 생각해보니, 나의 모든 지적 활동은 공간의 취급에 쏠려 있었던 것이 기억난다. 나는 공간의 인간이며, 그것은 단지 정신적인 것뿐 아니라 육체적으로도 그렇다. 나는 비행기나 배가 좋다. 나는 산보다 바다나 해안, 평원을 좋아한다. 알프스 기슭이나 알프스 산은 나를 짓누른다. 정상 가까이나 제일 높은 목장 등지에서는 산등성이 같은 공간이 다시 나타나지만, 그곳에 전개되는 것은 산산조각이 난 요소, 다시 말해 지질 단층의 격변에 의한 거친 것들이다. 나는 그런 것들보다는 훌륭한 때를 알리는 듯한 바다의 조수와 썰물이 밤낮을 똑같이 나누는 모습, 엄격하지만 드러나지 않는 가장 깊은 곳의 법칙에 따르면서 매일 일어나는 변화의 훌륭함에 계속 감동하는 것이다.

---

[1] 이런 것은 경험에서 나온 것이다. 나의 집에서는 한 변이 2m인 홀이 있다. 한쪽 벽은 북향의 유리로, 옥상정원에 열려 있다. 이 벽은 일정의 빛을 받고 있다. 대부분 이론대로의 빛이다. 이것은 나의 아파트가 동서축에 있기 때문에 유일하게 빛을 받는 면이다.
나는 유화를 그리고 있는 도중에, 이것을 시험대의 벽으로 이용했다. 조그마한 그림에도 큰 그림에도.
어느 날(매우 중요한 순간), 나는 그림도 말할 수 없는 공간이 나의 눈앞에서 실현되는 것을 보았다. 이 벽이 그림을 위해 무한히 빛났다는 것이다.
나는 이것을 친구나 손님에게 실험해보았다. 처음에 그림은 그곳에 걸렸었다. 그리고 그것을 급히 떼어보았다. 그러자 이 벽은 조그마한 2m의 벽, 비참한 벽이었다. 이 사실은 생각해볼 가치가 있다.

2장 • 증거 Testimony

Ⅰ. 입증
Ⅱ. 토의
Ⅲ. 모듈러의 구체적 응용

I
입증

나의 친구여, 모듈러에 감사한다. 나는 모듈러를 알기 시작하면서 모든 요소들을 다시 생각하고, 다시 형태를 잡는 구성에 의해 1장부터 얻어내게 되었다.

그래서 학부를 피하고, 틀에 박힌 가르침을 피할 수 있었다. 수업을! 다시 감사한다.

장 폴랑Jean Paulhan

전쟁 전부터 뉴욕에서 일하고 있던 그리스 건축가 스타모 파파다키Stamo Papadaki는 존 데일John Dale(1권 56~57페이지 참조)로부터 미국에서 모듈러의 띠 제조를 준비하도록 의뢰받았지만, 이 일은 그러한 모험을 원치 않는 미국 산업계의 반대로 실패했다. 파파다키는 모듈러의 최초의 개척자였다. 그는 최초로 1946년부터 이 발명품의 분석과 구체적인 응용 가능성에 대한 연구에 몰두했기 때문이다.

지금 여기에서 나는 그가 모듈러에 붙였던 부제 'A scale of harmonious measurements of space', 즉 '공간을 조화롭게 측량하기 위한 척도'를 채택하고자 한다.

* * * * *

예루살렘의 알프레드 노이만Alfred Neumann은 그의 연구를 '공간의 인간화humanization of space' 라고 하였다.

* * * * *

히말라야에 접한 찬디가르 캐피톨Capitol of Chandigarh 부지 위의 L.C.를 보여주는 사진, 1951년(제인 도류Jane Drew 편 《Architects' Year Book 5》 65페이지 참조). 여기서 르 꼬르뷔지에는 한 손에는 막 인쇄된 이 신도시의 도시계획안을 들고 있고, 다른 한 손에는 이 계획국의 건축가들 중 한 사람이 깎은 목재 모듈러 조각상을 들고 있다.(지금은 새롭게 세워진 마을의 집에서 살고 있지만 당시만 해도 여기 사는 사람들은 텐트에서 생활하고 있었다.)

《 그림 4 》

이 사진 자료는 펀잡Punjab 주의 새로운 수도 찬디가르Chandigarh로, 인구 50만 명(제1기 15만 명)의 도시를 건설하는 데 모듈러를 채택했다. 현실로 입증된 것으로는 큰 사건이다.

* * * * *

다음 자료는 1950년에 파리의 샹-제르망Saint-Germain 거리 베가Vega 서점에 모듈러의 초판이 나왔을 때 (모듈러의 최초의 띠를) 진열한 사진이다(제1권 45~46페이지 참조). 이 서점은 특히 비전(秘傳) 책이라든지 순정철학 등을 출판하는 곳이었다. 『모듈러』는 여기 지배인 루이에Rouhier로부터 특별히 환영받았다. 그리고 저자가 자신도 생각지 못한 의도나 소유하지 못한 능력을 신뢰하게 하고 끝없이 과거와 접촉하여 한 번도 실현되지 못했던 행운과 연결했다. 이러한 오해는 불쾌하지 않았다. 그것은 '일은 우연하게 일치한다.' 혹은 '우연히 재현된다.'라는 것을 증명하는 것이며, 아래에서 위로, 좌측에서 우측으로 또 우측에서 좌측으로 사람들의 생각을 활발하게 하는 것으로, 시공을 넘어서 일어나며, 인간 관심의 일체감을 증명하는 것이다.

《 그림 5 》

1946년 이후 작은 코닥 필름통에 든 모듈러 띠strip는 내 호주머니 속에 있었다. 거기에는 어떤 사건이 있었다. 정말 아름다운 이야기로 '전설의 탄생'이라고 제목을 붙여 여기서 언급하기에 적절한 것 같다.

1951년 3월 28일 찬디가르Chandigarh에 석양이 질 무렵, 나는 바르마Varma, 프라이Fry 그리고 피에르 쟝누레Pierre Jeanneret와 함께 지프를 타고 아직도 텅빈 수도 부지를 가로질러 달리고 있었다. 일찍이 없었던 것 같은 아름다운 봄날, 그 전날 밤 호우에 씻겨 맑아진 공기, 뚜렷한 원경, 거대하고 멋있는 망고나무들. 우리는 거의 (제1기의) 일이 마무리되어 가고 있었고, 마을 도시계획안을 만들어냈을 때였다.

그때 나는 모듈러 상자를 잃어버린 것을 알았다. 유일하게 존재하는 모듈러 띠, 1945년에 솔탄이 만들어준 이래 (『모듈러The Modulor』가 출판된 1950년에 베가 서점 매장에 15일간 진열된 경우를 제외하면) 6년 동안 내 호주머니에서 벗어난 적이 없었다. 완전히 더럽혀지고, 찌그러진 그것. 파리로 돌아오기 전 부지를 마지막으로 돌아볼 때, 모듈러는 지프에서 떨어져 수도가 만들어져 없어져버린 경작지 내에서 사라진 것이다. 지금은 흙과 함께 섞여 한복판에 있을 것이다. 그것은 조화로운 스케일에 일치하며 모든 조각으로 조직되는 세계의 첫 번째 도시의 온갖 치수로 곧 꽃피게 될 것이다.

지프에 앉아 있으면 무릎 위치가 허리보다 높아진다. 그 사이 호주머니 안의 물건이 빠져나와 버린 것이다. 충분히 주의하고 있어도 무리다. 결국 모듈러도 내 호주머니에서 빠져나가 버리고 말았다.

– 인도 여행기에서, 1951년–

* * * * *

1954년 파리, 부에노스아이레스, 도쿄 런던, 슈투트가르트에서 번역 출간된『모듈러』.

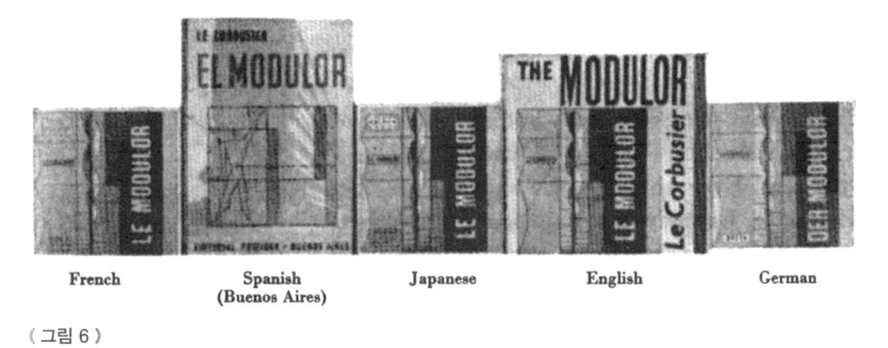

《 그림 6 》

* * * * *

J. 틸위트J. Tyrwhitt 여사에게서 온 1952년 11월 24일 편지에는 이렇게 쓰여 있다.

캐나다에서 일은 아직 개척기이지만 재미있게 계속하고 있습니다. 저는『도시계획에 대해서』라는 책을, 도시계획을 하는 사람에게 필수 지침서로서, 또『모듈러』를 건축 5학년 학생을 위해서 사용하고 있습니다.(지금 저는 5학년만 관계하고 있습니다.)

쟈클리느 틸위트 여사는 1951년 런던의 호데스던에서 열린 CIAM 제8회 회의와 1952년 뉴델리에서 열린 '열대권의 건물, 도시계획과 건설에 과학적인 원리의 응용'이라는 심포지엄을 준비한 사람이다.

* * * * *

1953년 3월 30일에, 전에 세브르 가 35번지의 아틀리에서 일하고 있던 쥬스탕 후스틴 세랄타Justin Serralta는 몬테비데오Montevideo로 돌아가, 그곳에서 이렇게 적어 보내왔다.

이곳 건축과에서 건축계획의 조교수를 하고 있습니다. 저의 담당 분반에서는 공동으로 일을 하도록 하고 있습니다만, 모듈러와 CIAM의 그리드를 반드시 사용하도록 하고 있습니다.

* * * * *

건설장관 클로디우스 푸치Claudius Fetit는 1953년 3월 23일 다음과 같은 편지를 보내왔다.

화물선 베르농 S 후드*Vernon S. Hood* 호 위에서였죠. 당신은 비밀을 쥐고 있었던 그 그림, 팔을 올린 인간과 그 옆에 함께 흘러가듯이 펼쳐져서는 영에서 무한대로 뻗어진 것처럼 그려진 곡선이 있고, 브랑크시Brancusi의 조각과 이상적 불꽃의 모습을 가지고, "해냈다. 모든 것이 확실해졌다. 설명할 수 있다. 모듈러는 완성되었다."고 내게 말했었습니다. 조그마한 상자 안에 둥글게 말린 두꺼운 종이의 띠, 거기에는 평범한 사람에게는 불가사의한 눈금이 그려져 있었고, 군데군데 빨강과 파랑으로 표시되어, 밀리미터뿐 아니라 피트와 인치로도 숫자가 적혀 있었습니다. 그것은 수년에 걸친 역작을 나타내는 것이었습니다. 사물에 대한 새로운 조화로운 계량 방법이 생겨난 것

近代建築モデュロア方式
すべて人間を基準に
調和した美しさを現す

(그림 7)

이었습니다.

당신은 또 얼마나 인내심을 가지고, 객관적으로 모듈러에 대해 실험했겠습니까? 배 안에서 조화를 이루었다고 생각되는 것, 치수가 좋을 것 같은 것, 보면 기분이 좋은 것, 신체에 딱 맞는 것, 그리고 또 불편한 것이나 추한 것, 무엇이든지 모두 시험대에 올렸습니다. 확신을 차곡차곡 쌓아, 승인과 이용을 준비하고 있었습니다.

'모듈러가 모든 나라에서 다수의 건축가와 도시계획가, 그리고 기사들에 의해 호화로운 책이나 간소한 출판물의 인쇄, 마을이나 주거의 계획, 건축과 가구 등 여러 가지 일에 사용되고 있는 것을 보면, 당신이 얼마나 기뻐하실지 생각해봅니다!

* * * * *

모듈러가 아직 번역 출판되기 전부터 일본인들은 신문에서 이것에 대해 다루고 있었다. 이 자료가 무엇을 말하고 있는지는 독자의 판단에 맡긴다.

세브르 가 35번지에, 어느 날 다음과 같은 전보가 도착했다.

1950년 11월 17일, 도시계획협회로부터,

모듈러상이 메델린Medelin 시[2]에서 창설되었습니다. 귀금속제의 모듈러 마크를 따로 보냅니다.

신념을 가진 영국 남자로부터 크리스마스 카드를 받았다. 이 카드는 프랑스인의 체격

[2] 남미국가 콜롬비아(Colombia)의 도시명.

1.75m를 바탕으로 한 첫 번째의 모듈러를 사용하고 있었다.(제1권 52페이지 참조)

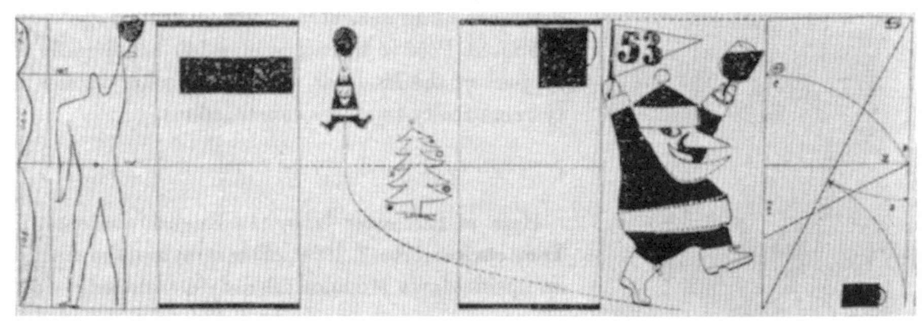

《 그림 8 》

장 프레베Jean Prouvé의 딸 시몬 프레베Simone Prouvé는 손수 짠 털목도리를 보내왔다. (다음번 감기 때를 대비해 사용하지 않고 보관하고 있다.) 이 목도리는 빨강과 파랑의 두 가지 띠가 섞여 있다. 길이는 단지 1.40m(독감이라면 충분한 길이)로, 빨강과 파랑의 눈금이 있었다.

《 그림 9 》

쟝 프레베는 알루미늄 판 절곡으로 학교와 주택, 가구 등을 특별하게 고안해 시공하고, 비례가 좋은 우아한 것을 사용하는 엔지니어이자 공업가이다. 그의 아버지 빅토르 프레베Victor Prouvé는 1900년경 가레Galle와 함께 '낭시풍Movement of Nancy'이라고 불린 아르 누보Art Nouveau 운동을 일으킨 사람이다. 아르 누보 운동은 대단히 독창적이며 활기 있는 것이었지만 비교적 중요성이 적은 것에 사용되었다. 이 운동은 가볍게 여겨지고, 멸시당하고, 아카데미의 토론회에서 그 창작품은 파괴되었다. 남아 있는 것은 파리의 장식예술박물관에 있는 훌륭한 유리그릇과 기마르Guimard의 '지하철 입구'가 몇 개인데, 현명한 관리자에게 경의를 표할 정도로 파리 여기저기에 잘 보존되어 있을 뿐이다. 시몬 프레베는 그녀의 아버지가 그 건조물에 모듈러를 제대로 사용한 것에 대해 항상 우호적인 지지를 보냈다.

여기에 영국 학생들로부터 온 편지가 있다. 그들은 편지와 함께 위아래가 뒤집힌 모듈러를 보여주는 잡지 《플랜PLAN》(건축협회 잡지, 건축학교, 버밍햄 3, 마거릿 거리) 1950년 제7권도 함께 보내왔다.

1951년 7월 17일.

르 꼬르뷔지에 님,

우리들은『모듈러 2』,『모듈러 3』을 위한 당신의 계획을 기꺼이 기다리고 있습니다. 세계가 그것을 갈망할 것이고, 이 발명품의 근본적인 중요함을 증명해주시겠지요.

유감스럽지만 우리들은 아직 실제로 건축할 기회를 얻지 못했기 때문에 당신의 새로운 작업에 아무 공헌도 할 수 없습니다. 수년 후에는 무언가 할 수 있다고 생각되지만, 지금은 도울 수 없는 우리의 무능함을 용서해주십시오. 보충으로 아마 이미 느꼈을지 모르지만 모듈러로 치수를 결정한 《플랜Plan》의 한 페이지를 드리고 싶습니다.

신판본의 성공을 빕니다.

* * * * *

1948년 6월 30일, 칼슈바우머Karschbaumer라는 티롤Tyrol의 건축가는 같은 연구를 하고 있었고, 모듈러와 공통점을 발견하였다.

저 역시 비례의 문제를 해결하기 위해 최근 50년 동안의 문헌과 전통에 기반을 둔 고대 그리스, 중세의 건축들을 연구해보았습니다. 그리고 20세기에는 역사적 혹은 전통적 방식이 별 도움이 안 된다는 결론을 얻었습니다. 다른 말로 하면, 고전적 방식을 오늘날에는 더 이상 적용할 수 없고 만족도 줄 수 없다는 것입니다.

저는 다른 해답을 찾았습니다. 비례의 계통은 자연 속(특히, 식물의 생물학적 형성체 안에, 동물 신체 세포 안에, 당연히 인간의 몸 안)에 있다는 것을 알아내고, 그 원리를 추구하며 여러 가지를 측정하고 계산해보았습니다. 2년 전에 '황금분할Golden Section'과 '기하급수Geometrical Succession'와의 관계가 자연에 있는 형태의 비례 결정에 작용하고 있다는 것을 발견했습니다. 그전까지는 '황금분할'만으로 만족하고 있었습니다만 귀하의 '모듈러'와 저의 결론을 비교해본 후 놀랍게도 양쪽의 결론이 매우 비슷하다는 것을 깨달았습니다. 수(數)도, 치수도 그 자체만으로는 실제로 사용할 수 있는 방법을 주지는 못합니다(독일 학자들은 불행하게도 그 쪽으로 헤매고 있었습니다.). 모든 계획안을 검토하고, 수정 가능한 기하학적인 방법을 완성했습니다. 기하학적인 구성만으로 비례치를 표현하는 것이 가능합니다.

이 일은 사실상 완성되었습니다. 간단한 기하학적인 작도만으로 계산도 하지 않고, 치수로 바꾸지도 않고, '황금분할'과 '기하급수'로, 귀하의 모듈러와 같은 것을 나타낼 수 있습니다.

* * * * *

로잔느Lausanne에서는 '인간 연구Les Etudes de l'Homme'라는 그룹이 조합회관에서 '황금수'에 관하여 12회의 강연을 한다는 것을 게시하고, 제7회차를 모듈러에 할당했다.

황금수에 관한 새로운 강좌

강사 : 케리커Th. Koelliker, 엔지니어

A. 초급 강좌

(12회, 1952년 10월 27일부터 12월 22일 및 1953년 1월 12일부터 26일에 걸친 매 월요일)

제1강 건축에서의 상징의 명분

제2강 황금분할 및 수의 수학적 결정

제3강 황금수, 생명의 수, 피보나치급수

제4강 직선적 조화, 리듬이론

제5강 이진binary 리듬, 삼진ternary 리듬의 우위

제6강 삼진 리듬 및 다진multiple 리듬

제7강 모듈러

제8강 사변형의 조화화, 황금차트, 1대 2의 비례의 직사각형

제9강 황금차트와 황금다각형

제10강 외접 직사각형, 25의 황금구성

제11강 조화의 그래픽 방법, 햄비지Hambidge 법

제12강 햄비지. 유사함에 따른 조화

B. 상급 강좌 12회(기일은 후일 결정)

초급과 상급의 두 강좌는 수의 과학을 얻고 싶은 사람들에게 확실한 기초를 다져줄 것이다.

* * * * *

스위스 보주의 라 사라 마을(CIAM회의가 창립된 장소)의 한 엔지니어는 '마이야르와 르 코르뷔지에'의 작도는 수학적으로 정확하지 않다고 적고 있다(제1권 39페이지 참조). 좋다, 다음에 그 문제를 검토해보자.

1950년 10월에 제럴드 해닝Gerald Hanning은 이렇게 썼다.

모듈러에 대해서, …… 그 응용과 관련하여 이 조화로운 치수가 피트나 미터의 역할에 제한된다는 점이 안타깝습니다. 제 생각에는 미학적인 지식과 조형감정에 의해 증명된 기술적인 지식, 그리고 인간에 대한 지식들을 기본으로 하여 지식의 종합 질서의 틀을 세우고 근대 건설에서 특히 주거 관계의 완성 부품을 생산하는 방법인 '일본의 다다미'처럼 건설 모두에 사용되는 것을 생각하고 있다. 왓스만Wachsmann의 판넬이라든지 특히 미국의 그니슨Gunnison이나 루이스빌Louisville의 조립제품들처럼 고무도장으로 평면도를 그려 내거나 집을 전화로 주문하고, 공장에서 각각의 부품 기호를 단지 말하는 것만으로도 제작되는 것이 바로 모듈러가 단순한 이상론이 아님을 보여주는 것입니다. 한 공장에서 실제로 실현되었던 것은 다른 공업에서도 할 수 있는 것이며, 만약 이것을 규격으로 어느 정도의 기준을 정할 수 있는 단계에 이른다면 국제적으로도 적용할 수 있는 일입니다.

다만 아직 그 시대에 도달하지 않았을 뿐이며 미학적인 처방에만 그치지 것이 아니라 어떤 다른 것들이 더 만들어진다면 귀하의 모듈러는 미래가 확실하다고 생각합니다.

그러나 제럴드 해닝은 『모듈러』 제1권의 부제목 '건축 및 기계의 모두에게 이용할 수 있는 조화를 이룬 인간적 척도에 대한 소론'을 보고 안심했을 것이다.

* * * * *

건축가 장 클로드 마제Jean-Claude Mazet는 나의 무지(공교롭게도 온갖 분야에 이르고 있지만)에 중대한 결점을 지적했다.

> 『모듈러』(1950년의 초판본)를 다시 읽어보고 있어서 말씀드리고 싶습니다. 성무일도breviary처럼 해온 원고가 출판된 지 얼마 지나지 않았을 무렵, 무례하게 제가 말한 결론(220~223페이지)에 대해서입니다. 이미 모두의 눈에 특히 작은 결점이라도 찾아 흠집을 내고자 하는 반대자들의 눈에 띄었을 것이라고 생각하지만, 그 점에 대하여 말씀드리고 싶습니다.
>
> 파리의 측후소를 …… 망사르Mansard의 덕분이라고 생각하는지?
>
> '순수한 보자르 스타일' 판화는 결코 망사르를 그린 것이 아니고, 또 클로드 페로Claude Perrault의 초상화도 아니며 측후소장이었던 19세기 천문학자 르베리에Leverrier를 그린 것입니다.
>
> 그래서 '50프랑 지폐'의 컴퍼스는 코페르니쿠스 제자의 것이며, 귀하의 설명은 조금 잘못된 것은 아닐까 생각합니다.

* * * * *

법학박사 로베르 란크레 쟈브르Robert Lancrey-Java(제1권 42페이지 참조)는 초기 특허 사무관이었지만, 나에게 귀중한 정보를 주었다.

역사적인 점에서 확실히 해야 합니다. 제가 '모듈러'라는 말을 발명한 것이어서, 제가 제안한 것입니다. 처음 귀하의 반응은 그다지 긍정적이지 않았습니다. 이렇게 말했다는 것을 기억하고 있습니다. "아니, 그것은 안 됩니다. 마치 병으로 가득찬 술 창고의 이름 같지 않은가."라고요. 하지만 마음을 바꿔 저의 생각이 좋다고 생각하게 된 것은 무척이나 기쁜 일입니다.

Ⅱ
토의

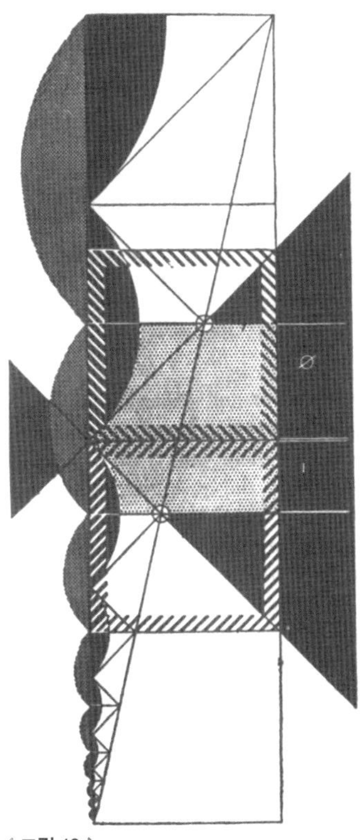
《 그림 10 》

모듈러의 결정적인 작도《그림 10》

한 변이 1.13m인 두 개의 동일한 정방형을 얹어놓는다. 세 번째의 정방형은 앞 두 개에 걸치게 해 그 한 변이 황금분할되도록 놓아, '직각의 꼭짓점 위치'를 결정한다.

이 직각을 이번에는 정확하게 두 개의 정방형으로 된 직사각형 내에 그리면, 세 번째의 정방형의 두 변과 두 개의 교점이 만들어진다.

이 두 개의 교점을 연결하는 사선을 따라서, 왼쪽으로 감소 급수를 오른쪽으로는 증대하는 급수, 빨강과 파랑이 조화를 이룬 훌륭한 나선이 나타난다.

더 이상의 설명은 필요 없다. 보기만 하면 된다. 발견하기만 하면 되는 것이다. 다행히 영감의 여신 날개에 이마를 애무한 두 명의 청년, 우루과이인 후스틴 세랄타와 프랑스인 메조니에는 세브르 가에서의 연구로 여기에 이른 것이다. 여신muse의 날개가 애무하는 누름에 응답하기 위해, 조화의 문제에 대해 열정적 연구로 이마는 낮게 구부러졌다. 사실 이 두 청년은 정말 재능이 있었다.

* * * * *

한스게오르크 마이어Hansjörg Meyer라고 하는 뮌헨의 학생도 두 개의 정사각형 사이에 직각의 꼭짓점의 위치에 세 번째의 정사각형을 넣어서 얻는 모듈러의 순수한 기하학적인 작도를 제안하고 있다.

그 작도가 이것이다.《그림 11》 정확하기는 하나 아름답지는 않다. 기하학 결과는 완전하다. 다음의 사진이 그것을 평가해줄 것이다.

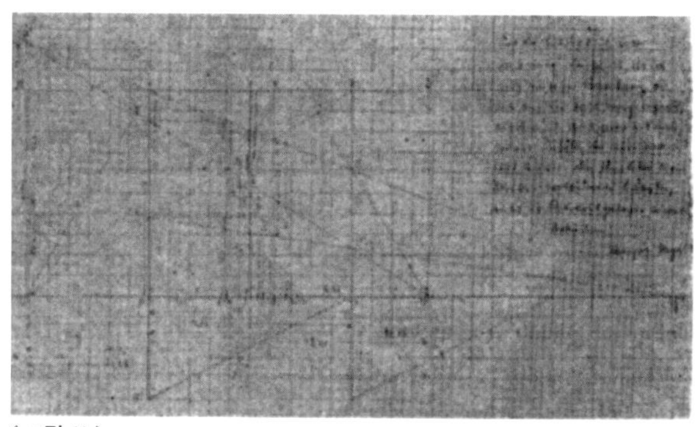

《 그림 11 》

긴밀하고 유익한 논의에서, 마이어 학생은 빨강과 파란색 조합의 급수를 한층 더 풍부하게 하는 제안을 하고 있다.《그림 12》

1950년 5월에 이미 듀포R.-F. Duffau와 코드런Cauderan, Gironde은 『모듈러』 제1권의 오류를 지적했다.

생각대로, 저희는 모듈러 방식에 완전히 매료되었습니다. 따라서 이 무한한 조화

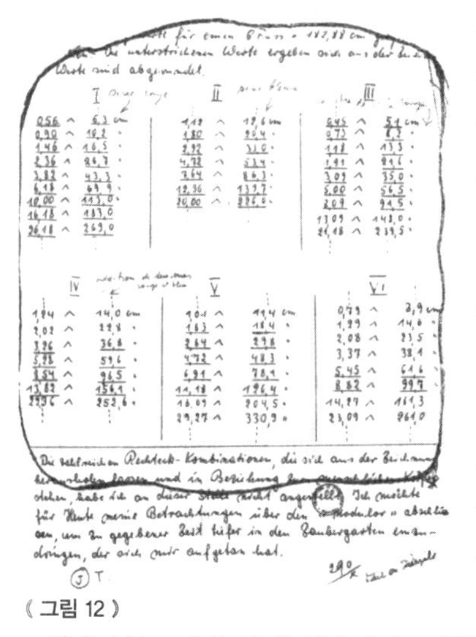

《그림 12》

를 이룬 비례 계통이 대대적으로 이용되고, 언젠가는 훌륭한 공간을 감상할 수 있게 할 것이라는 상상에 즐거웠습니다. 한마디로 이것은 완전히 멋진 발명입니다.

그러나 그는 하나의 오류가 있음을 지적하고 있다.

기정사실로 되어 있는 것에 약간의 혼란을 가져올 우려가 있습니다. 그러나 다행히도 그것은 이론적 분야에 머무르고 있으므로 모듈러의 실용면에서 그다지 난처하지 않습니다.

제가 말하고자 하는 것은 모듈러의 급수의 첫 항을 낳는 도해 안에 있습니다. 저의 생각으로는 분명히 잘못이 있다고 생각되고 경우에 따라서 결과가 잘 나올 수 없을 것 같습니다.

그래서 저는 그 자리에 매우 단순한 작도를 제안해보겠습니다. 이것이라면 과학적 정신, 정확함을 간절히 바라는 마음을 완전히 만족시킴과 동시에 제출된 문제를 해결(물론 그 밖에도 같은 결과가 되는 안은 있을 것으로 생각합니다만)할 것입니다.

이 정도로 하고, 별지의 설명으로 옮기겠습니다.

1. 두 개의 늘어선 정방형 안에서 (여기서 생각되고 있는) 직각을 취하는 것은 불가능합니다.

〈불가능한 이유〉

만약 두 개의 정방형이 올바르면 각은 직각이 아니다.

만약 각이 직각이라면 두 개의 사변형은 정방형이 아니다.

직각의 위치는, 정방형의 변의 두 배를 저변으로 하는 반원호 위에 있습니다.

교점은 하나입니다.

이 해법은 우리의 문제를 풀어주지 않습니다. 그러니까 다른 방법으로 위에 적은 길 이 외의 다른 길을 찾지 않으면 안 됩니다.

2. 감히 제가 제안하는 해결책입니다.

정방형을 기본으로 하고, 그 황금비를 하나의 정방형 위에 있던 황금비의 점(빨강)을 기점으로 두 개의 늘어선 정방형을 그립니다.

듀포 군이 편지에 제시한 내용은 중요하고, 올바르고, 간결하고, 우아하다. 그러나 나는 그러한 줄기로 생각한 것이 아니었다.

나의 해답은 다음과 같다.《그림 13》

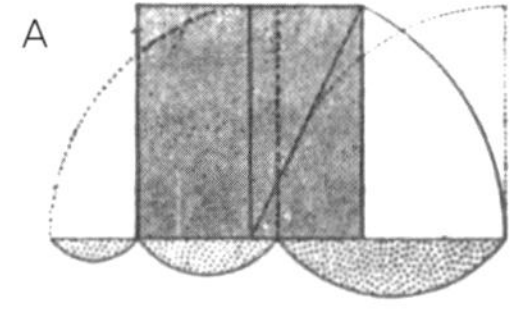

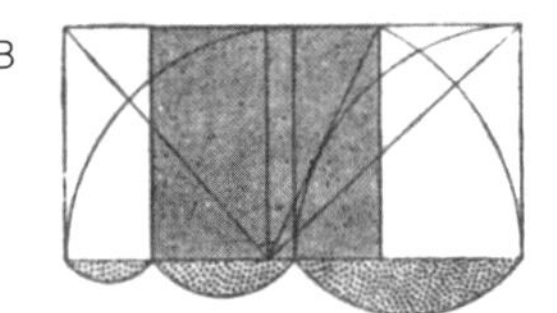

《 그림 13 》

그림 A　당신의 제안에 근거해 그린 것

그림 B　나의 제안에 따라서 그린 것

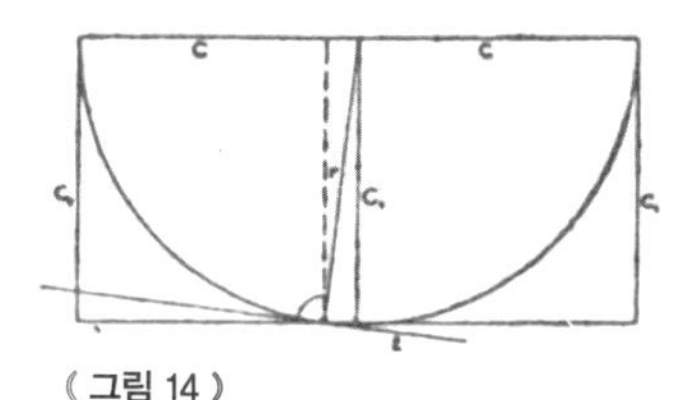
(그림 14)

‘(『모듈러』 제1권 《그림 22》를 보자.) 다시 말해, 이 데이터는 비례의 그리드로 생각할 수 있다. 팔을 올린 인간, 즉 113의 정방형 두 개(226)를.

제3의 정방형을, ‘직각의 정점’에 놓는다. 그런데 이 제3의 정방형이 들어가는 곳은 변의 중점이 아니라 그 변의 황금분할점이어야만 한다. 거기로부터 『모듈러』 1948년 판(제1권)의 《그림 7, 8, 9, 10, 12》 등등의 잘못이 《그림 21, 22, 96》의 애매함과 불안함을 낳은 것이다.

이 가정은 머릿속의 자연스러운 놀이로부터 생겨난 것이었다. 그것은 선험적 생각이지, 나중에 계산해서 나온 것은 아니다. i점이 생겨났다.《그림 10》 같은 작업을 반복하면《그림 12》, 여기에서도 i점이 주어져 g−i의 길이를 이등분하고, g−k 및 k−i에 두 개의 정방형이 생긴다.(제1권을 보자.)

듀포 군, 이 그림을 그리는 방법은 구체적 정확성은 결여되어 있지만 하나의 생각을 좇고 있습니다. 듀포 선은 정확하고 간결하여 끌립니다. 그러나 그것은 나중에 그린 것으로, 누구의 머리에도 떠오를 리 없는 의도적인 그림입니다. 그것은 언제나 증명과 검산을 통해 훌륭히 그린 그림입니다.

오늘날(1954년)에 1942~1948년의 상황을 이해할 필요가 있다. 우리는 그 당시에 스케일, 작업도구인 그리드를 찾고 있었다. 그리고 손가락으로 재서 얻은 수들을 조합하는 ‘무엇’인가로 발전시키고자 했다. 우리는 마르세유(주거 단위)를 조성하고 있었다. 수의 이용은 우리의 노력을 기적으로 만들며 점점 앞으로 정복해나가게 했다. 그 그림이나 계산은 중간에 들어간 사람들에 의해 그려진 것이다. 증명이라든가, 해설이라든가, 하는 것들은 언젠가 전문가들이 해줄 것이다.

* * * * *

세랄타와 메조니에는 모듈러와 옛 전통적 치수, 특히 이집트의 큐빗Cubit을 일치시킬 수 있는지 알고 싶었다.

나를 놀라게 했던 일이 하나 있었다. 그것은 가장 먼저 모듈러가 인체치수에 합치한 조화의 합주, 즉 조화되는 스케일을 만들어냈다는 점이다. 그것은 정말로 신기한 일이다. 르네상스 사람들은 비례의 문제(디비나 프로포르치오네 = 신적 비례)에 대해서는 정말 열정적이었다. 그리고 수학, 기하학, 대수학에 빠져들었다. 그것으로 인간의 신체와 대건축의 설계도를 포함한 원과 축선으로 이루어진 눈부신 다면체를 그려냈다. 이 끝이 없는 수가 가지고 있는 무한의 보고에서 나온 놀이는 각각의 문제의 구체적 정보에, 즉 독특한 각각의 치수에도 잘 들어 맞았다. 디비나 프로포르치오네는 100m 높이의 건물이나 10cm 높이의 항아리에도 같은 선이나 비례의 계통이 응용되었다. 그것을 건설하는 작가는 날개를 펼치는 공작 같았다. 그리고 사람들은 많은 다면체나 별모양의 축선 한가운데에서, 눈은 머리의 전방에 붙어 있고 키에 따라 지상에서 일정의 높이에 있지만, 이것이 인식이나 시각적 감각의 결정 요인임을 잊어버렸다. 이것을 잊어버림으로써 인간과 환경을 지배하는 관계에 대한 기본 용어 중 하나도 잊어버렸던 것이다.

인간은 신체의 각 부분, 양 다리, 몸통, 양 팔을 늘린다든지 올린다든지 하여 공간을 이용한다. 그리고 명치를 중심으로 몸을 경첩처럼 접어 구부릴 수 있다. 정말로 단순한 기구다. 하지만 우리가 공간을 점령하는 행동으로서는 이것밖에 없는 것이다. 눈이 먼 곳을 볼 수 있고, 정신은 무한한 것을 상상하고, 무한함을 이해하려 한다는 것을 알고 있다. 다시 요점으로 돌아와서 우리는 지능이 있는 인간이 물질적 도움이 되는 도구를 만들고 지적 만족을 얻을 수 있는 도구를 만들어낸 것을 보았다. 인간은 치수를 측정하기 위한 것도 고안해내고 그 이름을 피트foot, 인치inch, 큐빗cubit, 앙팡ampan, 패돔fathom(두 팔을 벌린 길이 6피트) 등이라고 불렀다. 그리고 이 도구(척도)를 가지고 집이나 도로 · 다리 · 궁전 · 교회당 등을 건설했다. 이름을 붙인 사람도, 그것이 만들어진 근원도, 인간의 신장에서 나온 척도, 피트foot, 인치inch 등의 모든 척도는 조화를 이루고 있다. 왜냐하면 이 척도들은 수학에 의해서 만들어졌고, 그것은 식물이나 동물이나 구름 등의 구조의 발전 성장을 반영하고 있기 때문이다.

파르테논도, 피라미드도, 사원도, 어부의 집도, 목동의 작은 집도 이러한 인간적인 척도에 따라 지어진 것이다. 검소하거나 숭고한 걸작이 거기에서 나온 것이다. 당시 생활은 그 지역에 한정되어 있었고, 시간은 길고 생산은 매우 적었다. 예를 들어 사원과 주택과 일상생활에 필요한 최저 소비재로서 단지, 수납함 따위의 단단한 용기, 부대자루, 잔가지 세공품, 천 따위의 유연성 있는 용기가 그렇다. 십자군은 예루살렘까지 나갔고, 마르코 폴로Marco Polo는 중국에 갔으며, 초원지대 출신 아틸라Attila는 카타로니아Catalaunian 들에서 싸워 패했고, 로마는 여러 곳을 지배한 것을 알고 있다. 사람과 군대는 대열을 이루어 이동했을지 모르지만 그들은 그때 기본적인 물건밖에는 지참하지 않았던 것이다.

그러던 어느 날 십진법이라는 엄청난 발명품이 전래되었다. 그리고 수세기 후 척도에, 거리에, 용적에, 무게에 응용되었다.

그리고 인간의 권리 등……

그리고 기계들 등……

그리고 속도가 10배, 100배, 무한하게……

그리고 노동 조합……

그리고 모든 대변동……

이러한 사건이 어떤 영향도 주지 않았다고 생각할 수 있을까? 강한 확신을 버리고, 인류는 극적인 교차로에 나왔던 것이다. 현대라는 곳에서 인간은 더이상 자신이 처한 환경과 우호적인 접촉이 없었다. 큐빗, 피트, 인치 등도 질식할 것 같은 어려운 계산이 필요하다. 미터는 십진법이기 때문에 승리할 수 있었다. 하지만 10, 20, 30, 40, 50cm라든지, 1, 2, 3,

4, 5m 따위는 우리의 신체 치수와는 낯설었다. 거기에 모듈러는 미터에서나 척도에서 평가할 수 있는 수적인 것이 아닌 기하학적인 풍부한 조합으로 발명가마저 생각하지 못했던 것을 만들어낸다. 더욱이 우리 신체 치수로부터 나와 동시에 우리의 필요한 물건, 건축과 기기까지 만들 수 있게 되었다.

모듈러의 스케일은 한편으로 영에 가까워지고, 한편으로 무한대에 돌입해 있고, 인간의 체구에 가까워진 범위, 0에서 2.26m의 사이에 몇 단계는 있다.(혹은 너무 작은 수 일수도 있다.) 그러나 이 적음이 또 힘일지도 모른다.

몇몇 사람들이 옛 척도와 모듈러의 관계를 연구했고 거기에서 놀랄 만한 일치를 발견했다. 세랄타와 메조니에가 조사한 것은 여러 가지를 가르쳐 준다. 두 개의 계통에 공통된 일련의 수를 삽입할 가능성이 주어진 것이다. 모듈러 단계의 사이에 가산적인 이집트의 큐빗으로부터 나온 중간의 값을 넣을 수 있다.

이집트의 큐빗은 고대 문화 속에서 훌륭한 역할을 했다. 모듈러에 한층 더 풍부한 재료를 반입하는 것이 가능할까? 모듈러에 손가락finger, 뼘palm, 피트foot, 큐빗cubit을 조합하여 사용할 수 있을까?

한 뼘은 손가락 네 개 정도이다.

1피트는 네 뼘 정도가 된다.

1큐빗은 1피트에 두 뼘 정도이다.

오래된 문명은 어느 특정 지리적 장소와 다양한 사회에서 나왔다. 한 지역과 다른 지역은 차이가 있었다. 그래서 이집트의 큐빗는 45cm이지만, 그리스에서는 46.3cm, 로마에서는 44.4cm이었다. 이집트에서는 성스러운 시설을 위해서 조금 큰 임금님용 큐빗으로 52.5cm도 만들고 있었다(신들의 주거에는 눈으로 보이는 우위를 주고 있었던 것이다.). 모로코에서는 51.7cm 때로는 53.3cm의 큐빗을 사용하고 있지만, 튀니지에 가면 47.3cm, 캘커타에서는 44.7cm, 스리랑카Ceylon에서는 47cm이다. 한편 아라비아인에게는 '오마르Omar의 큐빗'이라

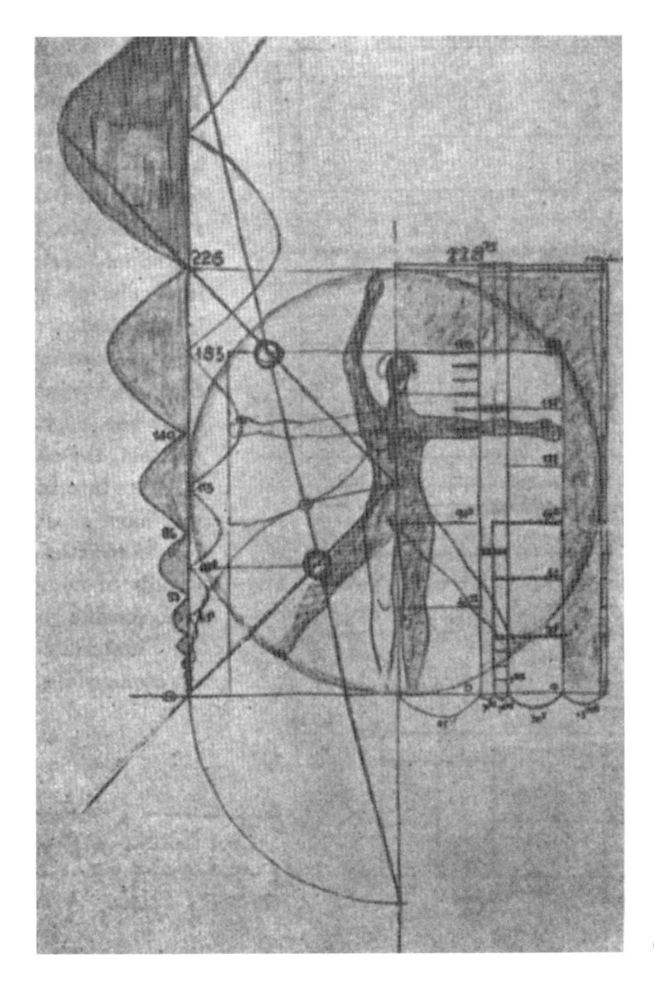

《 그림 15 》

고 하는 64cm가 있다. 로마인의 한 뼘은 4분의 1피트, 즉 7.4cm이며, '미노르minor(작은 쪽)'라고 했다. '마죠르major(큰 쪽)'라고 불린 것은 4분의 3피트이다. 이 척도는 미터법이 등장하기까지 사용되어 지방에 따라 조금씩 차이가 있다. 카라라에서는 기본 치수인 피트가 24.6cm였지만, 제노아에서는 24.7m, 나폴리에서는 26.3cm, 로마에서는 22.3cm 등으로 되어 있다.

세랄타와 메조니에가 만든 그림《그림 15》에서는 정방형을 한 '1.83m의 모듈러인'을 볼 수 있다. (그렇지만 세랄타는 마음이 상냥한 사람이라서 1.83m의 여자로 했지만, 이건 아니다!) 113+113=226인 두 개의 정방형 안에 직각을 넣고, 기본 도형을 결

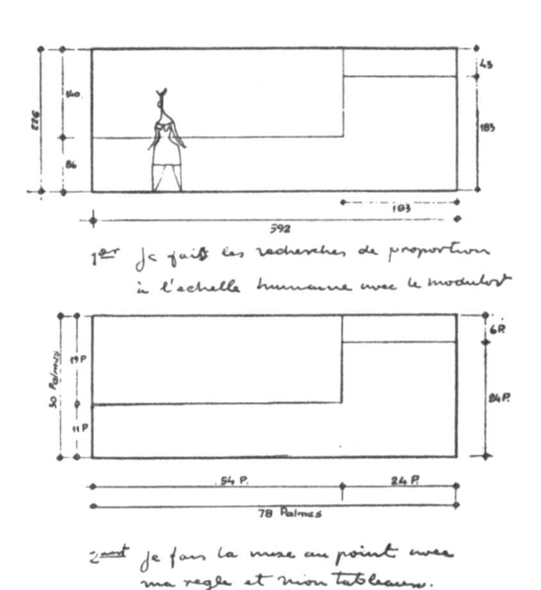

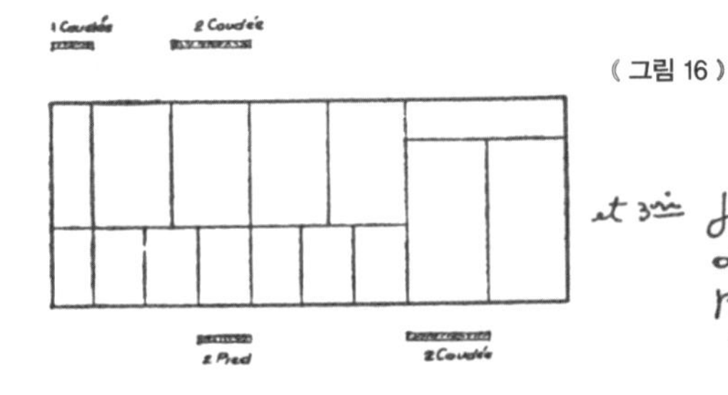

(그림 16)

정하는 두 개의 근원적인 교선을 더한다.《그림 15》 183의 높이는 45.75cm[3]의 큐빗 네 개로 분할하고, 큐빗은 30.5cm의 6개의 피트(발짝)로, 각각의 피트는 네 개의 7.625 뼘palm으로 나눈다.

맞지 않는 곳이 한 곳 생긴다. 그곳은 모듈러의 226단계, 이집트 큐빗은 183단계가 되는 228.75이다. 하지만 후에 이 불일치(혹은 나머지residues라고도 부를까?)는 건물의 문제에서는 가산적인 성격의 요소일 때에는 그다지 방해는 되지 않는다는 것을 알 수 있다.

'모듈러-이집트 큐빗'이라는 공존은 모듈러를 고대 기하학의 기본선에 엮어 1, 2, 3, 4 및 5라고 하는 값을 정방형으로부터 그 정방형의 두 변을 등분할해서 만들어진 삼각형에 따라서 얻어낼 수 있다.《그림 17》

《그림 22》는 이 증명을 반복하고 있지만, 좀 더 질서 있고 보기 쉽게 잘 설명할 수 있도록 하고 있다. 여기에서는 2.28m에 5큐빗, 1.83m 안에 4큐빗을 볼 수 있다. 1.83m에 6피트, 1.83m 중에 반 큐빗이 8개, 1.83m에 12뼘. 따라서 모듈러의 일정 단계 안에 부가적이며, 또 예로부터 알고 있는 실용적인 중간 단계로서 손가락, 피트, 뼘, 큐빗 등을 넣을 수 있다.《그림 22》

이 중간의 단계는 특히 실용에 대하여 구성물의 상세한 부분, 예를 들어 재료의 특수 치수 등(채석장에서 돌 슬래브의 두께, 철판의 폭, 이미 규격화된 재료인 벽돌, 기와, 피복재 등)에 이용될 것이다. 큐빗 다섯 번째 팔꿈치 끝에 생기는 2.75cm의 차이는 (전에도 말한 것처럼) '나머지residue'로 되며, 6, 8, 11, 16 접합 또는 그 이상이라면 접합 속으로 사라져 버린다. 세랄타와 메조니에는 모듈러로 치수를 결정한 벽에, 그 명령적인 치수 내에, 가산적 요소로 분할하고, 풍부하고, 변화가 있는 구분을 넣을 수 있다는 것을 지적하고 있다(《그림 18》에 나온 약도 두 개를 보자.).

---

[3] 피에르 장누레(Pierre Jeanneret)와 나는, 인간의 체험을 바탕으로 하여, 1939년의 전쟁 전 20년 동안 주택을 건설할 때 91~93cm 사이의 수치(치골(pubis) 부근)를 선택해왔었다.

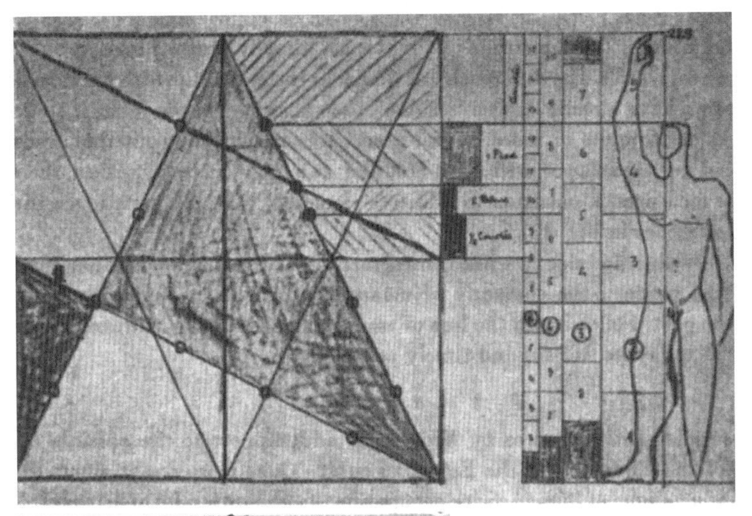

《 그림 17 》

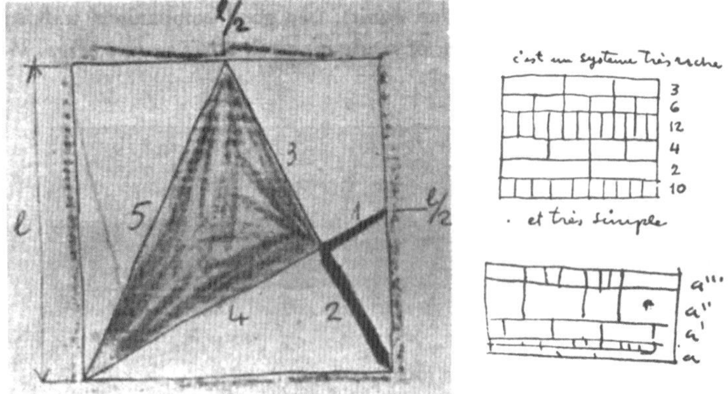
l/2
l
l/2
5
3
1
4
2
c'est un système très riche
3
6
12
4
2
10
et très simple
a'''
a''
a'
a

《 그림 18 》

이리하여 모듈러는 명성 높은 사회, 즉 과거의 작품 치수를 결정지은 사회에 '합류' 또는 '재합류'하게 된 것이다. 전통의 선에 따르면서 모듈러는 오늘날의 예술에 새로움(비옥하고 적당함)을 반입하는 것이다.

* * * * *

메조니에가 그린 몇 개의 보조적인 그림이 한층 더 모듈러와 이집트의 큐빗과의 공존 가능성을 명확하게 해준다. 인간이 차지하는 용적이 존재하는 것은 확실하다. 그것은 (모듈러라면) 2.26m, (이집트의 큐빗이라면) 2.2875m을 변으로 하는 입방체이며, 이 두 가지를 늘어놓고 보면 서로 사이좋게 돕기도 하는 것 같다《그림 19, 20, 21》.

226×226×226이라고 하는 입방 단위의 개념에 대해서는 후에 한층 더 명확하게 할 수 있을 것이다. 이것을 건축에 이용하면 주택의 평면을 만드는 데, 특히 가정의 모든 설비를 생각하는 데 결정적인 요소가 될 것이다. 그러나 너무 앞서 기대하지 말자!

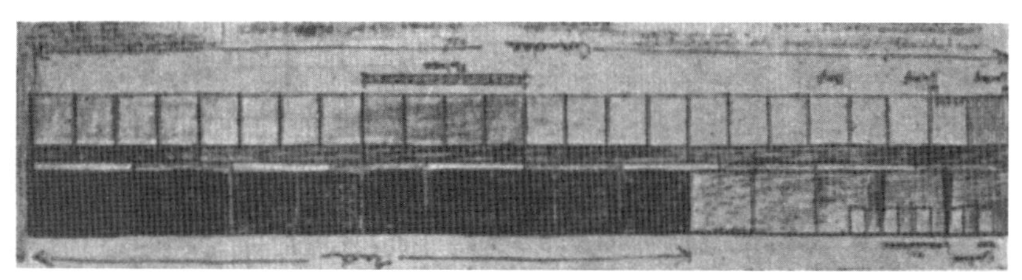

《 그림 19 》

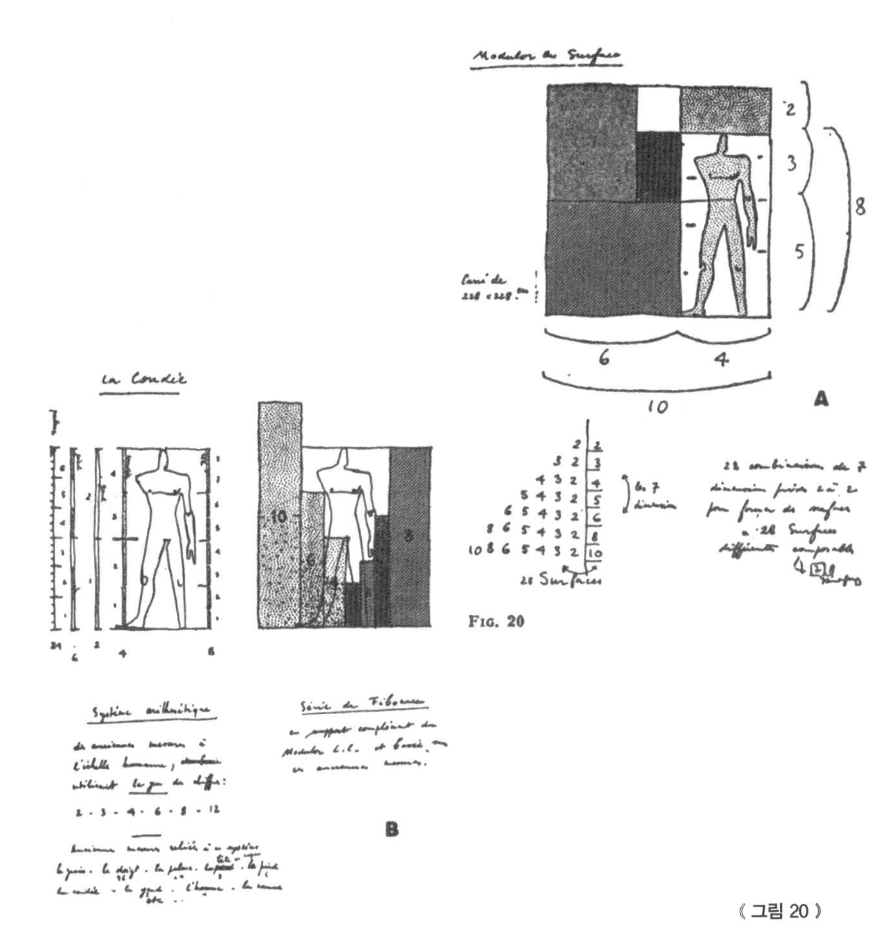

《 그림 20 》

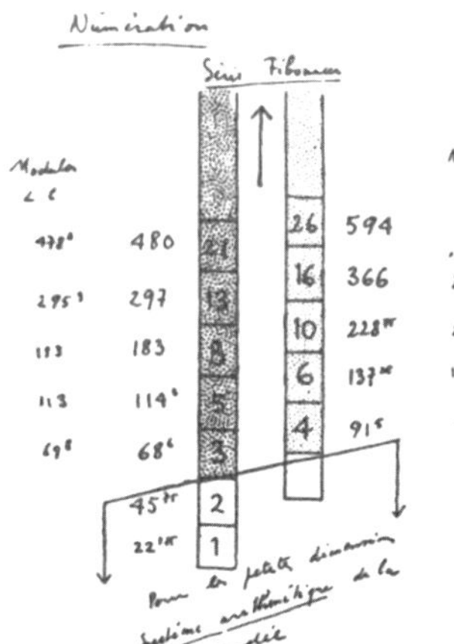
26
16
10
6
4
2
1
480
297
183
594
366

《 그림 21 》

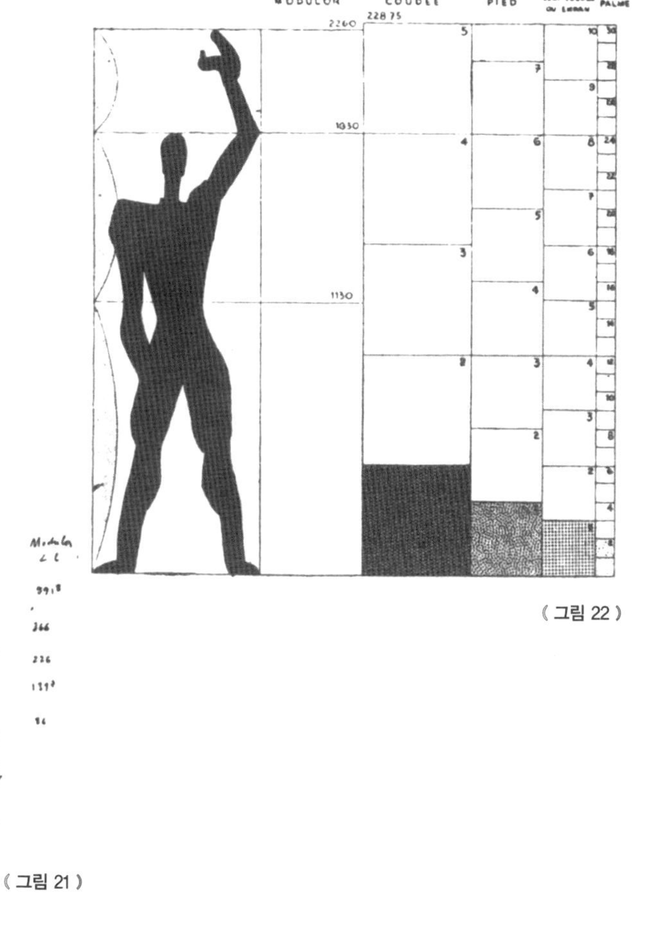
MODULOR
COUDÉE
PIED
PALME
2260
228.75
1830
1130

《 그림 22 》

* * * * *

파리에 사는 은퇴한 광산기사 공학사 크리사르Crussard의 증명을 읽어보자.

'모듈러의 해설'

1. 모듈러는 기하학적인 작도와 함께 일련의 수 위에 성립된다. 이 문제를 완전하게 하기 위해서는 이 양자를 취급하지 않으면 안 된다. 『모듈러』라는 소책자에 끌리는 것은(혹은 감격시킨다고 하는 것이 좋은 것인지도 모르는 것은) 저자가 이 두 가지 경향의 사이에 있기 때문이다. 그는 이 양자를 어지럽게 하여, 마치 1장의 태피스트리tapestry(색실로 짠 주단)의 겉과 속을 동시에 보려고 해도 어떻게 해볼 도리가 없는 사람과 같은 느낌이 든다.

겉이라고 하는 것은 기하이며, 직감과 아름다움과도 밀접하게 연결되어 있다.

속은 수의 놀이이다. 보통 그것은 무미건조하고 예술적으로 이해하지 못하는 세계로 되어 있다. 피타고라스나 플라톤 등이 반대를 했을 것이기 때문에 이러한 생각이 얼마나 근본적으로 잘못된 것일까를 내가 여기서 말할 필요도 없다.

나는 모듈러의 완전한 이해를 위해서는 한편으로는 자와 컴퍼스를 이용한 기하학적인 작도, 다른 한편으로는 수적인 계산이 필요하다고 확신하고 있다. 하지만 그 각각을 '따로 따로' 해야 한다. 선을 그을 때는 세계에 숫자가 존재하지 않았던 것처럼, 또 계산할 때에는 일절의 형태나 공간이 없는 것처럼 해야 한다. 이렇게 두 가지 연구를 할 수 있으면, 합해서 종합적으로 시도해보는 것이다. 완전하게 이해하기 위해서는 이 정도로 하지 않으면 안 되는 것은 명백하다.

그런데 아래에 나타낸 것은 기하학적인 것을 일절 제외한 채 수적인 연구에만 연결되는 것이다.

기초의 수Basic Number

2. 모듈러의 기초를 이루는 수, 그 수를 기본으로 하여 전체를 만들어내고 있는 수는

C=1.618 (정확하게는 $\frac{\sqrt{5}}{2}+\frac{1}{2}$)이다.

이것을 제곱하면 2.617924이고, 이것을 소수점 이하 4자리에 멈추면 2.618이 되어, 원래의 수에 1을 더한 것이 된다. ($\frac{\sqrt{5}}{2}+\frac{1}{2}$의 제곱은 확실히 이 수에 1을 더한 것과 동일하다.)

이러한 성질을 가지는 다른 정수는 없다.

모듈러의 기본에는 이 수의 성질밖에 없는 것이다. 이것이 씨실weft을 짜 맞춰주는 것이다.

씨실The Weft

3. 여기에 3개의 수가 있다.

1 C C×C (1)

그것의 값은

1 1.618 2.618

이며, 제3항은 앞의 2항의 합이다.

씨실을 더 짜 나가기 위해,

제4항 C×C×C를 만들어보자. C를 곱하는 것에 따라 (1)의 3배인 수가 들어온다.

그 결과 C C×C C×C×C

1.618 2.618 4.236

물론 이 최종 항은 그 전의 두 항의 합이다.

지금부터 나머지는, 씨실은 그대로 짜져가는 것으로,

1) 출발점 …… 1
2) 기본의 수 …… 1.618
3) 1)과 2)와의 합 …… 2.618
4) 2)와 3)과의 합 …… 4.236
5) 3)과 4)와의 합 …… 6.854
6) 4)와 5)와의 합 …… 11.090

등등과 같이 어디까지나 계속된다.

이것이 모듈러 빨강의 계열이다.

날실The Warp

4. 하지만 씨실만이 아닌 날실warp도 필요하고, 이것으로 연결하지 않으면 안 된다. 모듈러는 이것을 앞의 숫자를 배로 한 것으로 나타내고 있다.

이렇게 만들어진 씨실은 말할 필요도 없이 빨강 씨실의 성질과 같은 성질을 가지게 된다. 각 항은 각각의 앞의 두 항의 합이 된다.

1) 출발점 …… 2
2) 기본의 수 2×1.618 …… 3.236
3) 1)과 2)와의 합 …… 5.236
4) 2)와 3)과의 합 …… 8.472
5) 3)와 4)와의 합 …… 13.708
6) 4)와 5)와의 합 …… 22.180

등등과 같이 어디까지나 계속된다.

날실과 씨실의 반복The Intercrossing of the Warp and the Weft

5. 날실과 씨실이 짜여져 어떻게 합쳐질까를 잘 보자. 이것은 점차 커져가는 수가 서로 차례차례로 나타난다.

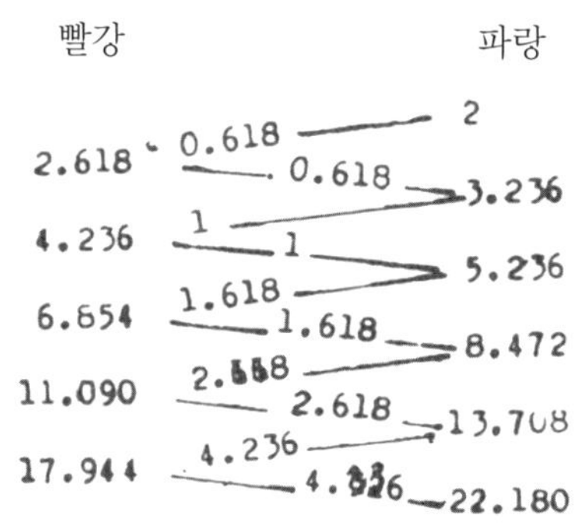

지금 잠깐 처음의 수(직물의 가장자리 같은 것)를 제외하기로 하자.

나중에 또 말하기로 한다.

여기에서는 빨강—파랑—빨강색이 왕래하듯이 완전히 규칙적이다.

또 그 각 항의 차이, 비스듬하게 기입되어 있는 수에도 훌륭한 성질이 있다.

1) 빨강 씨실의 각 항은 거기에 접하는 상하의 두 항의 정확히 중간에 있다.

2) 빨강 씨실의 항과 인접한 파랑 날실과의 벌어짐은 점증하는 것으로 처음의 빨강 씨실 1 – 1.618 – 2.618 – 4.236 등등으로 되어 있다.

이 성질은 별로 이상한 것도 아니다. 증명은 간단하다. 이것은 C라고 하는 수의 기본적인 성질의 직접적이고 단적인 결과 2와 다름없으니까.

6. 출발점으로 돌아가서, 1과 C, 즉 1.618에 대해 오른쪽으로 덧셈을 하여, 1+C=2.618로 하는 대신에 왼쪽으로 1을 더하면 C가 되는 수를 만들어보자. 이것은 C−1=0.618이 되어 세 개의 항으로서 다음의 것이 가능하다.

즉,	C—1	1	C
	0.618	1	1.618

C라는 수에 대해서 알고 있듯이 C를 곱함에 따라 다음 항이 가능해진다.

사실 0.618=1.618×0.999924가 되며, 사실상은 1이다.(정확하게는 0.618은 $\frac{\sqrt{5}}{2}-\frac{1}{2}$이다.)

이렇게 오른쪽에서 왼쪽으로, 새로운 일련의 수가 앞 두 항의 차가 된다.

이 새로운 씨실을 나타내면,

1) 출발점 …… 1
2) 기본의 수 …… 0.618
3) 1)과 2)의 차 …… 0.328
4) 2)와 3)의 차 …… 0.236
5) 3)과 4)의 차 …… 0.146
6) 4)와 5)의 차 …… 0.090
7) 5)와 6)의 차 …… 0.056

등등으로 어디까지나 이어진다.

역 방향의 날실과 그 짜냄Reversal of Direction of the Warp and Intercrossing

7. 파랑 씨실은 전자의 2배이며, 짜 맞추는 것은 잘 진행된다.

```
                                   2
1.618  ←  0.382
                    0.382   →   1.236
1      ←  0.236
                    0.236   →   0.764
0.618  ←  0.146
                    0.146   →   0.472
0.382  ←  0.090
                    0.090   →   0.292
0.236  ←  0.056
                    0.056   →   0.180
0.146  ←  0.034
                    0.034
```

각 항목의 차에 대해서는 앞에서 말한 5와 마찬가지이다.

2가지 방향의 매듭Combining the Work in Both Directions

8. 양쪽 끝에 가까운 숫자만을 여기서 다루어보면 어떻게 결합되었는지 알게 된다.

```
etc
                    0.090   →   0.472
0.618  ←  0.146
                    0.146   →   0.764
1      ←  0.236
                    0.236   →   1.236
1.618  ←  0.382
                    0.382   →   2
2.618  ←  0.618
                    0.618   →   3.236
4.236  ←  1
                    1           etc...
```

이은 자리는 완전하다. 처음부터 끝까지 규칙에 맞는다. 출발점으로 오른쪽과 왼쪽으로 갈라진 부근에서는 그것이 더욱 잘 보인다.

모듈러의 원리라고도 불릴 만한 것의 기본인 산술적인 부분[4]은 이것이다.

만일 우리가 직물의 뒤를 보아도 이들 외의 것을 찾을 수 없다.

기하학자와 예술가에게 앞을 보여주자.

완전한 이해는 2개 측면의 종합에서, 그 후에 온다.

추신

날실과 씨실에 대해 특수한 관계를 여기에 추가로 적은 것은 기술을 옥신각신하게 하지 않게 하기 위함이다.

양끝의 매듭 전후에서 빨강 계열을 취해보면,

1^c	2^c	3^c	4^c
2—c	1—c	1	c
0.382	0.618	1	1.618

각 항은 당연히 전 두 항의 합이다. 그러나 그 위에 양측의 합(1^c와 4^c)은 2이며, 3^c의 2배 혹은 파랑색의 출발점이다. 따라서 빨강만으로 파랑의 씨실을 만들 수 있다. 단 '연속하지 않은 두 항을 더함으로써 되는 것이다.'라고 하는 것은 3절에서 설명한 이 규칙의 특이적인 근거가 되는 것을 버리게 된다. 직물로 말하면 중간을 건너뛰고 짜는 것과 같다.

여기서 알몸이 된 순수한 형태이며 2배의 정방형의 예의 문제는 수에 따라 이루어지는 것을 알 수 있다. 앞에서 말한 것으로, 그 문제는 엄밀한 의미에서 바로 해결될 수 있음을

[4] 완전한 해설에서, 이 원리는 소위 1장이 될 것이다.

보여주지만 매우 복잡한 구도를 만들지 않으면 안 된다.

사각형으로 출발하여 잘 알려진 황금수의 작도를 3회 연속하여 행한다. 세 번째에 생긴 정방형의 변과 첫 번째 정방형의 변의 합은 중간의 정방형의 변의 2배이다. 여기에 나타낸 그림은 엄밀한 이 성질을 도형으로 번역하여 나타낸 것이다. 이보다 간단하고 엄밀한 해결은 없다. 앞에서 말한 계산이 이를 증명한다.

이보다 간단한 작도의 읽기(팔라디언Palladian 해법, 마야르Maillart 해법)는 모두 다소 계산식이다. 팔라디언Palladian에서는 $(\frac{\sqrt{5}}{2}+\frac{1}{2})+(\sqrt{2}-1)=2.032$이 되어 1.6%의 오차가 있다.

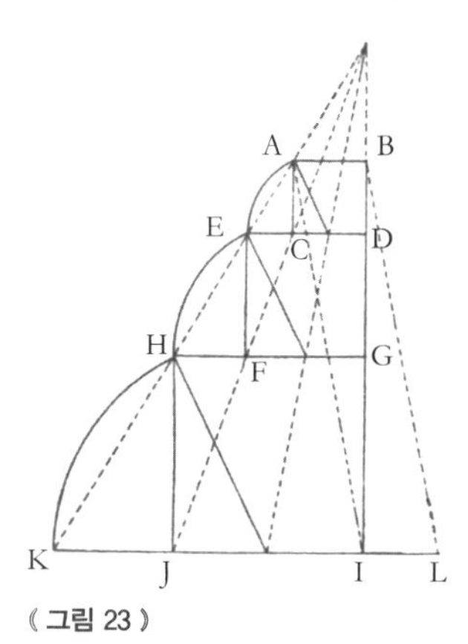

《 그림 23 》

마이얼 해법에서는 $\frac{\sqrt{5}}{2}+\frac{2}{\sqrt{5}}=0.9\sqrt{5}=2.0124$이며, 0.6%의 오차이다. 팔라디언보다는 2.5배나 근사치다. 그러나 여기서 엄밀한 것은 다음의 그림뿐이다.

ABCD는 출발점이 되는 정방형, 고전적 작도법으로 정방형 DEFG로 GHIJ가 되며, IK를 만든다.

AB는 AI와 평행하게 BL을 그린 다음 1L로 이동시킨다.

여기서 KL=2GH가 보인다.

따라서 GH에서 시작하는 것이 필요하다.

1) DE로 올라가서 통상적인 구조의 반대인 AB에 보여준다.

2) 통상적인 구조로 KI로 내려간다.

KI와 AB의 합이 해답을 찾아준다.

크리사르는 우리에게 대수학으로 해설을 해주었다. 따라서 이것은 수학적 확실함을 준다.
여기에 크리사르의 해설에 대한 대답으로 내가 1951년 4월 21일에 보낸 편지가 있다. 그는 그의 길인 수학의 길을 걷고 있지만 그건 내 길은 아니다. 그러나 그의 입증은, 결코 확실함은 얻을 수 없는 탐구자인 나의 길에 힘을 주었다.

파리, 1951년 4월 24일

경애하는 선생님.

알제리에 있는 에머리Emery에게서 모듈러에 관한 당신의 노트를 어제 받았습니다. 나는 수의 훌륭함에 눈을 떼지 못했고, 그것에 매우 흥미를 갖게 되었습니다. 물론 저는 수의 위대함을 존경하고, 보이오티아 인처럼 그 안에 있는 시를 인정하고, 그것이 '신의 말씀'이라고 믿습니다. 그러나 신이 말할 때 거기에 있어야 하고, 귀를 기울여야 할 필요가 있습니다.

귀하의 해설은 참으로 명쾌합니다. 귀하가 '앞'과 '뒤'로 말하는 두 가지 방법은 알고 느끼면서 한번에 볼 수 없는 사물에 대한 설명으로 멋지고 훌륭합니다.(여기에도 하나님이 인간을 놀려주기 위한 계략이 있네요.)

『모듈러』의 소책자는 그 끝 부분(227페이지)에 불확실함 투성이의 '직각의 위치'를 나타낸 그림이 들어 있습니다. 1942년(직관된)의 "1.10m의 정방형을 2개 그려, 그중의 직각의 위치에 3번째 사각형을 넣고……."라는 가정을 우리 직원 두 명이 1950년 11월에 더듬거리지 않고 가장 깨끗하고 명확하고 정확하고 아름답게 표현한 그림을 발견한 것을 생각해보세요. 이 두 청년은 자유로운 정신으로 모듈러 안에서 여러 가지 것들을 관찰하였습니다.

생산이 가능한지를 이유로 내기를 건 우둔한 나에게 놀라고 있습니다. 왜, 어떻게 그렇게 됐나? 그것은 비례의 욕구를 요구하여, 건축은 비례라고 직관하고, 수학적인 계기가 오면 빛과 공간은 와락 열리고 무한히 확대합니다. 저는 당신이 말했듯이 공간을 재고 만드는 사람이며, 기하학자이면서 시인(긴 머리가 없는)입니다.

내재적인 시
내재적인 행복
보기 위한 눈
만지기 위한 손.

이것이 독학자의 고백입니다.

모듈러에 대한 관심에 깊은 감사를 드립니다. 저는 그 응용을 건축이나 도시계획 속에서 보여드리고 싶습니다(나는 펀잡Punjap 주의 수도를 모듈러로 만들고 있습니다.). 기사들의 기술 진보에도 도움이 되길 바랍니다. 그럼 안녕히 계십시오.

르 꼬르뷔지에

* * * * *

파리의 경제문제국립사무국의 쟝 데르(건설자 모임, ASCORAL)에게서는 다음과 같은 글이 도착했다.

파리, 1950년 8월 31일

… (전략) 보편적 조화 척도를 예언한 1948년 『모듈러』의 42페이지 이하에 당신이 전개한 투시도법에 근거하여 나의 생각을 전개해보았습니다.

그중에 네 가지만 말씀드리고 싶습니다.

1. 모듈러를 바탕으로 하여 대수척logarithmic measure을 만들어낼 수 있다.
2. 이 방법을 취하면 특히 큰 곳과 작은 곳의 수치 표현이 간략하게 된다.

3. 곱셈적인 성격으로 이를 이용하면 면적과 용적을 간단하게 계산으로 전개할 수 있다.
4. 하지만 덧셈적인 성격이 어디까지 이에 응할지는 알아두어야 한다.

1. 모듈러를 바탕으로 한 대수척의 가능성

$$\Phi=\frac{1\ \sqrt{5}}{2}=1.6178 \simeq 1.62$$

피보나치 급수의 근본은 새로운 대수Logarithms계의 기본수basis로서, 네이피어가 발명한 기수base e나 십진법을 대신할 수 있을지 모르겠다.

만약 지장이 없다면 이 대수를 황금대수(황금비에서) 혹은 더욱 간단하게 로골logor이라고 부르기로 한다.

이리하여 어느 수 N의 황금대수는

$\Phi^X=N$ 또는

$1.6178^X=N$.

따라서 logor 1.62^0 또는 logor (1)=0

logor 1.62 =1

logor 1.62^2 =2

등등…

이것을 인체치수에 조절하기 위하여, 당신은 부수적인 또는 보조적인 단위로서 체격이 좋은 6피트(1.83m)의 높이를 제안한다.

이 단위를 메가런트로프megalanthrope(실제 키로서는 확실히 큰 분이니까)라고 부르기로 한다. 또는 이를 줄여 메간megan으로 한다.

1메간=1.83m

이렇게 해서 첨부의 비교표가 만들어져, 원하는 방식으로 환산할 수 있다.

이를 로골로 고쳐보자.

대수 단위로서 황금대수 Φ메간=1.62메간을 취한다. 이 단위를 알메간almegan(산법식 알고리즘)이라고 부른다.

표에서 다음과 같은 예가 보인다.

2.96m=1.62메간 =1알메간

0.70m=20.37메간=2알메간

3.66m=2메간 =1.45알메간

(빨간 계열에서는 정제된 알메간이 된다.)

2. 알메간 수

대수 모든 것과 마찬가지로 아주 작거나 혹은 아주 큰 수를 나타내는 것에 편리하다.

이 수는 메가런트로프를 기점으로 하고, 기수(빨간 계열)에서 요구하는 치수까지 몇 단계를 필요로 하는가를 보여준다.

예를 들어 (단, 계산 잘못은 차치하고)

1. 파리에서 마르세유까지의 거리

$$800,000\text{m}=\frac{800,000\text{메간}}{1.83}=\text{약 }28\text{알메간}$$

2. 물 한 방울의 직경

$$5\text{mm}=\frac{0.005\text{메간}}{1.83}=\text{약 }-13\text{알메간}$$

3. 은하수의 직경

$$5000\text{광년}=10^{21}\text{m}=\frac{10^{21}}{1.83}=\text{약 }100\text{알메간}$$

4. 진공 속에서 광파의 파장

$$0.006\text{mm}=\frac{6\text{m}}{10}=\frac{6}{1.83}=10\text{알메간}=\text{약 }-31\text{알메간}$$

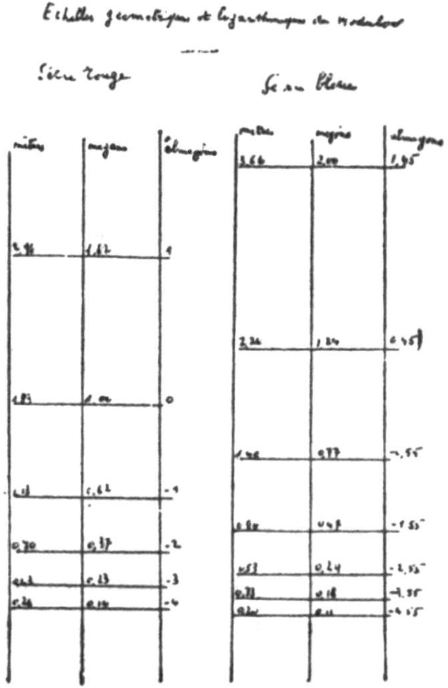

《 그림 24 》

이렇게 최대에서 최소의 수치를, 인체치수를 바탕으로 하여 알메간으로 나타낼 수 있다. 이 성질은 당연히 길이의 단위를 미터로도 나타낼 수 있다. 미터수의 대수로 표현된 길이 또한 어떤 크기에 대해서도 인체치수에 근거하게 된다. 광파의 파장에서 은하의 지름에 이르기까지 모듈러는 131계단밖에 없는 것이다.

3. 면적, 용적의 계산에 모듈러의 곱셈 성격 이용

이것은 대수의 성질의 가장 간단한 응용에 불과하다.

제곱미터-제곱메간으로 면적을 계산해보자.

1제곱메간=1.82^2제곱미터

=3.35제곱미터

방의 넓이에 대해 4.79m×7.74m

또는 2.62메간×4.24메간

을 산술적 계산에 따르면 $37m^2$이 된다. 또는 11제곱메간이다.

황금대수, 즉 로골을 이용하면

로골2.62메간=2알메간

로골4.22메간=3알메간

제곱메간으로 표면의 로골은

2+3=5

가 될 것이며, 또는 대수표에 따라 이를 본다면,

11제곱메간

혹은 11×3.35=$37m^2$

이 되어 산술에 의한 수와 일치한다.

확실한 대수표를 만들면 소수점 아래에 있는 알메간의 계산도 간단하게 할 수 있을 것이다.

4. 모듈러의 덧셈적인 성격의 발전

여기서 우리는 모듈러를 측정 시스템으로 사용하는 것에 가장 큰 어려움에 부딪히게 된다.

측정하는 시스템의 첫째 요구는 함께 더할 수 있는 크기를 허락하는 것이다.

일반적으로 대수 시스템은 이 더할 수 있는 성질을 가지고 있지 않다.

나는 여기서 두 개의 수를 합한 대수는 그 수의 대수에서 직접 뺄 수 없다는 것이다. 가령, 예로 십진법의 경우

$\log 10 \quad = 1$

$\log 1000 = 3$

그 합으로

$\log(1,000+10) = \log 1010 = 3.0043$으로 우리는 알고 있다.

그리고 우리는 대수표로 이것을 얻을 수 있다. 직접적으로 log1010(3.0043)과 log10(1), log1000(3)과의 관계는 없다. 그런데 발산하는 대수 시스템에서는 어떤 더할 수 있는 속성이 있고, 그 수와 그 합의 대수와의 사이에 직접적인 관계가 있다. 이것이 피보나치 급수에 따른 모듈러의 기본 성격의 결과인 것이다.

$\Phi + \Phi^{n+1} = \Phi^{n+2}$

따라서 빨강 쪽의 3개의 연속한 수를 다루고, 황금대수와 3(이것은 그 앞의 두 가지의 합이다.)은 처음 2개의 황금대수와 간단한 관계에 있다.

최초의 황금대수가 n이라고 하면, n+1은 두 번째 황금대수이며, 그 합의 황금대수

는 n+2이다.

이러한 황금대수의 성질을 이용하여 모종의 크기를 더하는 방법이 있는 것이다.

그러나 거기에는 근본적인 어려움이 있다. 이 성능은 모든 크기에 적용될 수 없다.

지금 두 개의 임의의 수가 있다고 하고(특별한 것이 아닌) 그것의 황금대수가 1.83과 2.67(임의로 취한 것)이라고 한다. 이 1.83과 2.67의 합에서 대수를 간단하게 얻을 수 있겠는가?

하지만 그렇게 생각되지 않는다.

그러나 만약 이것이 증명된다면, 모듈러는 모든 곳에서 성공하고, 정말 그 근본에서뿐만 아니라, 실제에서도 보편적인 조화의 척도가 될 수 있을 것이다.

이 문제는 중요하며 수학자들이 다루어야 한다고 생각한다.

어떻든 이 발견은 훌륭한 것이며, 모듈러는 공공의 표준화를 다루고 있는 사람들에게 전면적 혹은 부분적으로 공헌하는 것이며, 조형적 성격으로도 조화를 시키기 위한 도구인 것이다.

장 데르Jean Dayre

* * * * *

또 마지막에 도착한 것으로서 지크프리드 기데온Siegfried Giedion 교수의 증언(증명)이 있다.

교수는 취리히 공과대학의 건축이론 강좌와 보스턴, 하버드 대학의 건축 학부의 강좌를 교대로 담당하고 계신다.

실바플래너Silvaplana, 1954년 8월 25일

1,500미터의 흰 피라미드와 능선이 피츠 팔루Piz Palu와 베르니나Bernina에서 나온 넓은 빙하 위에 치솟아 있는 알프스가 빛 속에 펼쳐지는 풍경이 눈앞에 떠오릅니다. 또 그 밖에 케오프스Cheops라든지 세프렘Chefrem과 미케리노스Mykerinos 등의 피라미드도. 후자는 이번 봄에 내가 매우 감격스럽게 보았습니다. 왜 높이는 100미터 남짓인 이 조그만 돌산이 좀 더 큰 눈이나 돌 피라미드의 거대함 이상으로 나를 붙잡을 수 있을까요?

그것은 자신의 우주를 창조할 필요와 영원한 법칙으로 행성들의 우주에 대조함으로 거기에 인간의 예지가 있었기 때문입니다. 태양 숭배로부터 나왔다고 하지만, 피라미드는 파라오왕의 영원의 자리로 인간이 처음으로 대규모 치수와 비례를 우주의 법칙에 맞추어 사용한 것입니다.

모듈러는 비례의 거대한 시스템을 근본으로 하고 있습니다. 거기에 연결되어 있습니다. 이 계열의 하나는 수학적 질서, 즉 황금분할. 그것은 정수로 표현되는 피타고라스의 삼각형과 약간의 관계가 있습니다. 19세기와 20세기의 이론가들, 예컨대 파이파Pfeiffer, 기카Ghyka 등은 자연이 식물이나 조개껍질이나 인체의 비례를 만들어내는데 황금비를 이용하고 있음을 증명해냈습니다. 이것은 각 시대의 건축 위에서 볼 수 있습니다. 르네상스 시대에는 도처에서 이것을 했습니다.

또 하나의 계열은 고딕 정신으로부터 태어난 것입니다. 피보나치라고 하는 14세기 볼로냐 대학의 선생님이 만든 것입니다. 그 원리를 극단적으로 축소해보면, 기하학적인 질서가 되어 정수로는 표현할 수 없는 소수를 포함하게 됩니다.

빨강과 파랑 계열의 모듈러는 이 두 개의 계통을 조합하고 있습니다.

레오나르도 다빈치나 동시대 사람들(비트루비우스의 인체 등에서도 보이듯)은 인간의 비례를 보여주고자 원 속에 팔을 펼친 모습을 그려 넣었던 것입니다. 이것은 정적인 인간으로 정적인 건축에 대응합니다. 마르세유의 주거 단위의 입구에 르 꼬르뷔지에는 그의 시스템을 예시하기 위해서 한쪽 팔을 든 인간을 세워놓았습니다. 이것은 공간 속을 걸어가는 인간입니다. 이것은 동적인 인간이며 동적인 건축에 대응하는 것입니다.

비례는 시대를 초월해서 통용되는 법칙에 따라 정해져 있습니다. 그러나 그 조합의 가능성은 시를 짓는 말이 무한한 가능성을 가진 것처럼 무수히 많습니다. 각 세대 사람들은 각각 그들 나름대로 종합할 수 있습니다. 그러나 그 기초가 되는 것은 세계의 주된 상수constant로 남습니다.

우리 시대는 손으로 직접 만질 수 없는 것을 다룰 충분한 시간이 없었습니다. 비례란? 사실 건축가 95%의 의견은 도대체 어떻습니까? 다른 일을 완성하지 않으면 안 되는 성실한 사람들에게 비례란? …… 건축가는 예술가입니다. 그는 자신의 치수를 갖고 있습니다. 어차피 미적인 것이라고 하는 것은 개인적인 것입니다.

지금 우리의 손으로 만들어진 이 시대가 순전히 기능적 속박을 넘어서는 것을 느끼기 위해서는 천재이거나 젊어야 합니다.

그 젊은 층의 사람들에 관해 나는 취리히 공과대학에서 약간의 경험을 했습니다. 젊은 세대의 사람들은 손댈 수 있는 것에 대해 새로운 태도를 가지고 있습니다. 마찬가지로, 비례에 대해서도 여러 가지 다른 계열의 연구로서 피타고라스로부터 케이저Kayser 박사의 램도마Lambdoma, 그리고 모듈러를 연구했을 때, 젊은 사람들은 모듈러를 그들의 마음에서 가장 중요한 요소로서 받아들였습니다. 이것은 그들의 장래의 일에서 나타나겠지요.

다른 훌륭한 건축가, 예를 들어 미스 반 델 로에Mies van der Rohe는, 어느 표준척도를 이용하고 건축의 각부의 관계를 생생하게 하기 위해 사용하고 있습니다. 그러나 르 꼬르뷔지에만이 처음부터 우리의 시대에도 '표준선regulating line'의 개념을 도입하는 것이 필요함을 느끼고 작품을 만들어왔습니다. 그리고 이것이 모듈러에 도달해 장래에 빼놓을 수 없는 도구가 된 것입니다.

기데온Giedion

* * * * *

바젤 대학교의 수학자 안드레아스 쉬바이저 박사로부터도 이러한 글을 받았다.

1954년 6월 13일, 바젤

편지 및 훌륭한『모듈러』책 고맙습니다. 나는 예술가 특히 수학에 관심을 갖고 있는 예술가로 표명된 것을 매우 기쁘게 읽었습니다. 훌륭한 예술가들은 언제나 수의 매력과 연결되어 있었으니 당신은 매우 좋은 동반자를 갖고 있다고 하겠네요.

당신의 편지 중에서 우선 이런 것을 찾아냈습니다. 도형과 수를 동시에 참가시켜 맞추는 것이 가능한지 어떤지? 거기에 답을 말씀드리겠습니다.

우리의 세계를 이해하는 데 두 가지의 방법이 있습니다.

1. 수 : 그 효과를 이용하여 다른 것을 '가늠하다posit'. 다른 것, 즉 모두 정신적인 것, 공명이라든지 질서 · 조화 · 미 등
2. 공간 : 이것은 흥미 없는 대상을 준다. 다만 생명도 아름다움도 없고, 단지 '펼쳐짐having extension'을 갖고 있다(자고 있다든가, 서 있다든가, 앉아 있다든가, 저기에 있는 것 등).

공간 세계 속에 수적인 세계의 이미지가 투영된다. 우선 자연 그 자체에 따라서, 그 다음으로 인간에 따라서, 그리고 특히 예술가에 따라서 말이다. 우리가 지상에서

하는 임무는 일생 중에서 이 수로부터 나온 형태를 투영하는 것에 있다고도 말할 수 있다. 그리고 여러분, 예술가는 그중에서도 높은 윤리적인 작품을 만들어낸다. 도형과 수를 동시에 부르는 것은 가능할 뿐 아니라, 이것이야말로 우리 인생의 진짜 목적이다.

다시 모듈러로 돌아와서 아시는 바와 같이 루카 파치올리Luca Pacioli는 신성한 비례에 관한 훌륭한 책을 썼습니다. 그중에서 황금분할의 훌륭한 '효과effects'로 13개를 들고 있습니다. 왜냐하면, 12사도와 그리스도가 있었다고 하는 것입니다. 그 각 항에 매우 거만한 이름을 지어주어 레오나르도가 그것을 기꺼이 취한 것을 말해주고 있습니다. 당신이 발견한 것은 열네 번째 '효과'입니다. 당신은 피보나치의 두 개 조합을 사이에 삽입하며, 그 한 개는 다른 것의 배입니다만, 다음과 같은 정리를 간파했습니다. 예를 들어 여기서 연속한 네 개의 수, 5, 8, 13, 21을 취해봅시다. 처음과 끝쪽의 합은, 즉 5+21은 3번째의 항, 13의 2배입니다. 5+21=26. 또 네 번째와 첫 번째 항의 차이는 두 번째 항의 배가 됩니다. 즉, 21−5=16=2×8입니다.

이 정리를 일반론으로 설명해보겠습니다. 그것은 중학생이라도 할 수 있는 것입니다. 연속한 네 개의 수를 a, b, c, d로 합니다. 그러면 c=a+b, d=a+2b, 따라서 a+d=2a+2b=2c 계속하여 d−a=2b.

이러한 형태로 당신의 빨강, 파랑 계열의 관계를 알 수 있는 것과 마찬가지로, 크리사의 편지 3페이지 위쪽 예에서도 볼 수 있습니다. 그 편지는 완전히 건전하고, 프랑스 사람의 특징을 나타내고 있다고도 말할 수 있는 명쾌함이 있습니다. 장 데르 씨의 편지는 잘못된 점은 없습니다만 오늘날 대수는 그다지 쓰이지 않게 되었습니다. 모두 계산기로 20배나 빠르게 계산되고 있습니다. 여러분들이 건축의 요구에 필적하는 단위를 갖고 싶다고 생각하는 것은 당연하고, 거기에 대해서 조화를 이끌어내는 정수를 갖고 싶어한다는 것도 압니다. 그 의미로 당신의 단위 예술가에게는 매우 사용하기 좋은 것이라고 생각합니다.

그렇지만 최종적으로 장인의 경우가 되면, 미터 단위로 치수를 주어야 하겠지만, 뭐 그것도 그렇게 어렵지 않겠지요. 당신이 낸 숫자를 미터로 환산하여 곱셈을 하면 됩니다.

우주 간의 거리에 대해서는 나는 약간 의문을 갖고 있습니다. 벌써 몇 세기도 넘게 그 법칙을 찾고 있는 것입니다. 케플러Kepler, 티투스Titus 등은 한 개의 제안을 하고 있습니다. 또 오늘날 괴팅겐Göttingen의 바이츠제커Weizsäcker 교수가 열심히 이것을 연구하고 있습니다. 나는 황금비로도 이 수수께끼는 풀 수 없다고 믿고 있습니다.

삼가 말씀드립니다.

A. 쉬바이저

이 편지는 프랑스 말로 쓰여 있습니다만, 그중에는 독일어 직역 때문에 약간 불명한 말도 포함하고 있다. 쉬바이저는 그 의미를 충분히 명쾌하게 하려고 다음과 같이 쓰고 있다.

바젤, 1954년 7월 10일

6월 24일의 편지 감사합니다. '도모한다'라고 하는 표현, 독일어의 setzen이라고 하는 단어는 순수하게 철학적인 말입니다.

Die Zahlen setzen die geistige Aussenwelt, nämlich die andern Menschen, die Proportionen und allgemein die Schönheit.

(숫자는 정신적 외부세계에 위치를 두고 있다. 예를 들어 인간에게 비례와 모든 미에.)

그 말을 '위치'의 의미로 풀지 않으면 안 됩니다. 정확히 우리가 중력에 따라서 지구에 묶일 수밖에 없듯이 수에 따라서 수많은 개개인들이 만들어진다고도 할 수 있습니다.

마찬가지로 공간이 어떤 펼쳐짐을 가진 대상을 우리에게 주었다고 할 수 있습니다. 그러나 거기에는 아직 수가 없기 때문에 그 대상은 아름다움이 없습니다.

여기에 제3절을 독역해두겠습니다.

In die Raumwelt werden die Bilder aus der Zahlenwelt projiziert(der Raum wird mit diesen Gestalten geprägt), zunächst durch die Natur selber, alsdann durch den Menschen, vor allem durch den Künstler. Ja man kann sagen, dass unsere Pflicht auf der Erde und während unseres Lebens geradezu in der Projektion der Formen, die aus der Zahlenwelt stammen, besteht, und dass Sie, die Künstler das Gebot der Sittlichkeit im höchsten Sinne ausführen. Es ist also nicht nur möglich, gleichzeitig Zahlen und Raum zu beanspruchen, sonder in dieser Verbindung besteht der wahre Zweck unseres Lebens.

* * * * *

우리는 여기서 논의의 수준을 대단히 높일 수 있었다.

그러나 지금은 사용자가 발언을 할 때이다. 어디에도 시시한 것은 없다. 회화 속에도, 건축 속에도, 인생 속에도.

그리고 계속하자.

현재 미국 대학에서 건축교수를 하고 있는 스위스의 젊은 건축가 베르나르 헤스리Bernard Hoesli가 취리히 발행의 잡지 《뷰르크*Werk*》(1954년 1월호)에서 모듈러에 대한 확신에 찬 기사를 쓰고 있다.

생각컨대 사장 내지는 편집장은 기사 앞부분에 세랄타-메조니에가 그린 아름다운 선도를 넣음으로서, 대단한 잘못을 범하고 있다는 점은 깨닫지 못했던 것 같다. 왜냐하면 모듈러는 자신의 발로 딛고 서 있는 인간을 기준으로 하는 것이다. 거기에는 위와 아래가 있으며 오른쪽과 왼쪽이 있는 것이 아니다(적어도 이 상징적인 도형 속에는).《그림 25, 26》

이것에 대해 약간의 설명을 더하고 싶다. 인간은 서 있는 상태이며 그의 감각은 수직의 성격을 갖고 있다. 그는 수평이라고 하는 것을 서 있다고 하는 자세로부터 이해한다. 이 건축의 근본적 자세에 관한 일을 모르는 사람은 인간을 위해서 만들어지는 용적이나 공간의 교향악을 만들어내지 못할 것이다. 그의 웅변은 헛되게 될 것이다.

베르나르 헤스리는 좀 더 일찍이 내가 화물선 베르농 S 후드 호에서 그린 것과는 다른 조화의 나선을 발표했다. 나의 것은 1945년 12월부터 1946년 1월에 걸쳐 뉴욕으로 가고 있을 때 폭풍우 속에서 쓴 것이지만, 그것은 안정되고, 간결하고, 참되고, 유기적이고, 일관된 인생의 감각을 저항할 수 없을 정도로 생산하였다(제1권 48페이지 참조). 헤스리의 빨강과 파랑의 나선은 나의 것과 같은 단계로 다루고 있지만 그 진행은 무엇인가 일관성이 없다. 헤스리와 조금 다투는 것 같지만 용서받고 싶다. 그는 나를 알고 있고, 모든 것에 대해서 잘 알고 있으니까, 나의 투쟁은 해결의 순간까지 끝나지 않을 것이다, 어떤 절대에 도달했을 때까지(비록 죽음에 이르더라도).《그림 27》

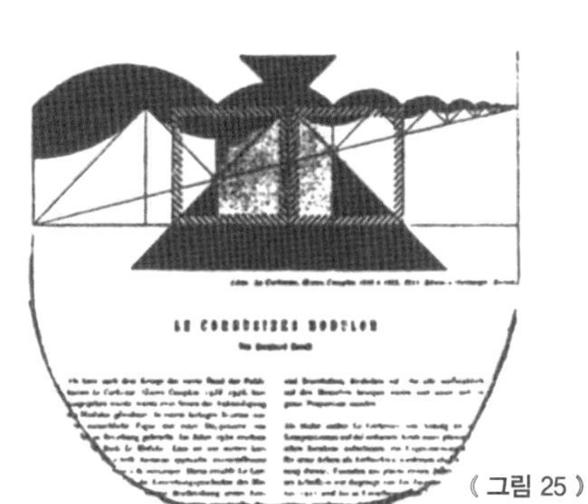

《 그림 25 》

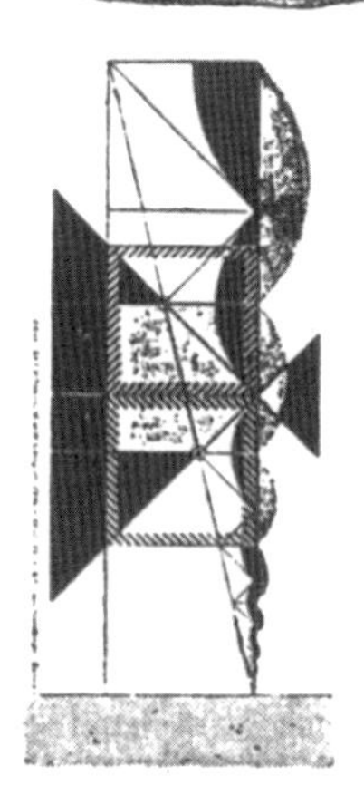

《 그림 26 》

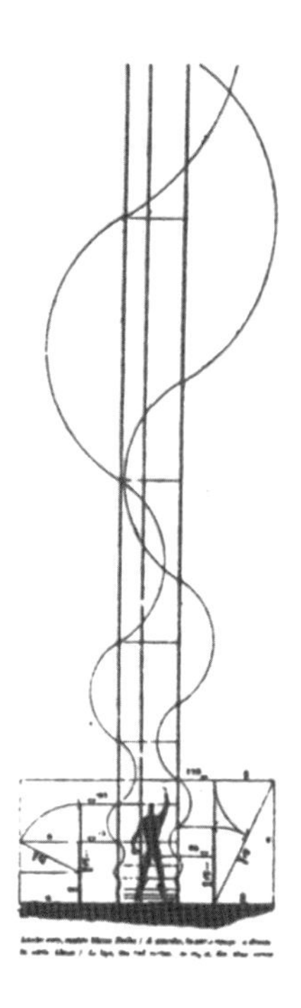

《 그림 27 》

* * * * *

또 하나의 악담.

파리에 있는 엔지니어 세르드Cardot는 내 친구인 전위 작가의 친구이지만, 모듈러에 매우 열심이다. 그리고 건축, 조각, 회화의 미술에 관한 앨범을 보면서 이렇게 적었다.

> 나는 모듈러의 기본이 되고 있는 것이, 세 가지 다른 대륙으로부터 모은 원시적인 작품(복제품에)에 있을지를 조사해보았습니다.
>
> 과연 모듈러의 기초가 되는 것 – 2; $\frac{\sqrt{5}+1}{2}=\Phi$ 및 '직각의 위치'는 꽤 분명한 이러한 작품에도 있는 것 같습니다. 여기에 그러한 그림을 몇 개 보내드리고 싶습니다만, 엔지니어가 그린 것이기 때문에 그림이 좀 서툰 것을 양해해주십시오.

모든 문명, 모든 시대의 미술품의 가장 중요한 것 중에는 확실히 황금비(또는 다른)라는 조화적인 관계가 있다는 것이 인정된다. 그러나 이것은 자명한 것으로 모듈러에는 아무것도 공헌하지 않는다. 신앙이 신자의 마음에 불을 붙일 때는 그 불이(가장 훌륭한 이론의) 건물에까지 붙어버릴 우려가 있다. 그러나 지금 내가 상대하고 있는 우정성의 엔지니어는 과학적인 또한 예술적인 사상의 발전에 주의 깊게 참가하고 있는 많은 사람 중 한 사람이라는 것에 감사한다. 어느 날 이러한 것 중에서 어느 의견이든지 어느 판정이든지가 만들어지기도 할 것이다.

* * * * *

유명한 바이유Bayeux의 직물도 우리의 마음을 움직이게 하는 물건이다.

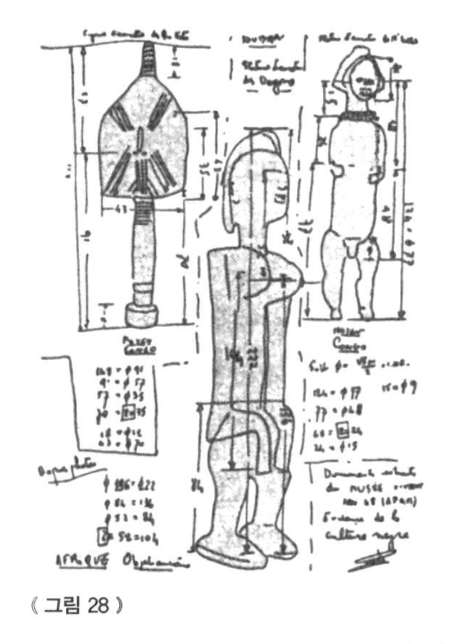

《 그림 28 》

그 스케치 속에 113이나 226이 도처에 보인다. 그림의 작가에게 심술궂은 질문: "바이유의 직물은 높이 60~70cm가 아니었나?"라고, 그리고 또 이것은 너무 서두른 공식에 대한 나의 답이다. 나의 특파원은 다음과 같이 쓴다.

그것은 어젯밤 11시경의 일이였습니다.

아침 8시부터 당신의 위대한 『모듈러』를 다시 읽고 읽으면서 좀처럼 손을 놓을 수 없었습니다. 그리고 1946년에 이미 무죠Mougeot가 말한, "모듈러의 자료에 감격하고 나서 계산하거나 그림을 그려 보거나 했습니다. 어쨌든 벌써 6시가 되고, 어느새 상당히 시간이 흘렀다는 것을 깨달았습니다."라고 하는 그 말을 반복했던 것이지요.

당신의 대발견에 놀라서, 밤 11시경에 나는 지쳐 누웠습니다. 그러자 여기에 기적이 아니 숙명이라고 할까요 우연이라고 할까요, 그런 일이 일어났습니다. 책장 위쪽에 있던 책이 바이유의 직물 위에 떨어져 어느 도형이나 삽화의 어느 곳을 열었습니다.

그리고 그 속에서 나는 당신의 훌륭한 조화와 공통점을 발견했습니다.

선생님 그러나 이것은 여기에 두겠습니다. 나 자신이 어젯밤 그린 그림이 더 잘 웅변해주기 때문입니다.

엔지니어이며 건축가 샤를르 사리Charles Sarai

점점 내가 판정을 할 수 없는 범위의 세계에 다가간 것처럼 생각된다. 어떻게 말하면 좋을지 모르겠다. 다시 나의 직무를 믿고, 내가 건설자이며 집이나 궁전을 지구에서 인간을 위해 세우는 사람, 게다가 그것을 지상에 있는 재료로 만드는 인간임을 말하자. 어느 정도 예술가이기에 물질적인 것을 넘어선 무엇인가가 그 연장선에 있다는 것은 느껴지지만, 형이상학적 일이나 상징적 일에 대해서는 나는 그 입구에서 멈춰 설 것이다. 그것은 경멸해서가 아니라 나의 기분을 저쪽까지 끌어들일 수 없기 때문이다.

'신들은 이 벽의 저쪽에서 놀고 있다.' 나는 그들과 같은 일을 하는 수단을 갖고 있지 않다. 그것은 내가 인간일 뿐이라는 것이다.

우리와 상대가 되는 사람들은 입문자들 속에서, 분명하지 않는 신비적 확장을 찾고 있는 것이 보인다. 그것은 과거에도 지금도(혹은 현재에도) 너무나 중요했고, 그러니까 우리의 모듈러를 둘러싼 탐구가 무엇인가 하는 입증에 도움이 될 것이다.

앙리 게타르Henri Guettard는 1950년 11월 9일에 파리에서 이렇게 써보내 왔다.

앵글로색슨 사람들은 어느 척도를 채용할 필요가 없었습니다. 그들은 그 나라에 도착했을 때에 거기에 있던 것을 자신의 것으로 사용한 것에 지나지 않습니다. 원래 그러한 척도, 특히 모듈러의 기본이 되는 것에 대해서는 우리 브르타뉴Brittany(프랑스 북서부의 반도) 거석문화에서도 몇 개인가는 찾아낼 수 있습니다.

모듈러에 6피트라고 하는 신장의 사람을 선택한 것은 완전히 자의적입니다. 그것이 실용적인 면에서는 매우 편리하고 유리한 일일지는 모르지만, 또한 불편하기도

합니다. 적어도 기사의 끝 부분에 나타낸 것 같은 일은 있는 것 같습니다.[5]

'그리드'에 성격을 부여하고 있는 113이라고 하는 값은 약간 전통적인 것입니다. 이것은 특히 오턴Autun의 오래된 마을에 도시를 만들기 위한 건축을 할 때 기본이 된 유명한 에듀안 단드로포르Aeduan dendrophorus의 '전형적 원typical circle'을 특징짓는 것입니다.

'빨강' 계열 속에 있는 6, 10, 16의 수는 비트루비우스도 알고 있었던 듯합니다. 단지 거기에 대해서 어떤 설명도 없는 것이 안타깝습니다. 미터와 피트 · 인치와의 관계도 놀라운 것입니다만 좀 더 깊이 연구하면 반드시 딱 들어맞지는 않을 것입니다.

알베르트 아인슈타인 교수의 평가는 고대 기념비 속에서 읽어낼 수 있는 훌륭한 관계 그 자체를 알고 있었던 것 같이 생각됩니다. 거기에는 물질 구성의 마지막 비밀을 알고 있는 것 같은 느낌입니다.

만일 모듈러가 완전한 도구가 아니었다고 해도 그것은 인간의 작품으로서 더 개선될 수 있는 것입니다.

그것이 수정되고, 방향지어지고, 조직이 세워지고, 보다 좋은 것으로 할 수 있는 것은 그 안에 있는 수 때문이 아닐까 합니다.

이것이 내가 말하고 싶었던 비판입니다. 모듈러에 관한 이러한 갑작스러운 의견과 저의 평가에 화내지 않기를 바랍니다.

더욱 세세한 점에 대해 혹은 그 증명에 관해 무엇인가 궁금한 점이 있으면 꼭 질문해주셨으면 합니다. 가능한 한 대답해드리고 싶습니다. 혹은 다른 분으로부터 벌써 거기에 대하여 같은 것을 들었을지도 모르겠습니다만.

[5] 게타르(Guettard) 씨는 모듈러에 관한 기사를 읽은 것 같다.

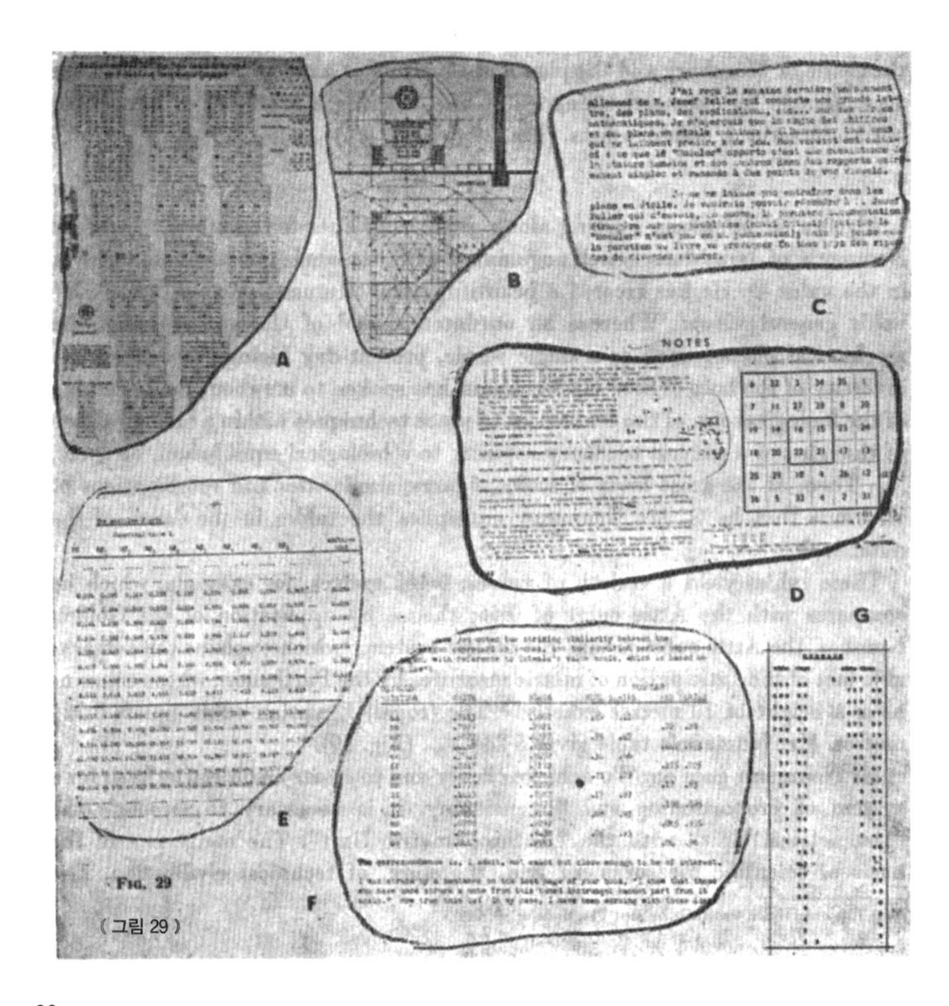

《 그림 29 》

* * * * *

뷔르츠부르크Würzburg의 건축가 요세프 펠러Josef Peller로부터 문장이나 플랜이나 숫자나 도형을 포함한 방대한 보고가 있었다(예를 들어 뷔르츠부르크 성의 평면이라든지, 새로운 묘의 평면 및 입면도라든지). 이것에는 한층 더 많은 상당한 양의 수의 표를 동반하고 있지만, 그것은 건축적인 조합이 아니고, 단지 많은 양의 숫자 조합이었다.《그림 29 A, B, C》

* * * * *

예루살렘의 알프레드 노이만Alfred Neumann은 무한히 계속되는 대수, 웅성거림, 위로의 기준선 등을 잘 알고 있다. 그는 Φ의 가치에 대해서는 믿고 있다. 그는 재미있는 말 그대로 '공간의 인간화Humanization of Space'를 만들고 있다. 그는 넓은 시야를 갖고 "기계 문명적인 현상을 하나의 전체로 봤던 입장은 이미 낡은 것이 되었다. 현대 생물학은 생명 법칙의 완전함을 인정한다."라고 말한다. 노이만은 나에게 생물학적 시대의 시작, 생물학적 생각 속에 기술을 도입하려는 경향, 생물학적 평형을 찾으려는 일반적인 경향 등에 대해서 나에게 말해준 적이 있다. 또 가격 일람표나 수나 온갖 것의 닮음이나 조합에 대해 관심을 가지고 있는 노이만은, 수 Φ의 춤 속에서 표를 크게 증대한다.

이러한 표에서 몇 개의 치수가 나온다. 예를 들어 0.462m는 고대 애틱Attic의 큐빗 0.46에 가깝다. 여기에 황금수를 응용하여 고대 애틱의 큐빗은 미터법에 가까워진다. '이 일이 파르테논은 미터법으로 미리 연결되어 있다는 주목해야 할 사실, 기둥 높이가 정확히 10m임을 설명하고 있다.'[6] 이집트의(왕실용) 큐빗은 0.524m이지만 노이만의 표에는 5.236으로

[6] 이 관찰은 나에 의해 만들어졌다.(모듈러 207페이지)

나온다.《그림 30》

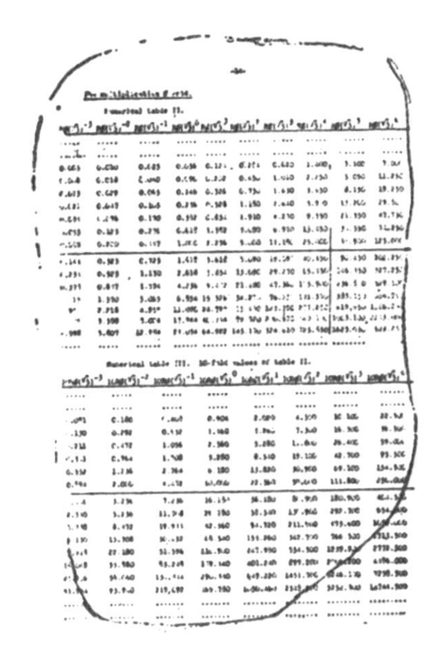

《 그림 30 》

노이만은 계속해서 이렇게 말한다. “비례나 치수를 주는 시스템은 객관적이고 분명해야 하기 때문에 ‘기하학적 단위Geometrical Unit’와 ‘인간적인 치수Anthropometric Unit’를 잘 연계할 필요가 있다. 미터는 과학 측정의 기본이며, 이것은 기술 문명이다. 그런데 신기한 점은 이 미터가, 동시에 ‘인간적인 척도’이기도 하다는 것이다. 나는 이것으로부터 지구상의 치수와 인간의 치수 사이에 어떤 관계가 있다고 생각한다. 치수를 주는 시스템의 기초로 미터를 응용하는 것은(몇 명의 저자에게는) 인간적 척도가 아니라, 과학적 추상에서 나온 것이라고 비판되었다. 하지만 이 의견은 아직 확립된 것은 아니다. 미터는 낡은 인간적 치수를 새롭게 한 것에 지나지 않고, 큐빗의 2배가 후에 3으로 나뉘어 피트가 되고, 그것이 또 영국의 '야드와 피트' 시스템으로 된 것이다.

가장 오래된 길이의 치수로 알려져 있는 것은, 기원전 22세기 바빌론 왕 구데아Gudea의 2배의 큐빗이며, 그 수치는 990~996mm, 즉 미터에 매우 가까운 수치를 나타내고 있다.

시간과 공간과 척도 관계는 이미 가장 오래된 문명도 이를 알고 있었다. 무게의 단위도 대체로 킬로그램에 가깝다. 고대 그리스에서는 1m에 가까운 기준 척도로 종종 기둥의 지름을 꼽는다. 예를 들면 아테네의 테세이옹Theseion(1.004m) 또는 에기나Angina의 신전(1.01m) 등.

영국의 표준 규격 학회에서는 기준 단위로 101.6mm를 채용했고, 미국의 기준 척도에서는 10.16cm를 다루고 있다.

그리고 노이만은 "이러한 이유에서 필연적으로 십진법인 미터 시스템과 황금비Φ의 비례와의 종합으로 인도된다. 이는 mΦ시스템Em-Phi system으로 알려져 있다."라고 결론을 내린다.

우호적 협상이랄까 결합에 대해 환호를 외치자. 그렇지만 나는 좀 걸리는 것이 하나 있다. 그것은 미국의 기준 단위 10.16cm이다. 모듈러는 이 값을 빨강 계열 속에 가지고 있다. 10.2이다. 하지만 이를 바탕으로 '인간의 환경'을 구성하는 것에 그저 무조건 이 값, 즉 10cm(또는 10.16)을 더해 가는 것에는 큰 간격이 있다. 그것은 지루한 간격이다.

노이만은 1.83이라는 (물론) 자의적인 인체치수를 기준으로 하고 있지만, 모듈러를 흥미있는 것으로 보고 있다. 그는 mΦ시스템의 수의 조합의 표 중 모듈러 계열에 약간의 차이가 있는 것을 즐긴다. 그리고 이 사실이 '르 꼬르뷔지에의 직감'의 명확함이 된다.

* * * * *

미국 시애틀 대학의 미대 교수 웬델 브라조Wendell Brazeau는 "모듈러의 급수를 인치로 표현했을 경우에 그것이 '페히너의 법칙Fechner's Law'에 근거한 오스트발드Ostwald 값의 각 단계를 퍼센트로 나타낸 급수 수치와 놀랄 정도로 비슷함을 눈치 채셨습니까?"라고 물어왔다.

나는 이것에 아무것도 비판없이 그 표를 《그림 29 F》에 올린다. 또 그는 "'이 조정된 기구에 하나의 열쇠를 두드리면, 이제 그것 없이는 끝낼 수 없다'라는 당신의 책 마지막 페이지 문장에 큰 감동을 받았습니다."라고 말했다. 이것은 정말 사실이다. 개인적으로도 나는 벌써 그러한 생각으로 일을 해왔다. 때로는 너무 얽매어 있다고 생각하고, 그것으로부터 빠져 나가려고 시도하지만 어느덧 다시 그것으로 돌아와 버린다.

* * * * *

《그림 29 D》는 네로만의 문장으로부터 온 것이다.

* * * * *

다음으로 남자와 여자와 아이 세계의 높이에 대해 의심스러운 것이 생겼다. 이것은 많은 독자로부터도 전해진 것이다.《그림 31》

* * * * *

그러고 나서 갑자기 출구가! 그리고 신선한 공기가 있다.[7]

---

[7] Rabelais, Penguin Classics, pp.685~686.

아들아, 방으로 들어가자! Fiston, entre chez moi!

《 그림 31 》

…… 4진법

…… 1, 2, 3, 4

=10

…… 10, 20, 30, 40

=100

…… 처음 항의 3승에 8을 더해

…… 합계 108

거기에서 신전의 문을 찾아낼 것이다.

플라톤의 진리

아카데미의 사람들로부터 이처럼 숭배받았던

	1,	2 와	3
그 2승		4	9
그 3승		8	27
		합계	54

(이것은 108의 반)

'그리고 파뉴르쥬Panurge는 놀라서, "자 되돌아가자!"'

머리가 비상하고 훌륭한 저자의 말을 인용한 이 예언적인 말은 이 작업의 결론을 미리 보여주고 있다.

독자님들 참으세요. 곧 신의 계시를 읽게 될 것이니 …….

* * * * *

여전히 사용자들은 말할 권리가 있다.

파리의 에꼴 드 보자르 미술학교에서 황금수에 관한 일련의 연구에 대한 강연을 한 베오티Beothy는 황금수의 실제적 응용을 위해 중간 값을 삽입해야 하는 필요성을 일련의 수와 함께 증명하고 있다. 그리고 다음과 같이 덧붙이고 있다.

> 말이 난 김에 르 꼬르뷔지에가 올해 낸 책에 하나의 스케일의 원리를 채용하고 있음에 주목하자. 그가 제안하는 회답은 전에 언급한 두 가지 부분에 속해 있다. 그의 모듈러는 두 가지 황금수를 조합하고 있고, 한편이 다른 편의 배의 수치로 되어 있다. 그것이 내가 말하는 음악에서 5도(음정)에 상당한다. 이것만으로 해결되지 않는다. 경우에 따라서는 매우 유치한 반주방법으로 3도만을 이용하는 방법도 있다. 하지만 이것은 5도만으로 되어 있어 불가능하다. 그러므로 거기에 두 배를 넣는 것이 혼잡을 부르지 않을 것이다. 하지만 있는 그대로의 이 사실은 나의 생각이 점점 더 진행되고 있는 것을 증명하고 있는 것 같기도 하다. 그가 그 출전을 분명히 하지 않지만 역시 나로서는 기쁜 것이다.

우리는 여러 가지 기회에 여러 장소에서 만나듯이 정확히 같은 길에서 만난 것입니다. 지금까지 생각할 기회도 없었고 당신이 비례에 대해서 관심을 가지고 있는 것도 몰랐습니다. 여기서 안누Anne와 요아힘Joachim이 한 것처럼 황금분할의 문에서, 흰 돌에 우리의 회합의 기념을 적어두지 않겠습니까!

* * * * *

벨기에에서 대학을 마치려 하고 있는 전기 기사 리에고아Liegois는 6피트의 남자라는 것이 신경 쓰였다. 그는 5피트밖에 안 되는 주부들이 부엌에서 어떻게 할지가 걱정이다.(유아들은 물론 더 작다.)

보편적 척도에 응용한 비례 내지 치수 결정 시스템의 경제적 조건

(a) 순수하게 경제적인 면에서 보면 무수한 모듈러를 생각할 수 있다. 이 무수한 스케일 속에서 하나의 시스템이 가장 간단하다. 그것은 본래의 모듈러이다. 다른 스케일은 역시 복잡하고 사용하기 어렵다.

(b) 그렇지만 '인간'을 위한 건축에 응용하는 치수로서는 본래 모듈러 외에는 답이 없다.

(c) 그렇다면 어떠한 기준 단위를 기초로 선택해야 할 것인가? 이에 대한 회답은 분명하다. 보편적인 척도에서 치수 결정의 시스템은 하나밖에 없다. 그러니까 모듈러를 응용하는 것에 따라서 하나의 공식과 하나의 치수밖에 없다.

그러니까 우리가 내린 결론은 순수하게 경제적인 조건의 치수 내지 비례 결정의 시스템으로 보편적 척도에 응용할 수 있는 것은

(1) 그것은 모듈러이며

(2) 오직 한 사람의 신장을 표준으로 정해 산출해야 한다.

사회에 보편적으로 대응할 수 있는 치수의 시스템인 인간 척도의 조건

여기에서는 여러 가지 표준을 정하는 것 외에 다른 것은 없다. 지구상에는 작은 사

람도, 큰 사람도 있다. 그것에 대해 보편적이기 위해서는 이 조건을 가미하여야 한다. 따라서 사회에 보편적으로 응용할 수 있는 인간적 척도로서 치수 결정의 시스템 조건은 여러 가지 다른 신장에 맞는 적합한 분포의 스케일로 주어야 한다.

종합

보편적 비례와 치수를 결정하는 시스템이 되려면 어떤 치수 시스템의 단위를 갖추고 다양한 다른 체계로 환원할 수 있어야 한다.

모듈러는, 그 조합의 유연함 덕분에 이 보편적이기 위한 가혹한 조건을 실현할 수 있다.

리에고아는 다음과 같은 실용적인 제안으로 묶고 있다.

모듈러의 풍부한 조합에 따른 이 특징이, 실용에 미치는 영향은 매우 중요하다. 이 덕분에, 보편적인 높이로 만들어진 건물 속에 모든 신장에 맞춘 가구를 넣을 수 있다. 이리하여 어느 주어진 길이의 스케일 속에, 규격화된 수치에 약간의 유연성을 줄 수 있는 것 등등.

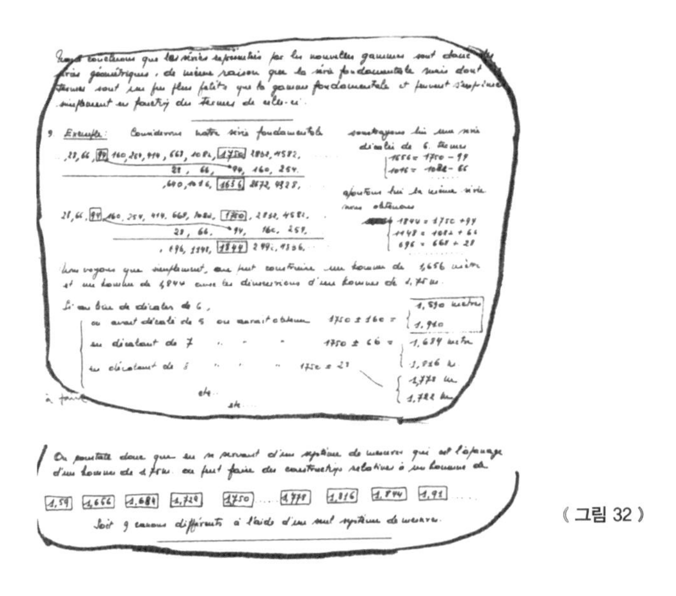
Nous concluons que les séries représentées par les nouvelles gammes sont donc des séries géométriques, de même raison que la série fondamentale mais dont les termes sont un peu plus petits que la gamme fondamentale et peuvent s'exprimer simplement en fonction des termes de celle-ci.

9. Exemple: Considérons notre série fondamentale — soustrayons lui une série décalée de 6 termes

,28, 66, 94, 160, 254, 414, 668, 1082, 1750, 2832, 4582,
28, 66, 94, 160, 254.
,640, 1016, 1656, 2672, 4328,

1656 = 1750 − 94
1016 = 1082 − 66

ajoutons lui la même série nous obtenons

28, 66, 94, 160, 254, 414, 668, 1082, 1750, 2832, 4582,
28, 66, 94, 160, 254,
, 696, 1148, 1844, 2992, 4836,

1844 = 1750 + 94
1148 = 1082 + 66
696 = 668 + 28

Nous voyons que simplement, on peut construire un homme de 1,656 mètre et un homme de 1,844 avec les dimensions d'un homme de 1,75 m.

Si au lieu de décaler de 6,
on avait décalé de 5 on aurait obtenu 1750 ± 160 = 1,590 mètre / 1,910
en décalant de 7 " " " 1750 ± 66 = 1,684 mètre / 1,816 m
en décalant de 8 " " " 1750 ± 28 = 1,778 m / 1,722 m
etc...
etc...

à faire

On constate donc qu'en se servant d'un système de mesures qui est l'apanage d'un homme de 1,75 m on peut faire des constructions relatives à un homme de

1,59 | 1,656 | 1,684 | 1,722 | 1,750 ... 1,778 | 1,816 | 1,844 | 1,91 ...

Soit 9 canons différents à l'aide d'un seul système de mesure.

《 그림 32 》

직공들은, 예로부터 몇 개의 표준을 만족시켜야 한다는 필요를 알고 있었다. 재봉사들은 기성품과 주문품을 묻지 않고, 작은 사람, 큰 사람, 살찐 사람, 마른 사람을 위해서 일을 하고 있다. 그렇지만 건축가는 큰 사람이 지나갈 수 있도록 문을 만든다. 자동차의 차체는 교묘한 타협점을 찾고 있다. 등등…….

회화에 대해서 니콜라 푸생Nicolas Poussin은 "모든 곳에서 평가하자."라고 쓰고 있다.

그것이 문제다!

* * * * *

로마로부터 '어린이 크기'의 모듈러가 도착했다. 위에 쓴 것을 보충하고 이렇게 덧붙이자. 학교의 가구를 만들고 있는 사람들은 정확히 주문복이나 기성품을 만들고 있는 재봉사와 같다고.

* * * * *

미셸 바타유M.Michel Bataille가 수를 연구하는 사람을 만나게 해주려 하고 있다.

"이 사람은 아마 프랑스에서 그 문제에 대해 가장 잘 알고 계시는 분이지요. 그는 고대의 치수 그것이 아시리아의 피트foot, 중국의 피트, 로마 시대 프랑스의 피트이든지, 환산표를 만들어서 그 사이에 매우 간단한 관계가 있다는 것을 찾아내고 있습니다. 이 표는 정말 독특한 것입니다."라고 말하면서 말이다.

여러분들 가운데 이런 종류의 연구에 흥미가 있다면 주저 말고 '안내원에 따라서' 진행하세요. 나는 (다른 일도 있지만) 집을 세우기 위해서 일생을 바쳐왔다. 이 세계에서는 뇌는 물론이고 코도 꽤 유효한 역할을 한다.

전쟁 전 그러니까 1939년까지 20년 동안 피에르 장누레와 나는 10, 25, 50, 100, 150, 200이라고 하는 미터의 속박을 깨뜨려 왔다. 그것들은 주택 분야에서는 인간과 접촉하는 사람들의 움직임, 혹은 인체 각 부분의 치수, 예를 들어 무릎, 배꼽, 어깨, 머리, 앞에서 말한 팔 등과 잘 맞지 않는다고 생각되었기 때문이다. 어떤 수학적인 고려도 하지 않고 단지 실용 본위로 실행 가능한 치수를 결정해온 것이 여기에 있는 많은 응대자들 중 일부에게 선험적으로 당연하지만 골칫거리 비슷한 불안을 느끼게 했다.

* * * * *

릴Lille의 유체 역학 연구소의 기계 기사는 모듈러가 기계 쪽에서 사용하는 '르날 급수Renard series'에 지지해주었으면 했다.

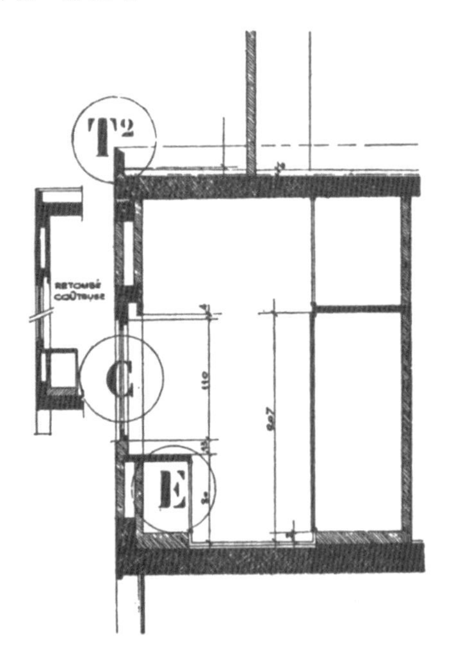

《 그림 33 》

여기 나의 협력자 앙드레 우젠스키André Wogensky가 릴에서 그가 모듈러에 대한 강연을 한 후에 써 보내온 편지가 있다.

1951년 7월 5일

친애하는 선생님, 1월 18일,

릴에서 당신이 강연했을 때 출석 못해서 유감이었습니다만, 모리스Maurice한테서 그 텍스트를 받아 읽었습니다. 그리고 4페이지에 '모듈러'라고 제목이 붙여진 표에서 눈을 뗄 수 없었습니다.

기계기사의 의견 등은 건축에 사용할 수 없다고 말씀하실지 모르지만, 왜 정확한 황금수

$$1.618=\frac{1}{0.618}$$

대신에 거기에 가까운 '르날 급수'인 $1.585\times\sqrt[5]{10}$을 사용하지 않는 것인지요? 1.618과 1.585 사이의 오차는 2%에 지나지 않습니다. 이 오차는 비례의 조화에 영향을 미치는 것입니까?

만약 이 수를 사용한다고 하면,

1	2	3	5	7		4	6	9	14
11	18	28	45	71	22	36	56	89	141
112	178	282	447	708	224	355	562	891	1412
1122	1778	2818	4467	7079	2239	3548	5623	8912	14125

...... 등

(쓸데없는 소수점 이하를 생각하면, 둘째 행까지로 충분하지 않을까 생각합니다.)

여기에 따르면 사람의 신장은 1.80m이며, 의자 높이는 0.45m, 그 책상은 0.71m, 문은 2.20m, 낮은 팔걸이의자의 높이는 0.36m, 벽돌 한 장의 크기는 11×22cm, 타

일은 한 장은 11cm 등등이 됩니다.

빨강과 파랑 두 개의 계열은 2 내지 3인 숫자의 10항만 되고, 그것이 정확히 이 10항은 르날 급수의 R 20에 상당하며, 이것이 기계적 표준화의 기본이 되고 있습니다. 건축은 산업 제품을 재료로 해서 세우게 되니까, 우리는 여기서 간략화의 가능성을 가져볼 수 없을까요?

당신의 강연 속에는 영국인들의 피트-인치와 비교를 하는 이야기가 나옵니다. 나는 그것에 관하여 기계 기사의 관점에서 좀 더 효율적인 간략화에 대한 생각이 났습니다. R 10의 급수의 10항에 그 중간 값을 넣어보면,

(11 14 18 22 28 36 45 56 71 89)
10 12.5 16 20 25 31.5 40 50 63 80

또한 100, 125 등과……

모듈러의 두 개의 급수는 피트-인치의 간단한 배수로는 되지 않는다고 생각됩니다.

그러나 이 급수는, 1.60m에서 2.00m 사이의 인간적인 치수를 날려 버리고 있습니다. 그러니까 이것으로는 안 됩니다.

모듈러의 표를 다음의 수치로 바꾸면 어떻습니까?

11		18		28		45		72	
	14		22		36		56		90

다시 한 번 표에 대해 말하면 1,800mm의 인간에서 출발해 2를 곱하거나 나누거나 하고, 최초의 두 개의 숫자만을 남깁니다.

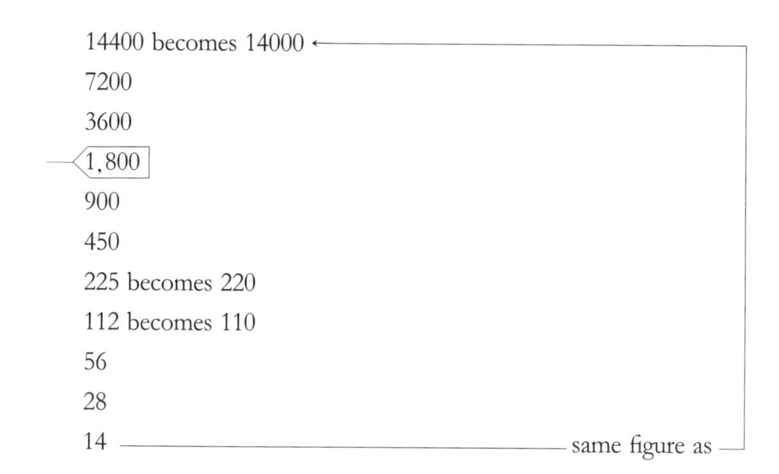

당신은 음정과 비교해왔습니다만, 다음의 숫자의 간격을 보면,

11 — 14 — 18 — 22 — 28 — 36 — 45 — 56 — 72 — 90

거의 $1.25 \times \frac{5}{4}$, $\frac{\text{major third}}{10}$ 또는 $1.2589 = \sqrt[10]{10}$에 가까운 숫자입니다.

이 모든 것도 열린 문이 고장난 것입니다만 왜 당신은 이 문을 소홀히 하였는지 알려주시면 좋겠습니다.

A. 마르티노 라갈드A. Martinot-Lagarde

이러한 모듈러의 수치를 간단히 하고 다른 급수에 연결하자는 제안은 여러 가지 있었다 (제1권 43페이지 참조). 나에게 모듈러는 무엇인가를 발명하거나 구성하거나 할 경우에 전면적으로 안전한 도구이다. 오늘 올바른 것은 6개월 후에도, 6년 후에도 혹은 6일 후에도 같은 제도자, 또는 다른 제도자, 또는 다른 나라의 다른 제도자의 도판 위에서도 들어맞을 것이다. 모듈러 값의 각 항 사이는 원하는 대로 미묘하게 조절하는 것이 가능한데, 그것은 정확히 바이올린에 비브라토vibrato를 붙여 조금 위아래의 소리를 내서 그것이 듣는 사람에게 올바른 소리로 느끼게 하는 것과 같다. 물론 이것에 관해 여러 독자들 사이에서 조화를 이루고 있는지 부조화한지에 대하여 논의할 여지가 있을 것이라고 생각한다.

* * * * *

숫자 놀이는 한층 더 멀리 이끌어준다. 여기에 라바르트Labhardt 앞으로 우주에 관한 조사에 대해서 써 보낸 것이 있다(답장은 없었지만).

파리, 1950년 6월 5일

지난번에(이미 두 달이 지났습니다만) 나의 『모듈러』라는 책을 여러분들의 잡지 《콘스테라시온Constellation》에 올렸습니다. 이것은 그러한 일에 적극적이었던 무렵에 한 것입니다.

나는 모듈러로 유명해지려고 생각했던 적은 한번도 없었습니다(『모듈러』는 1942년에 발명되어 8년에 걸려 완성할 수 있었습니다.). 그러나 당신의 우주에 관한 조사를 찍은 니콜 웨드레스Nicole Védrès의 영상은 내 공상의 한 부분을 자극했습니다. 그것은 다음과 같습니다.

$\frac{15}{1,000}$mm(1000분의 15)와 지구의 원주와의 사이에는 모듈러로 약 270항이 있다.

즉, 제1항은 $\frac{15}{1,000}$mm

제270항은 40,000km

제300항은 벌써 우주 간의 거리와 같은 것이 된다.

그러니까 시간표를 주워 소요 시간을 계산하고, 식료 등등을 열거할 수도 있다.

지구와 달과의 거리=모듈러 285(대략)+41+9

a b c

다른 말로, 285는 엄청난 거리를 주고,

41은 킬로미터 내지 미터의 단위를 주고

9는 미세한 수치의 범위를 준다.

(여기에 적은 단계의 호칭은 자의적이지만)

이것은 다음과 같이도 쓸 수 있다.

MOD 285.

41.

9.

또는 MOD 285.41.9, 그리고 이것을 정확하게 계산하는 것은 가능하다.

이것에 대해 언젠가 생각해본 적은 있지만 이번에 처음 MOD라고 하는 것을 써보았다.

이것들은 모두 아직은 조사가 더 필요한 부분이다.

모듈러는 극소로부터 무한대까지를 포함하고 있다. 그 사이의 점을 반복해가는 급수다.

언젠가 MOD 47.3 등이라고 쓰고, 피트-인치 시스템이나 미터 시스템을 버리고 십진법만으로 해결될 수 있도록 할 수도 있을 것이다.

이 우주 사이에 거리 이야기는 단지 모듈러를 찾아내는 동기를 증명하는 것에 그치자는 게 아니다.

(노트: 1950년 8월 30일 장 데르Jean Dayre는 이것에 대해 내게 써주었다. 그러나 그 편지는 자연스레 『모듈러 2』가 나올 때까지 서랍 속에 넣어져 있었다. 그리고 1954년 5월 이 제 2권을 만들 기회가 올 때까지 읽을 수 없었다.)

* * * * *

마지막으로 끝내는 데 있어서, 여기에 또 다른 종류의 간격이 있다. 파리의 건축가 로치에Rothier는 '모듈러적moduloric' 생활공간 내지는 평면을 만드는 것이 얼마나 편한가를 알려왔다. 건축가로서 그는 재료의 두께 문제를 제기해왔고, 신장 1.73m, 1.83m, 1.93m의 세 사람을 예로 들어 모듈러의 중간항을 만들었다. 그의 관찰은 실무자이기 때문에 올바르다고 생각된다.

이것은 '회화에 있어 기준선과 같은 것으로 화면 어디에 그 기준선을 두면 좋을 것인가' 하는 문제와 같다. 건축 각 요소 어디에 기준선을 두어 혹은 모듈러의 중간치를 적용시키면 좋은 것인가? 문제는 눈에 보이는 곳을 취해야 한다. 어느 길이가 보이거나, 어느 면이 보이거나, 어느 공간이 보이는 것은, 거기에 비례의 미묘함이 요구되는 것이다. 어디에 문제점이 있고, 또 뭐가 문제점인가? 실내의 비어 있는 부분인가? 혹은 벽의 두께 때문인가? 창에 대해 무엇이 중요한 것은 유리 부분인가 혹은 테두리 주위인가? 이러한 질문들은 그때그때 평가되어야 할 문제다.

대변인들은 깊은 지식이나 직관이 내포된 과장된 듯한 말로 말하는 경향이 있다.

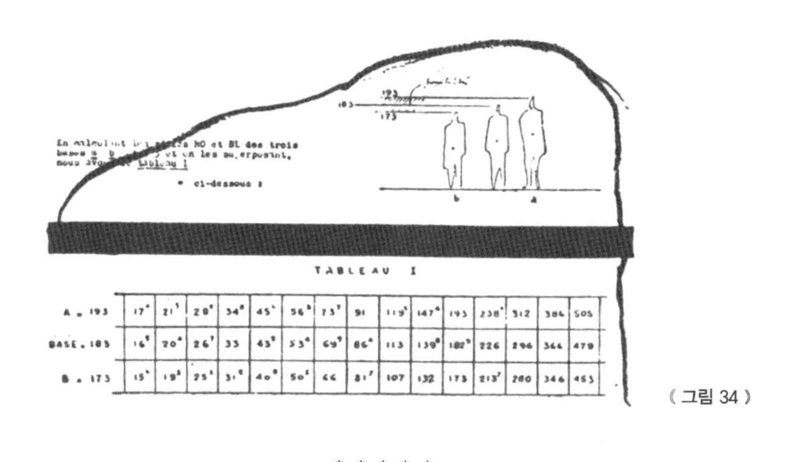

TABLEAU I

A = 193	17^{4}	21^{5}	28^{2}	34^{8}	45^{6}	56^{3}	73^{7}	91	119^{2}	147^{4}	193	238^{6}	312	386	505
BASE = 183	16^{5}	20^{4}	26^{7}	33	43^{2}	53^{4}	69^{8}	86^{4}	113	139^{8}	182^{9}	226	296	366	479
B = 173	15^{6}	19^{3}	25^{3}	31^{2}	40^{9}	50^{5}	66	81^{7}	107	132	173	213^{7}	280	346	453

《 그림 34 》

* * * * *

요약하자. 친구들은 겨우 자신의 주변을 바라보고 치수를 재어 비례를 준다는 생각이, 단지 '손가락으로 눌러서' 할 수 있는 것이 아니라, 고상한 시적인 문제인 것을 눈치채기 시작했다. 동등하고 조화로운 스케일이라면, 모든 우리의 건물은 순수한 기회에 좌우된다는 냉엄한 사실에 주의를 기울일 것이다. 기계 기술자들은 경제적인 이유에서 표준화하는 데 한걸음을 내딛었다. 그들은 표준화함으로써 바다 위에 다리를 놓게 되고, 공업제품은 먼 곳까지 이동하게 된다. 그들의 표준 규격은 조금은 너무 간략해서 상상력에 별로 자유를 주지 못한다. 그런데 인류의 진보를 위해 상상을 제한하거나 미리 예언하는 권리는 인간에게 없을 것이다.

우리 친구들은 지금 자기 주변에 있는 자신들의 주택에 눈을 돌리기 시작했다. 예를 들어 일찍이 석공이나 목수나 소목장들이 만들었던 낡은 주거에서 어떤 종류의 답을 찾아내고 있다. 입에서 귀로, 수세기에 걸쳐서 아버지로부터 아들에게 전해진 법칙, 그것이 일반 소비자에게 올 때는 이미 형이상학적거나 난해함을 가지고 부풀려지고, 압축되고, 흐릿해져 온다. 이 모든 것은 통속적인 얇은 거미의 망처럼, '응용'이라는 지혜로 우리 자신의 시대로 전해져오는 것 같다. 때로는(여기에 예로 든 투고자 중에도 그러한 것이 있지만) '대변자'적인 사람이 되어, 수천 년 동안 과학인 것처럼 제시하기도 한다. 그것은 역사적이기는 하나 오늘 현재의 감격 혹은 현실과 아무런 연결도 없다면 공명이 아닌 것이다. '대변자'들은 깊은 지식과 직관이 포함된 말로 과장되게 말하는 경향이 있다. 그들은 때때로 '예배의식'을 하는 듯하다. 그들은 마술적인 말을 사용한다. 예를 들어 8의 108배는 864라든지 108과 7은 108의 수이며, 보혜사paraclete이다. 그리고 216은 108의 2배이다. 등등.

개인적으로 내 인생의 지금 시기에 이러한 문제를 연구하고 있고, 54의 2배는 108, 108의 8배는 864 등등의 수 놀이는 나를 가슴 설레게 한다. 그리고 언제나 자문자답하는 것이지만 108cm가 문제이며, 그것은 단순한 108이라고 하는 수와는 관계가 없다. 그 수에 대해서 나는 아무것도 모르고, 어디로 가는지도 모른다. 만약 108을 피트로 고치면, 내 앞에는 26인치가 있으며, 26은 이미 108과는 관계가 없다. 1945년쯤에는 108은 내 최초의 모듈러, 즉 신장 1.75m를 기본으로 한 것의 열쇠였다. 그러니까 내게 이런 우연히 일치하는 수치는 아무것도 의미하지 않는다. 물론 나는 형이상학적인 무수한 상징이나 무수한 의미에 결합되는 과학이 있다는 것을 부정하지 않으며, 결코 향후에도 부정하는 일은 없을 것이다. 하지만 나는 건물을 만드는 인간이다.

여기서 나는 이 책의 101~102페이지 아래의 문장을 특별히 강조하고자 한다. 즉, '모듈

러는 전면적으로 안전한 도구이다. 오늘 올바른 것은 6개월 후에도, 6년 후에도 혹은 6일 후에도, 같은 제도자, 또는 다른 제도자, 또는 다른 나라의 다른 제도자의 도판 위에서도 들어맞을 것이다.'

올바른 것은 올바른 것이다. 우리는 수와 연관된 세계 속에 있다. 당신은 수를 '간략화' 하고 싶은가? 타협을 허락하는가? 누구의 무슨 이름으로 그것을 하려고 하는가? 진리만이 그 해답이 될 것이다.

Ⅲ
모듈러의 구체적 응용

파리의 건축가 안드레 시프André Sive 씨는 이런 글을 써 보내왔다.

여기에 모듈러의 사용자로서 의견을 말하겠습니다.

그것은 우선 도구입니다.

우리 직원들에게는 반드시 제도판에 두 개의 급수progression를 붙입니다(저는 외우고 있지만).

모듈러는 우리에게 미를 만들어주지 않지만 일 도중에 자동적으로 '적당한' 비례를 취하는 것을 막아주어, 건축 구성 속에서, 세부에서도, 또 전체 구성에서도 상태를 잘못되지 않게 해줍니다.

만약 모듈러에 따른다면 건축 구성 요소의 규격화는 비례의 난잡함이나 적당한 크기를 제외시켜주고, 겨우 처음 사용할 만한 것이 됩니다. 저는 학교 건축에 모듈러를 의무적으로 사용하고 싶으며, 거기에 따라 아이들 마음에 조형적 조화 감각을 넣어주고 싶습니다. 한 시대의 문명을 반영할 수 있는 건물을 세우는 것이 미래의 절대적 조건입니다.

그리고 그는 무돈 르 빌리지Meudon-le-village의 도시계획에 모듈러를 응용한 예를 첨부해왔다.《그림 35》

* * * * *

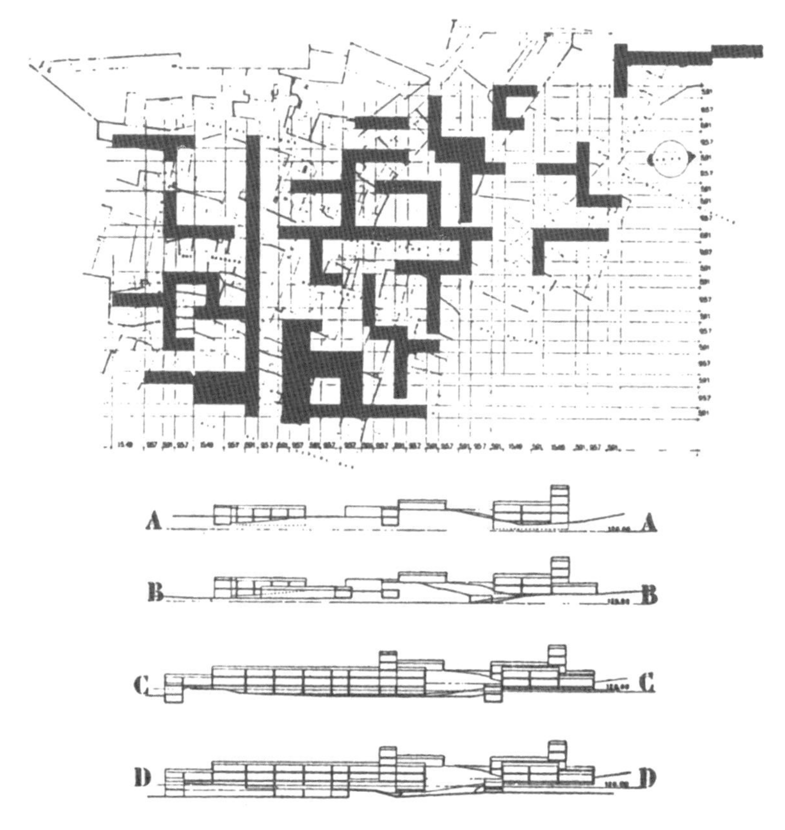

《 그림 35 》

파리의 부흥 건설성의 고문 건축가 마르셀 루Marcel Roux의 말을 들어보자.

최근 2년 동안의 작업 결과, 저는 당신이 생각한 비례 관계를 저 또한 주위 사람에게도 응용시키고 있다는 것을 분명히 말씀드리고 싶습니다.

공교롭게도 법규나 행정에서부터 당신의 책에 잘못되었다고 적은 치수를 강제하는 일이 있습니다만, 뇌를 조금만 움직여 노력한다면 당신의 귀중한 조화로운 관계를 다시 나타낼 수 있는 것 같습니다.

모듈러를 일반적으로 사용하게 된다면, 특히 건축 발전에 효과적 결과가 나올 것이라고 믿고 있습니다.

* * * * *

판 데르 메이렌Van der Meeren 씨는 160m³의 용적 속에 침실 다섯 개, 부엌, 목욕탕, 차고 및 점포가 딸린 완전한 한 채의 집을 만들었다. 그는 이 어려운 일을 모듈러를 응용하는 것으로 훌륭하게 넘어갔다고 한다.

... es etwas zu reparieren gibt.

Anwendung der Methode « Modulor ».

Der belgische Architekt Willy Van der Meeren, der Schüler von Le Corbusier war, hat auf dem beschränkten Raum von 160 m³ einen Wohnblock errichtet, welcher eine vollständige Wohnung darstellt mit 5 Zimmern, Küche, eingerichtetem Bad, Garage und Laden. Er hat die Schwierigkeit des Raumes meisterhaft überwunden durch die Anwendung der Methode « Modulor », d. h. er hat, um die Proportionen richtig aufzustellen, als Maßeinheit den Menschen selbst genommen. Er soll weder durch die Enge des Raumes noch durch die übermäßige Höhe der Zimmer sich bedrückt fühlen.

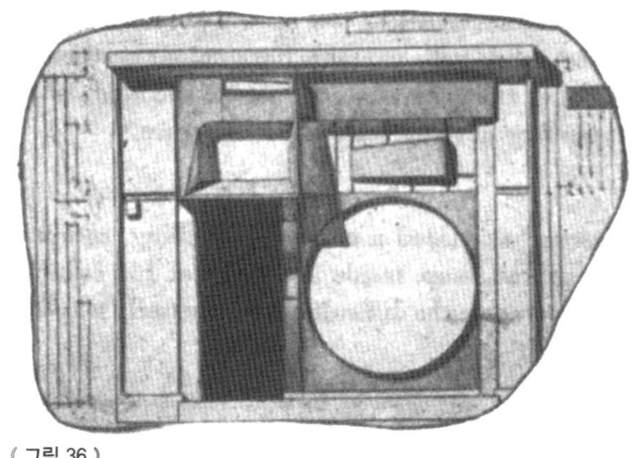

《그림 36》

장 클로드 마제Jean-Claude Mazet는 모듈러로 만든 가게의 자료를 보내왔다.

* * * * *

리브레Riboulet, 토르나우아Thurnauer, 베렛Véret은 모로코의 에코샤르Ecochard의 지시로 페스Fez 대학 도시의 학생 기숙사 표준형 계획에 모듈러를 응용하고 있다.《그림 37》

* * * * *

카사블랑카의 칸디리스Candilis에 모로코 기후에 적합한 집합주택의 평면을 만들었다. 모듈러가 살기 위한 공간 전부를 조절하고 있다. 그는 이렇게 써 보냈다.

당신은 어디엔가 이렇게 썼었습니다. "모듈러라고 하는 조율된 도구에 한 번 손이 닿으면 더 이상 그것을 버려둘 수 없게 된다."

그것은 정말 사실입니다.

2년 전부터 우즈Woods와 저는 아프리카에서 일을 하고 있습니다. 우리의 일은 대단히 폭넓은 연구와 경기설계, 현장조사 등을 하는 것입니다. 우리는 모듈러에 익숙하고 이제는 우리 연구에 뗄 수 없는 도구가 되어 있습니다.

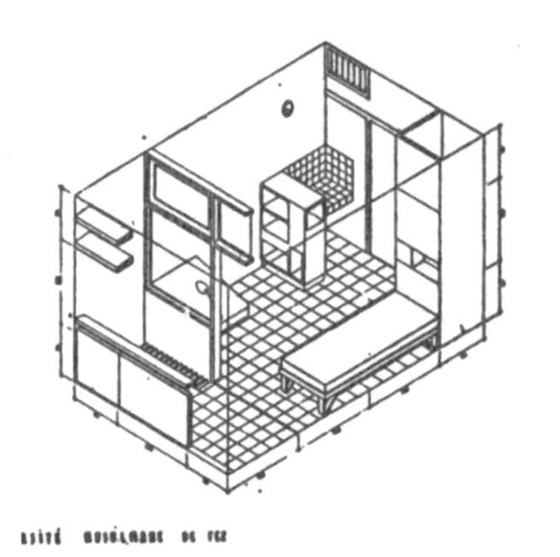

《 그림 37 》

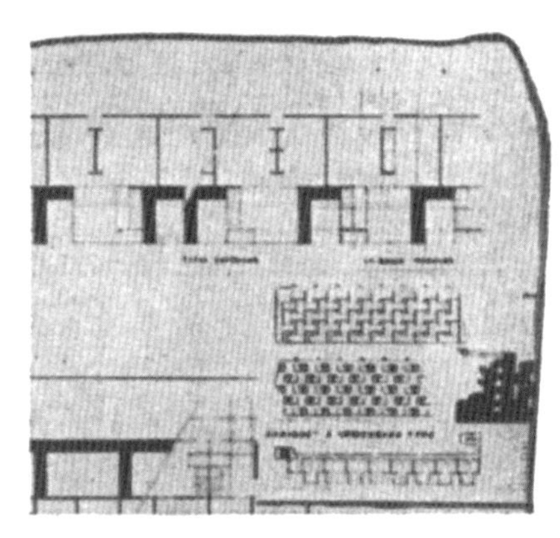

《 그림 37 b 》

우리는 지금에 이르기까지 잠시 주저하거나 불안해하거나 잘못을 하기도 했습니다.

시간과 함께 모든 것은 정말 확실해졌습니다.

우리의 생각은 제도판 위에 익숙한 선으로 표현됩니다. 어떠한 치수라도 기능에 따라 '올바른 치수'가 되어 대충이라도 잘못된 상태로 되지 않습니다.

그리고 전체가 조화를 이루고, 또 인간의 척도에 맞게 되어가고 있습니다.

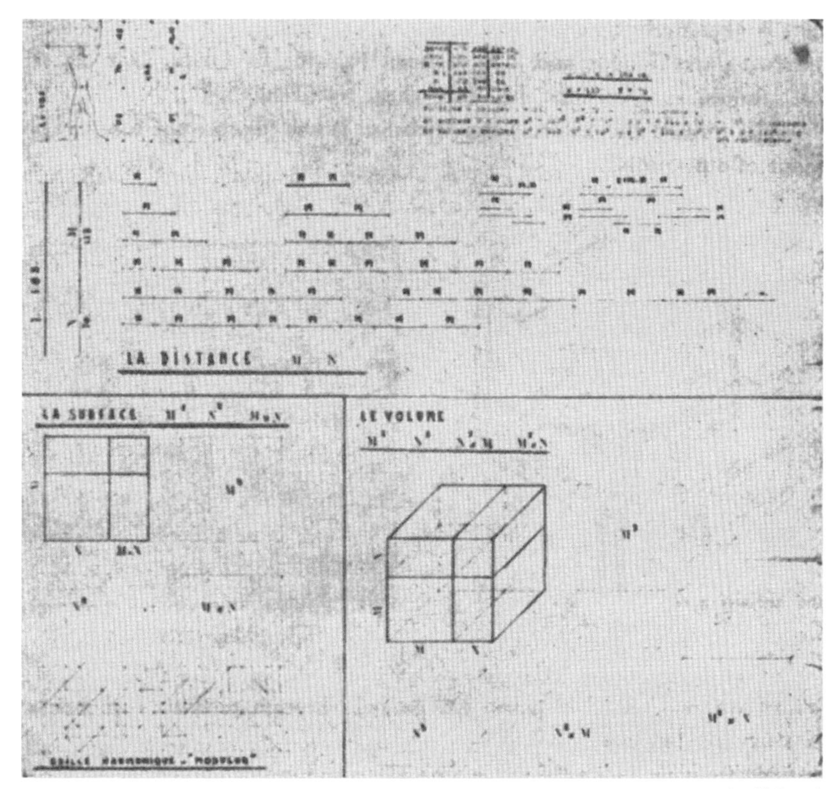

〈 그림 37 c 〉

척도

잰다고 하는 것, 그것은 경제로 향하는 것이며, '올바른 치수'에 도달하는 것이다 (L.C.).

모듈러가 우리를 거리, 면적, 용적을 재는 데 이끌어준다. 마찬가지로 비품, 설비, 문, 창호와 기능적 도구에 적용된다. 잘 훈련되고 정확하게 측정한다.《그림 37 b, c》

* * * * *

부에노스 아이레스의 아망시오 윌리암스Amancio Williams는 모듈러를 사용해 병원 두 개를 계획했다.《그림 38, 아치스팬 지붕arch-span roof의 상세도》

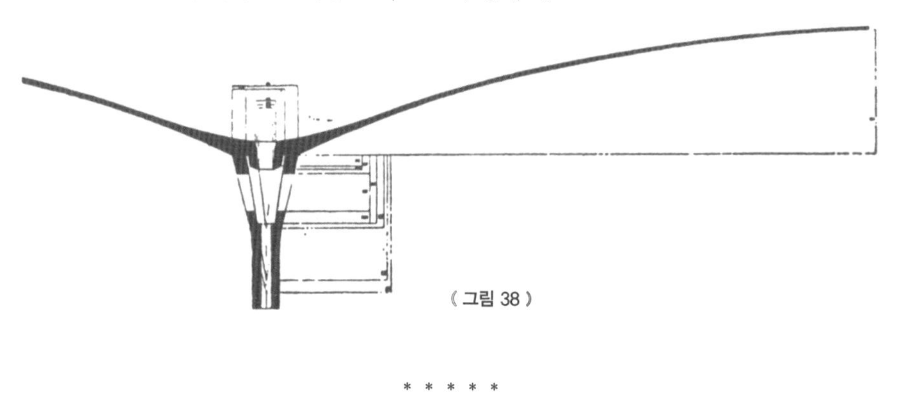

《 그림 38 》

* * * * *

또 여기에 예로 든 장 프루베Jean Prouvé는 매우 설득력 있는 방식을 가진 '건설자' 타입으로 대표된다. 아직 법률적으로 받아들여지지는 않았지만 건설자는 사회 속 하나의 계층으로 우리 시대가 요구하는 존재이다. 내가 여기에서 말하고 싶은 것은 장 프루베가 건축가인 동시에, 기사이기도 하다는 점이다. 사실 건축가와 건설자로서 그가 고안해낸 것들은 모두 우아한 조형적 형태를 취함과 동시에 강도의 문제도 해결하고, 시공 방법도 정말로

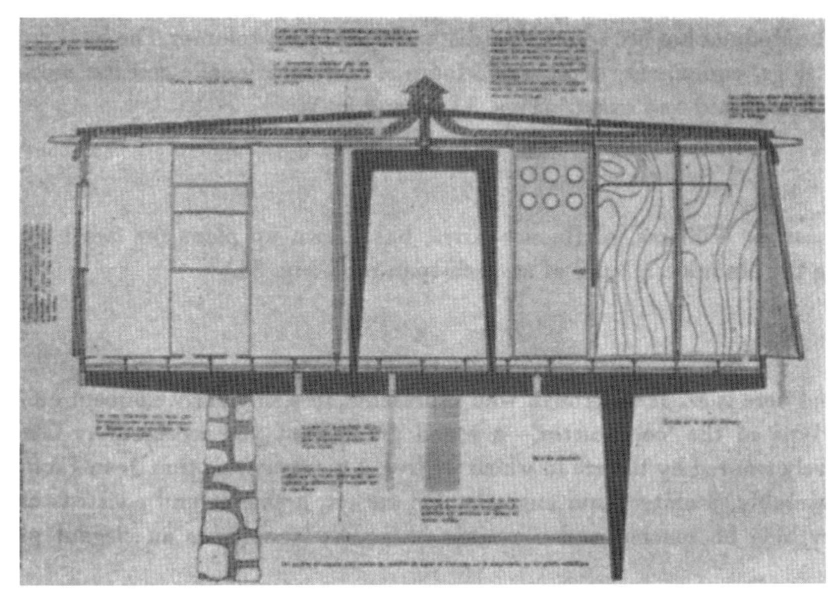

《 그림 39 》

잘 실현시키고 있다.《그림 39》

전쟁 이후 그의 작품이 결정적 증거를 제공한다.

* * * * *

다음은 로렌Lorraine에서 글라이더 클럽의 계획을 함께 했던 적이 있는 파리의 건축가 오제Ogé 부자의 증언이다. 그 아들이 이렇게 말했다.

"모듈러 덕분에 서로 별로 만나지 않아도 각각의 사무소에서 일을 할 수 있는 것입니다. 우리는 장 프루베의 카탈로그에서 어느 기준의 지붕형을 취했습니다. 당신이 클럽의 유기적인 전체 계획을 그렸고 우리는 그 현장 도면을 그렸습니다만, 전부가 모듈러로 활용되고 있던 계획이었으므로, 매우 쉽게 할 수 있었습니다. 그것은 모듈러가 자동적으로 서로의 관계를 실현시켜주기 때문입니다. 정확히 세 명이 조율된 건반을 함께 연주하고 있는 것 같기 때문입니다."

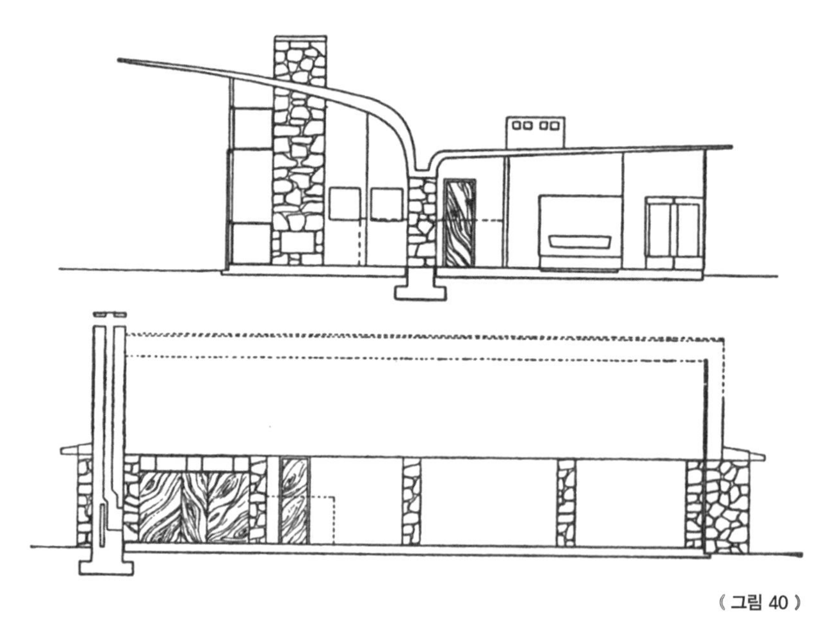

《 그림 40 》

* * * * *

카리브 해에 면한 콜롬비아 바랑키야Baranquilla 사람들은 현대의 큰 문제인 '주거 단위'에 대해 연구를 하고 있다. 그들도 우리가 자주 사용하는 '살 수 있는 공간'이라는 말을 채용했다(우리는 '살 수 있는 세포 공간'이라 불렀지만). 모듈러를 사용하여 그들은 여러 가지 내용을 만족하는 주거세포를 완성해 우리가 마르세유에서 했던 것처럼, 살 수 있는 용적을 거대한 콘크리트 상자로(18층으로 100개 이상의 작은 비둘기 장이 붙은 것) 만들어 그 수만큼의 주거를 만들어 넣도록 했다. 이것이 가능해지면 나머지는 응용의 문제이며, 재료의 선택과 시공 기술, 생활양식 따위의 문제이다.

그들의 연구에 다음과 같은 선언문이 붙어 있었다.

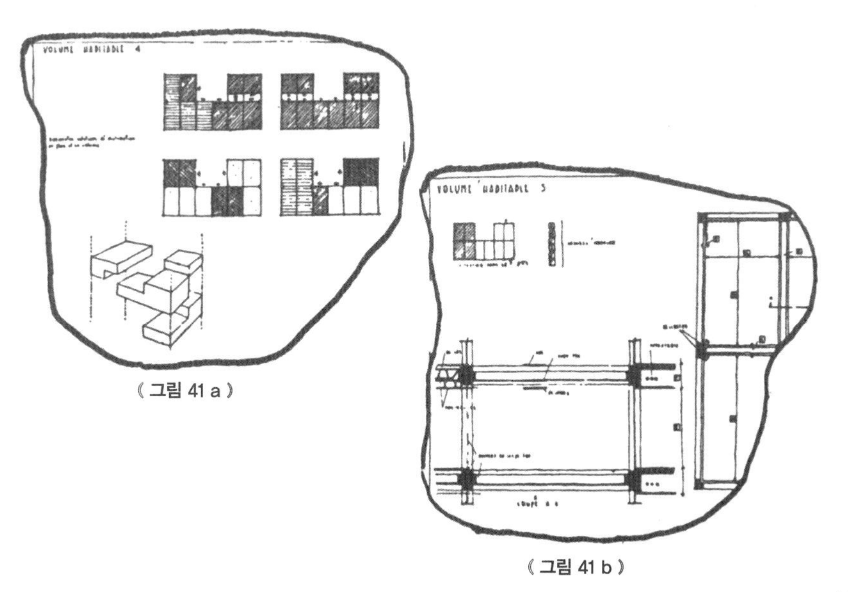

《 그림 41 a 》

《 그림 41 b 》

이러한 계획의 응용을 함에 있어서 인간과 이것저것을 조화시키는 치수나 용적에는 유일한 기반이 필요하다. 모듈러는 미터와 피트-인치를 묶어 건축 요소의 공장 생산화를 (비교적 싼 가격으로) 가능하게 하고 형태나 비례, 해법으로 무수한 조합을 가능하게 해준다.

단위화된 공장 생산품에 따라서 각자의 손이 닿을 수 있고, 건축이 보편성을 갖게 됨과 동시에 각 개인이나 각 지방의 확실한 성격을 보존할 수 있다.《그림 41의 a, b, c, d》

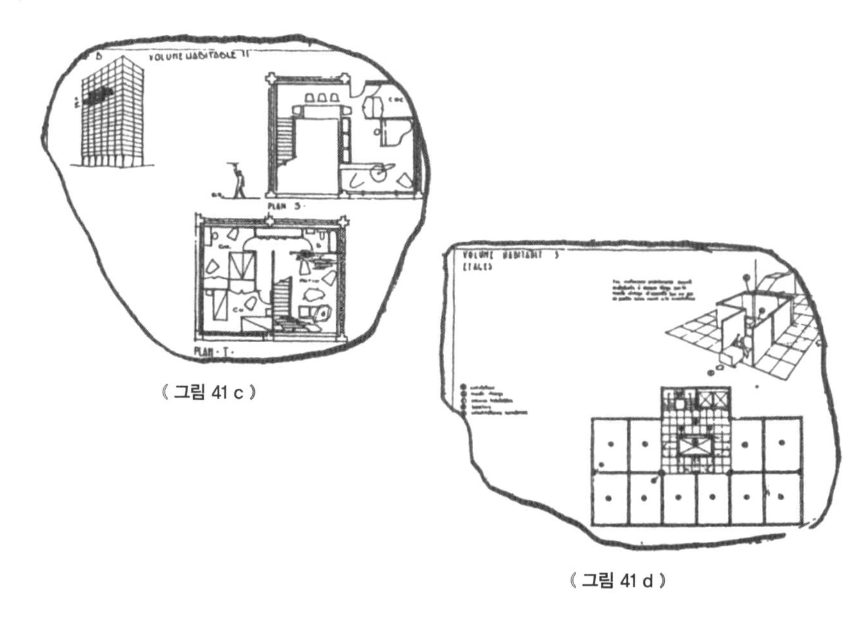

《 그림 41 c 》

《 그림 41 d 》

* * * * *

CIAM의 회장 호세 루이 세르트José-Luis Sert와 폴 레스터 위너Paul Lester Wiener 두 사람은 베네수엘라, 페루, 콜롬비아 등의 큰 도시계획과 건축계획을 담당하면서 그 지역에 공헌하고 있다.

세르트는(1953년 3월 24일) 이렇게 써서 보내왔다.

모듈러는 정말 상태가 좋다. 최근 마라카이보의 의원에서 아메리카의 병원 표준화에 모듈러를 적용해서 사용해봤다. 마찬가지로 베네수엘라의 다른 일에 대해서도 말이다.

세 개의 그림 1. 라포모나Lapomona의 도시계획《그림 43》

2. 마라카이보Maracaibo의 병원(전체 모형)《그림 44》

3. 푸에르토 오르다스Puerto Ordaz의 교회

(콘크리트 틀 속에 종탑의 입면)《그림 42》

* * * * *

나의 세브르 가 35번지 아틀리에 협력자 앙드레 보잔스키André Wogensky는 최근 자신의 집 짓는 것을 거의 끝내가고 있다. 거기에 모듈러를 적용하며 기쁨을 느끼고 있다. 그는 다음과 같이 말하고 있다.

이 집의 연구에는 체계적으로 모듈러를 응용해봤다. 그것은 단지 평면이나 단면뿐 아니라, 시공의 상세 디테일 연구에서도, 예를 들면 손님에게는 직접 보이지 않는 두께의 결정(아크로테리움acroterium, 계단 등)에도 사용해봤다. 모듈러는 또 가구나 그 외의 설비 이를 테면 철물류나 전기 조리시설뿐만 아니라 집에 필요한 것들을 디자인하는 것에 이용되었다. 그러나 모듈러의 사용으로 제한이 된다든지 제약이 된다든지 하는 일은 한 번도 없었다. 대개의 경우 정리해 말하면 크기나 비례를 마지막에 조정하는 것 같은 의미로 받아들여졌다.

평면 전체는 No.1에 그려진 것처럼 짜여져 있다. No.2는 1층 평면이 이러한 짜임들 안에 어떻게 들어가는지 잘 보여주고 있다. 그러나 이러한 방안도 평면 연구 이전에 적당히 생긴 것이 아니다. 오히려 그 결과로 생긴 것이다. 그것은 내부의 조직화 연구와 올바른 치수를 주는 것과 올바른 위치에 물건을 배치하는 연구를 한 이후 기준선으로 생겨난 것이다. 그리고 이것을 적용함에 따라 치수의 결정이나 장소의 결정이 이루어진다.

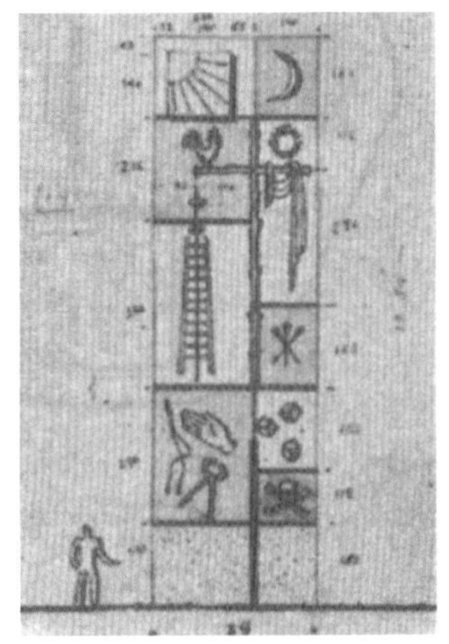

《 그림 42 》

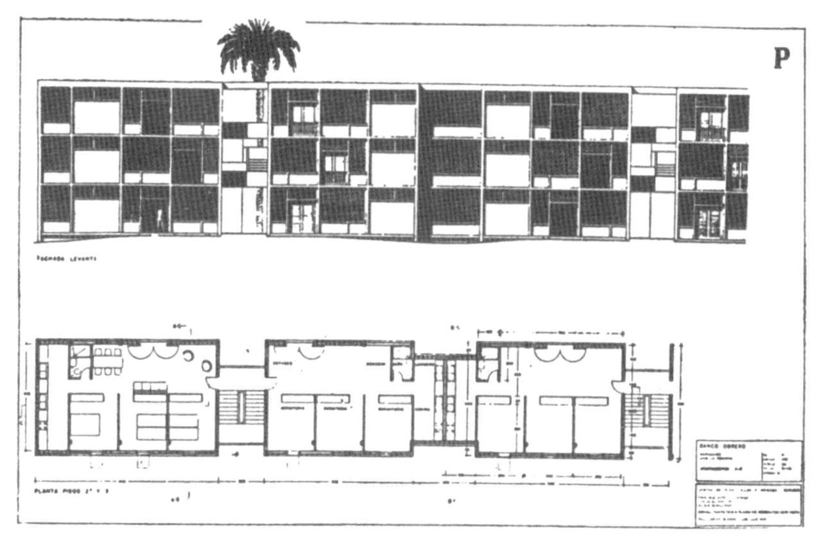

《 그림 43 》

《 그림 44 》

이 평면 연구 중에 단면도 혹은 입면도를 나누어서 생각하는 일은 없었다. 여기 표시된 기준선을 사용할 때 2차원의 세계(평면 · 단면 · 입면)는 모듈러를 고려하면서 응용한 것이다. 다시 말해 평면 · 단면 · 입면을 고려하는 것으로, 기준선 그 자체는 임의의 직각 투영도에 지나지 않는다.

하나의 건축은 그것을 보는 사람에게 그곳에 있는 공간이나 깊이, 움직임을 통해, 그 사람이 바라보면서 이동하는 것에 따라서, 건축이 그의 앞이나 주위에서 순서대로 움직이는 결과를 느끼도록 할 것이다.(No.3는 동쪽의 입면을 나타냄과 동시에 높이=천정, 2.26m(86과 140으로 분할), 마루의 두께 33을 나타낸 것이다.)

더욱이 이것은 미리 그처럼 생각한 것은 아니지만, 거의 파랑 계열의 치수 쪽이 사용되었다고 하는 결과는 흥미롭다. 이 공식도 연구의 결과, 후에 완성된 것이지만, 두 가지 계열의 숫자를 혼합해서 사용하는 것보다 통일성이 있는 것 같다.(1954년 9월 27일)《그림 45, 46》

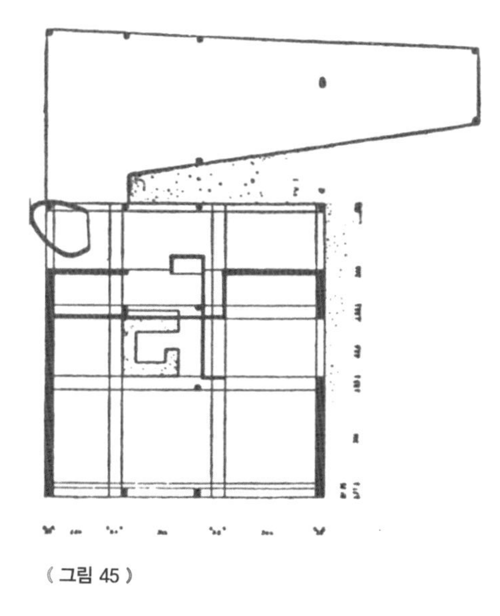

《 그림 45 》

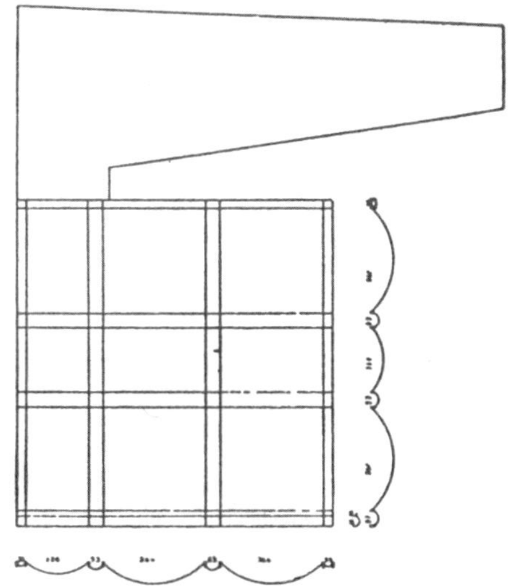

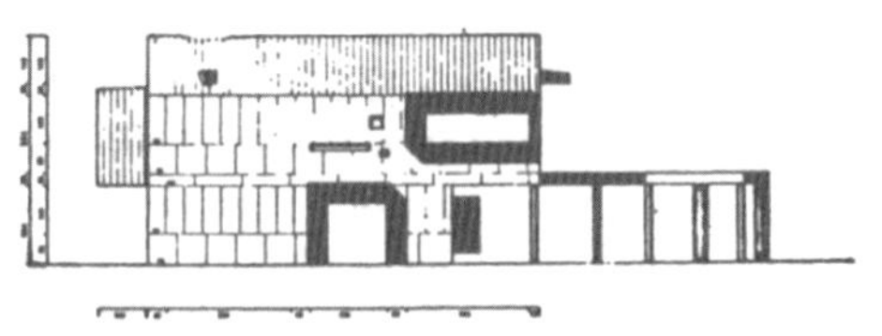

《 그림 46 》

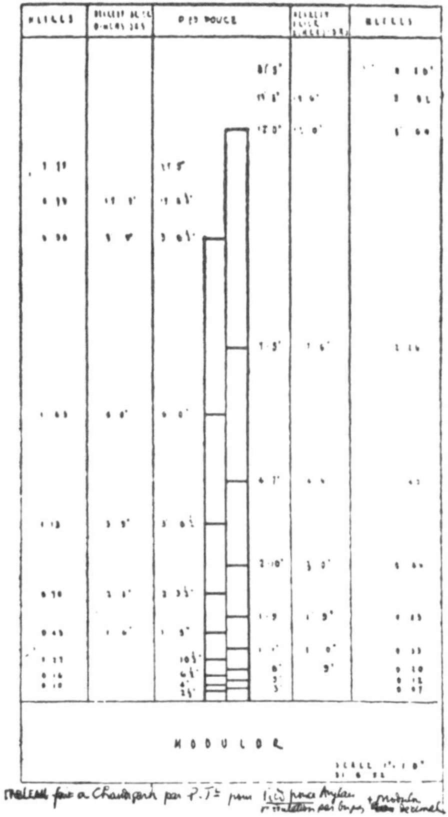

나는 개인적으로 이러한 결론을 얻을 정도로 자신 있지는 않다. 나는 아직 알지 못한다. 그러한 사실이 밝혀지길 기다리고 있다. 모듈러의 파랑과 빨강의 나선은 안심시켜주며, 기운을 북돋아준다. 그렇지만 나는 이 아름다운 나선을 그렇게 빨리 창고 안에 넣어버리기 전에 두 번이나 생각했다.

찬디가르에서는 피에르 장누레가 펀잡주의 수도 건설을 위해(주택, 학교, 병원) 일하고 있는 건축가와 기사들을 위해서 모듈러의 미터와 피터-인치와의 공통 값의 표를 만들었다. 그러나 세 번째 난은 이 계열에 가장 가까운 수치로 벽돌의 치수를 정했다. 그 유사함은 보통 건축공사에서 차이가 거의 문제가 되지 않는다(앞에서 말한 로치에의 문서를 참조함). 이 수의 표 복사본은 27cm×43cm의 치수로 되어 있으며, 각 기술자들이 가지고 있다.《그림 47》

《그림 47》

* * * * *

뉴욕의 스타모 파파다키Stamo Papadaki는 팔라디오의 급수 1, $\sqrt{\Phi}$, Φ에 의해 만들어진 '접견실'의 용적을 모듈러의 비례로 바꾼 도해를 그렸다.

이 파파다키로부터의 통신에서 내가 기억하고 있는 것은 4페이지에 있었던 m36, m34, m32 등의 숫자이다. 이것은 아직 미해결로 남겨져 있는 문제를 포함하고 있다. 그것들은 미세한 치수에서 천문학적인 치수까지 있다. 각 단계의 수치를 어떻게 합리적인 이름으로 부를까하는 문제는 아주 얼마 안 되는 사이의 단계만 사용하고 있기 때문에 건축을 하고 있는 사람에게는 여분의 관심사라고 할 수 있겠다.(이 문제는 이미 본서 69~70페이지와 103페이지에서 말했다.)

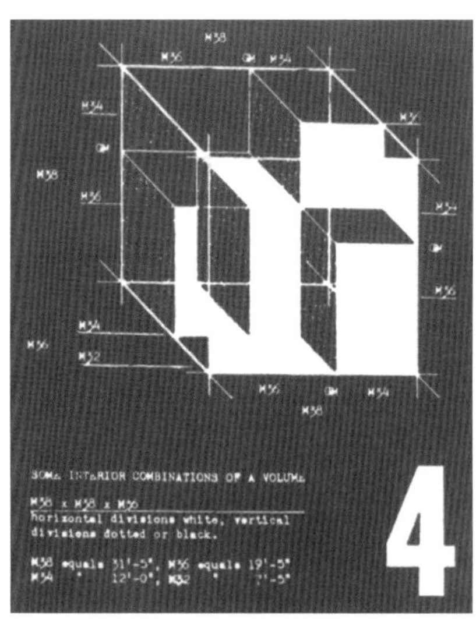

《 그림 48 》

찬디가르의 피에르 장누레는 주택과 관계 있는 모듈러의 수치 몇 개를 간단한 문자나 수로 나타내야 한다고 생각했다. 나는 수치 시스템이 그다지 과학적이지 않고 모험적이어서 막 사용하기 시작했을 때에 불안했다. 이러한 수치의 불충분함이 발견되었을 때, 한 편이 제로 쪽으로, 다른 한 편이 무한대로 발전해가는 단계를 잘라내어 과학적인 연구에 이것을 도입해야만 한다고 생각하기 때문이다.

피에르 장누레의 편지에는 "찬디가르에 부임하여 그때까지 인치나 피트가 전혀 익숙하지 않은 내가, 동시에 갑자기 내 밑에서 일하는 사람들에게 도면을 그리게 하기 위해서, 모듈러의 수치를 문자로 바꾸었다."라고 적고 있다. 그리고 "빨강에 세로 칸 11자, 파랑에 세로 칸 11자만 있으면 나는 모두 건설할 수 있다. A=183cm(사람의 높이)에서 H=6cm까지를 취했다. 또 A'=226(인간이 들어가는 높이), 따라서 H'=8cm까지 취했다."라고 했다.

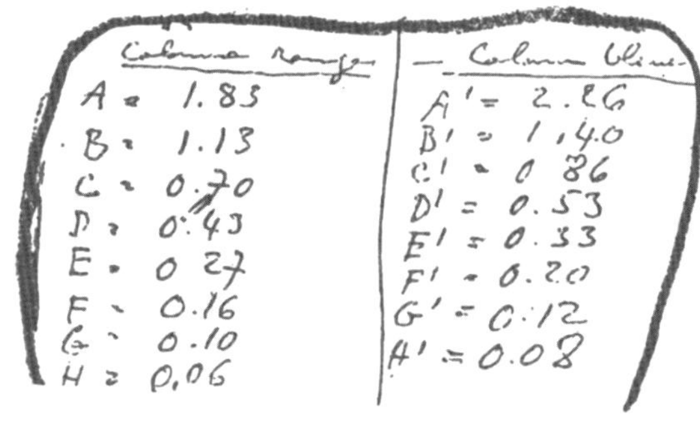

Colonne rouge	Colonne bleue
A = 1.83	A' = 2.26
B = 1.13	B' = 1.40
C = 0.70	C' = 0.86
D = 0.43	D' = 0.53
E = 0.27	E' = 0.33
F = 0.16	F' = 0.20
G = 0.10	G' = 0.12
H = 0.06	H' = 0.08

《그림 49》

어쨌든 그는 다음 세 개의 수를 도입했다.

빨강 세로 칸에서는	M=7.75	파랑 세로 칸에서는	M'=9.58
	K=2.96		K'=3.66
	L=4.79		L'=5.92

이 일의 도구가 그 후에 찬디가르에 있어서 125페이지에 적어놓은 표의 형태로 발전한 것이다.

3장 • 이설Divergencies

1940년경 패전 당시 근대 공업의 문제에 대처하기 위해서 AFNOR[8]가 정당한 것으로 만들어졌다. 그것은 프랑스의 표준화 협회다. 이 협회에 저명한 엔지니어와 건축가, 기계 전문가들이 모였다.

당시 나는 매우 나쁜 놈 취급을 당하고 있었기에 초대받지 않았다. 5년 동안 나는 1세제곱센티미터를 세우는 일도, 1제곱센티미터의 도시계획도 하지 못했다. 나는 나 스스로 발의해서 1942년에 ASCORAL[9]를 만들고, 그 소위원회에서 스스로 의장이 되어 토의하고, 그중에서 몇 가지는 해방 후 나라를 위한 유효한 책으로 제공하기까지 했다. 『도시계획의 생각에 대해서』, 『인간의 3개 시설에 대해』, 『모듈러』이다. ASCORAL은 『주거의 예술』과 『도시계획과 의술』을 뒤이어 출간하려 하고 있다. 이 기간에 나는 개인적으로 『4개의 길 위에』, 『파리의 운명』, 『아테네 헌장』, 『건축과 학생과의 대화』 등을 냈다.

1920년 전후 나의 이름으로 〈에스프리 누보〉에 12개의 기사를 썼다. 주택을 '살기 위한 기계'로서 채택하고 있었기 때문에 '대량 주택'에 관한 장은 큰 반향을 불러 일으켰다. 책에서 말한 것을 실현하기 위해 나는 공업 쪽에 호소했다. 또 다른 장에서 자동차와 함께 파르테논을 예로 들어 능률, 본질, 미리 표준화하는 것, 미술품으로서 '표준화'의 좋음의 증명했다. 또 다른 장에서는 기준선에 대해 말하며 1920년 무렵부터 건축 작품에 비례의 관념을 도입하는 일에 전념했다.

1925년에, '에스프리 누보관'을 파리의 장식예술 국제 전람회에 출품하여, 산업계에 호소해 '건축을 관리하라'고 요구했던 것이다. 1948년에는 프랑스 국가경제위원회의 위원으로서(라 팡세 프랑세즈가 대표로서) 다음과 같은 편지를 받았다.

---

[8] Association Francaise de NORmalisations: 프랑스 표준화 협회.

[9] '건축적 쇄신을 위한 건설자들의 모임.

프랑스 표준화 협회
파리 노틀 담 데 빅트와르 23번지
의제: 통지 80호
참조: FM/Ir No.4421
파리 1948년 6월 15일

위원님,

위원회의 내용을 신중하게 검토했습니다. 여기에 《표준화 통신》이라고 하는 잡지의 특별호를 보내드릴 수 있어서 기쁘게 생각합니다. 이 잡지는 표준화를 대중의 것으로 하기 위한 국가적인 이익의 문제에 유효한 자료가 될 것이라 생각합니다.

삼가 말씀 드렸습니다.

부위원장 J. 비를J.Birle

나는 1948년 11월 4일 답장을 보냈다.

삼가 아룁니다.

경제 위원회의 위원 중 한 사람으로서 당신의 1948년 6월 15일자 편지와 표준화에 관한 통신의 특별호를 받았습니다. 그 잡지에서 다룬 문제는 이론적으로도 또 실질적으로도 매우 관심이 있었습니다. 그 문제는 제가 1920년에 출간한 최초의 책 이후 계속 발전시켜 왔던 것으로, 설계실이나 현장에서 일을 하면서도 이를 위해 노력했습니다. 그 결과 조화로운 치수의 스케일을 완성하기에 이르러, 지난 3년 동안 본인의 현장에서 응용하고 있습니다. 이 문제에 관해서는『모듈러』1권에서 편집을 끝냈습니다.

시간의 부족으로 당신의 조직과 유효하게 접촉할 수 없었습니다. 만약 당신 쪽에서 의지가 있어서 향후 연락을 취하고 싶으시면, 좀 더 완전히 정리된 형태로 나의 일을 제공할 수 있다고 생각합니다. 조만간 친밀한 장소에서 우리의 연구를 만날 수 있다고 생각합니다.

'그 날이 올 것을 기다리면서.'

6개월 후 나는 AFNOR의 카코Cacquot 회장과 경제위원회의 재건위원회위원장 앞으로 다음과 같은 편지를 써서 보냈다.

1949년 4월 6일 파리 경제위원회
재건소위원회위원장, 카고 귀하
파리 몽파르제 대로

위원장님께,

경제위원회 소위원회에서 치수와 비례 비율의 문제와 AFNOR에서 해온 작업들에 관하여, 한 번 더 말씀 드리고 싶습니다. 양자 사이에 의미 있는 만남이 있다면, 매우 다행이라고 생각합니다. 일찍이 AFNOR에서 출판한 《마을 사람》이라고 하는 흥미 있는 소잡지를 받고, 즉시 비를 회장 앞으로 좋은 시기를 정해 관계자에게 모듈러를 설명하고 싶다고 써보냈습니다.

모듈러는 1942년에 만들어진 이래 7년에 걸쳐 발전해왔고, 3년 전부터 건축이나 도시계획 건설, 그래픽, 가구나 그 외 가정용품 등 저의 모든 일에 사용하고 있습니다. 그리고 조금씩입니다만 다른 건축가에게도 채택되면서 그들 나름대로 발견해왔습니다. 남아메리카에서는 세르트(CIAM의 회장)와 위너가 페루와 콜롬비아에서 두 곳의 도시 건설과 도시계획안을 완성하는 데 건축법규를 포함해 모든 단계에 모듈러를 응용하였습니다.

이렇게 실제 실행되고 있는 일과 또 과거의 실적과 대조하며 기회가 있을 때마다 끊임없이 시험해온 결과, 작년에 이것을 한 권의 책으로 정리할 것을 결심했습니다. 그것이 『모듈러』이며, 건축 및 기계 모두에 이용할 수 있는 조화를 이룬 인간적 척도에 대한 소론입니다. 거기서 저는 문제를 뿌리까지 규명해 구석구석 청소하고, 그것이 어디에 도달하는지 알고 싶은 것입니다. 1948년 12월 수학자들이 꽤 훌륭한 답을 보내왔습니다.

이것에 관해서 설명할 수 있으면 매우 다행이라고 생각합니다. 그 책에 넣을 100개의 그림(취급하기 어려울지 모르지만)과 함께 프랑스어와 영어, 스페인어로 출판될 약 140장의 타이프 친 원고를 당신에게 맡기고 싶습니다.

무대를 저 혼자 차지하는 것은 정말 싫습니다. 오히려 저는 할 수 있다면 연구실에서 일을 하고 있는 편이 좋습니다. 하지만 모듈러의 문제는 오늘 아침 이야기가 있었던 국제회의에 채택할 수 있다면, 매우 유리하지 않을까 생각합니다. 1946년에는 마침 '미국 디자이너협회' 회의가 있어서 뉴욕의 메트로폴리탄 박물관의 대집회실에 모듈러에 대해 설명한 적이 있었습니다. 그날 밤 저는 그 협회 회원이 되었습니다. 그리고 지금 여기로 돌아와 조용히 연구를 계속하고 있습니다. 연락을 기다리겠습니다. 세브르 가의 제 사무소에 와주신다면 모듈러를 응용한 도면 20장 정도를 보여드릴 수도 있습니다.

안녕히 계십시오.

나는 AFNOR의 회의에 전화로 모듈러를 보고하는 것을 덧붙인 것은 벌써 시기가 늦고 사정이 좋지 않다는 것이었다.

그리고 1년이 지나 『모듈러』 책이 발간되어 1950년 6월 6일에 도시계획과 재건부 건설부장 케리젤Kerisel에게서 편지를 받았다.

도시계획과 재건부

1950년 6월 6일 파리에서

삼가 아룁니다.

『모듈러』를 보내주셨던 일에 대해 답례하기 전에 이미 로아이몬Royaumont에서 그 내용에 대해 말해주었던 그 비밀을 모두 간직하고 싶습니다. 아인슈타인이 당신의 발견에 대해서 "이 비례의 스케일은 악을 어렵게, 선을 쉽게 하는 것"이라고 말한 것은 그것에 대해 생각해야 할 점을 잘 말해주었다고 여겨집니다.

나는 특히 건축가에 대해서 생각하며 그들이 태어나면서부터 반드시 예술가는 아니라고 하는 것과 우리 엔지니어들이 계산에 대해서도 몇 개의 답을 전할 것이라고 생각합니다.

당신의 모듈러 특징이나 순수함을 유지하기 위해서는 두 개의 급수에 한할 필요가 있다고 생각합니다. 왜냐하면 최초 급수를 근본으로 하여 어떠한 수치의 급수도 찾아낼 수 있을 것, 예를 들어 피보나치 급수에 어느 적당한 수치를 곱하면 되는 것일 테니까요.

나의 의부 카코Cacquot도 우리에게 당신의 책을 보내준 것에 대해 매우 감사하고 있습니다.

안녕히 계십시오.

케리젤

케리젤은 수학 속에는 다 셀 수 없을 만큼의 여러 가지 급수가 있지만, 두 개의 급수를 사용하는 것에 한정해야 한다고 말하고 있다. 나는 여기에 덧붙여서 모듈러의 실용 가치는 6피트 인체치수에 직접 연결되어 있다는 것을 말해둔다.

* * * * *

여기에 AFNOR의 출판부인 국제적 단체 ISO가 신문에 지난 총회에 대해 게재한 기사를 옮겨 적는다. 독자는 이 기사에서 혼돈과 싸우며 생산의 조직화를 위해 끊임없이 앞으로 나아가는 것을 알 수 있을 것이다.

최근 뉴욕에서 열린 표준화 국제조직 ISO의 총회에서 프랑스 측 대표단은 단장으로 알베르 카코Albert Cacquot, AFNOR 회장이며 ISO 회장인 피에르 살몽Pierre Salmon 기사장, 표준화 위원회 검사역, 거기에 장 비를 AFNOR 사무총장이었다. ISO 회장의 임기는 3년이므로 알베르 카코의 임기도 같은 해 연말에 끝나게 되어 있다. 그래서 총회의 첫 번째 의제는 후임자 힐딩 퇴르네보름Hilding Törnebohm 박사, 스웨덴의 표준화협회 회장이며, 예테보리Göteborg의 SKF 기술부장을 1953년 1월 1일부터 1956년 1월 1일까지의 ISO 회장으로 선출하는 것이었다.

뉴욕에 많은 대표가 동시에 모인 기회를 이용하여, 총회 외에 각종 기술소위원회가 소집되었다. 뉴욕에서 모인 이 소위원회의 일에 관한 또 일반적으로 ISO의 76개 기술소위원회의 일에 관한 자료는 프랑스 표준화협회, 파리(2구) 노틀 담 데 빅트와르 대로 23번지에 문의하면 얻을 수 있다.

* * * * *

1953년에 《프리패브리케이션Prefabrication》이라고 하는 잡지가 런던에서 발간되었다. 편집국으로부터 이 창간호에 모듈러에 관한 글을 써달라는 의뢰를 받았다.

그러나 같은 호에 '더 모듈러 소사이어티The Modular Society'라 불리는 조직의 보고가 조직의 이름과 같은 제목의 기사로 실려 있었다. 1953년 4월 1일 마침 영국 여왕으로부터 건축에 관한 금메달을 하사받기 위해서 런던에 있었을 때 한 학생이 '모듈러 소사이어티'가 작성한 피트-인치를 기준으로 한 규격 치수를 결정하기 위한 2페이지에 걸친 설문 조사표의 복사물을 나에게 보내왔다.

수개월 후 이 문제는 다시 《프리패브리케이션》 지면에 실리게 되었다. 그것은 정확히 IUAInternational Union of Architects(국제 건축가 집단) 회의가 리스본에서 열린 것을 기회로, 유네스코에 건축에 응용할 수 있는 기본 모듈로 인정해줄 것을 결정하는 것을 신청하려 했을 때였다. 이 기본적 모듈은 4인치, 다시 말해 10cm로 하고 이것을 단계로 무한하게 발전시키는 것이었다.

여기서 그 논의를 하지는 않겠다. 그러나 다음 것은 흥미가 있을 것이다.

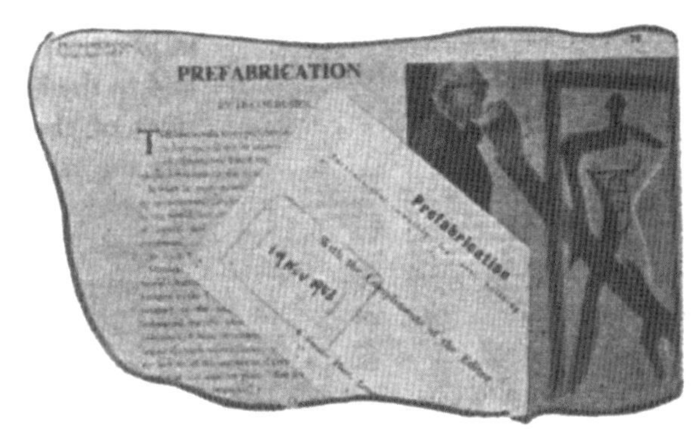

《 그림 50 》

1. 표준화의 수단을 가진다고 하는 욕망
2. 국제적인 대화의 필요
3. 긴급하다는 구실 아래, 상황에 따라서 부적당할지도 모르는 표준을 채용하는 것은 상상(창조)의 문을 닫아버리는 결과가 된다. 오히려 사실은 실현되는 기술과 정신의 무한한 발전 사이에 공통된 성격이 있음을 발견하고, 이것을 선언하는 것이 필요하지 않을까? 그것들을 지지할 국제기구에 가볍게 호소하면서, 정상적 진행을 급히 멈추게 할 권리는 아무에게도 없다.

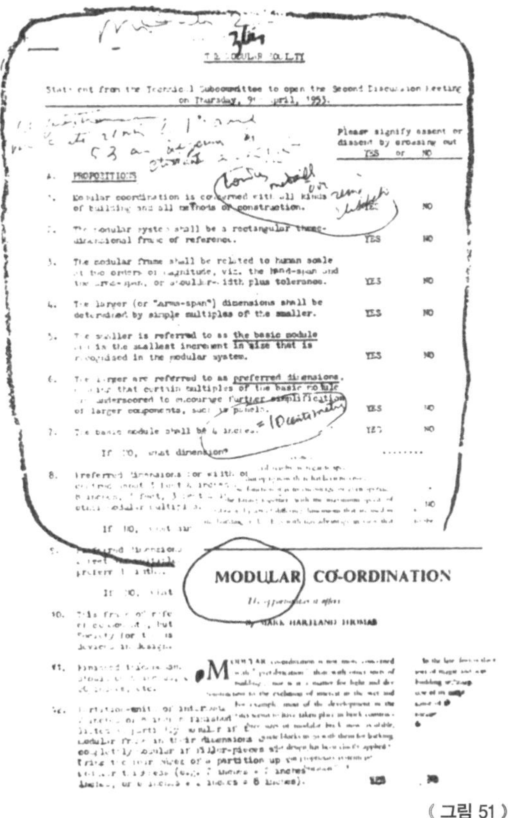
Statement from the Technical Subcommittee to open the Second Discussion Meeting on Thursday, 9th April, 1953.

Please signify assent or dissent by crossing out YES or NO

A. PROPOSITIONS

1. Modular coordination is concerned with all kinds of building and all methods of construction. YES NO

2. The modular system shall be a rectangular three-dimensional frame of reference. YES NO

3. The modular frame shall be related to human scale at two orders of magnitude, viz. the hand-span and the arms-span, or shoulder-width plus tolerance. YES NO

4. The larger (or "arms-span") dimensions shall be determined by simple multiples of the smaller. YES NO

5. The smaller is referred to as the basic module and is the smallest increment in size that is recognised in the modular system. YES NO

6. The larger are referred to as preferred dimensions, [illegible] that certain multiples of the basic module [illegible] underscored to encourage further simplification of larger components, such as panels. YES NO

7. The basic module shall be 4 inches. YES NO

If NO, what dimension? ....

8. Preferred dimensions for width of [illegible] NO

If NO, [illegible]

9. [illegible]

If NO, [illegible]

10. [illegible]

11. [illegible]

12. Partition-units [illegible] modular [illegible] their dimensions [illegible] completely modular [illegible] filler-pieces [illegible] partition up [illegible] inches [illegible] 8 inches). YES NO

MODULAR CO-ORDINATION

《 그림 51 》

그들 조직의 이름으로 통합했으며, 그들의 함성으로 '모듈러'라는 단어를 채택하지 않았다면 이 아이디어의 주동자인 나는 더 존경심이 생겼을 것이라 덧붙인다. 공평하게 말하자면, 그 용어는 모듈러와 너무 유사하다. 나는 항상 혼란을 몹시 싫어했고, 애매함도 매우 혐오했다.

현대 사회는 '민주적'인 법령의 굴레에 묶여 있다. 게다가 그것은 타협과 안 좋은 치수에 따라 만들어져, '좋은 것을 만든다'는 것을 간단히 직접적으로 방해하고 있다. 나는 이것에 대해서 마르세유(주거 단위)를 폭풍우 같은 힘을 가지고 반대에 용감하게 대항하여 얻는 재량권으로 온갖 법규에서 벗어나 만들어보아서 잘 알고 있다.

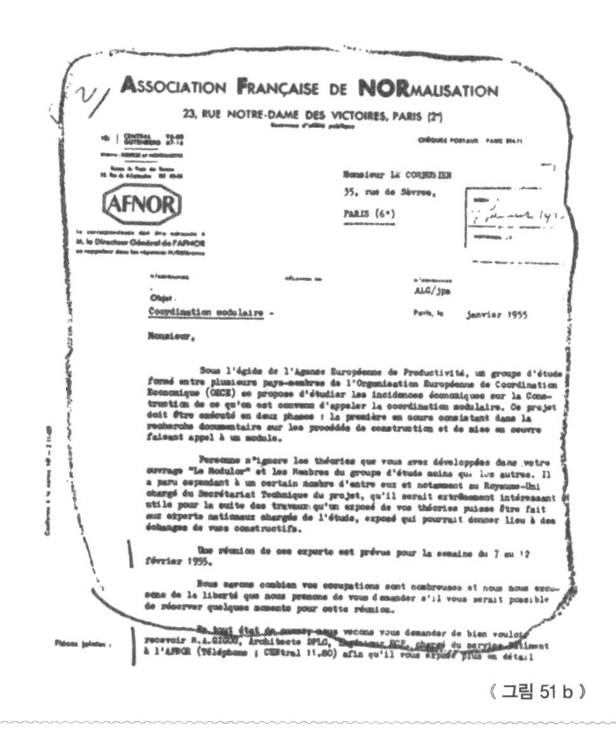

ASSOCIATION FRANÇAISE DE NORMALISATION

23, RUE NOTRE-DAME DES VICTOIRES, PARIS (2e)

AFNOR

Monsieur LE CORBUSIER
35, rue de Sèvres,
PARIS (6e)

ALG/jpa

Objet :
Coordination modulaire -

Paris, le Janvier 1955

Monsieur,

Sous l'égide de l'Agence Européenne de Productivité, un groupe d'étude formé entre plusieurs pays-membres de l'Organisation Européenne de Coordination Economique (OECE) se propose d'étudier les incidences économiques sur la Construction de ce qu'on est convenu d'appeler la coordination modulaire. Ce projet doit être exécuté en deux phases : la première en cours consistant dans la recherche documentaire sur les procédés de construction et de mise en oeuvre faisant appel à un module.

Personne n'ignore les théories que vous avez développées dans votre ouvrage "Le Modulor" et les Membres du groupe d'étude moins que les autres. Il a paru cependant à un certain nombre d'entre eux et notamment au Royaume-Uni chargé du Secrétariat Technique du projet, qu'il serait extrêmement intéressant utile pour la suite des travaux qu'un exposé de vos théories puisse être fait aux experts nationaux chargés de l'étude, exposé qui pourrait donner lieu à des échanges de vues constructifs.

Une réunion de ces experts est prévue pour la semaine du 7 au 12 février 1955.

Nous savons combien vos occupations sont nombreuses et nous nous excusons de la liberté que nous prenons de vous demander s'il vous serait possible de réserver quelques moments pour cette réunion.

En tout état de cause nous venons vous demander de bien vouloir recevoir M.A.GIGOU, Architecte DPLG, Ingénieur ECP, chargé du service Bâtiment à l'AFNOR (Téléphone : CENtral 11.80) afin qu'il vous expose plus en détail

Pièces jointes :

《 그림 51 b 》

이것으로 본서의 제1부를 끝낸다. 사용자는 자신의 의견을 말할 수 있다.

제2부에서는 첫 번째 책에서 이미 시도했던 것처럼, 수학적인 사고를 말하는 것이 아니라 지속성의 근본적인 개념에 대해 명확하게 하려고 한다. 즉, '모듈러'가 건축과 기계 모두에서 응용할 수 있는 일의 도구이며, 그 상상만으로도 길을 밝게 비춰준다.

2부

도구 Tool

4장 • 반성 Reflection

I
금기를 떠나

밀라노의 제9회 트리엔날레에서 1951년 9월 27, 28, 29일은 '디비나 프로폴치오네(신적 비례)', '예술의 비례에 대한 국제적인 첫 모임'의 날로 기록된다. 이 날짜를 언급하는 것은 하나는 광대한 지역으로 가고 다른 하나는 차고에 들어가는 듯한 철로 분기점의 역명을 짓는 것과 비슷하다.

그리고 밀라노 트리엔날레는 이 책의 2부 '도구' 편에서 처음으로 보여줄 것이다.

별로 내키지는 않았지만 회장의 귀찮은 초대 때문에 참여하지 않을 수 없었다.

런던의 위트코워Wittkower 교수는 그 발표 중에 정사각형은 비례를 낳는 근원적인 요소의 하나라고 강조한다. 중세의 많은 예술가들은 이를 두 번 거듭했다(정방형의 2배). 오늘날까지 유럽의 비례에 관한 생각은 피타고라스와 플라톤의 전통을 잇고 있다. 이 전통은 두 가지 모습을 나타내고 있다. 그것은 수적인 관계(그리스 음악 음정의 조화된 감각, 1, 2, 3, 4), 그리고 완전한 기하학적 도형으로, 정삼각형, 직사각형, 이등변삼각형, 정방형, 정오각형(규칙적으로 다섯 개 요소의 모임) 등이다. 오늘날 비유클리드 기하학과 4차원의 시대에 시간과 공간 개념은 과거 몇 세기의 것과는 자연히 다르다. 이 회의에서 다뤄진 것은 새로운 문제의 견해에 뭔가 도움이 될 수 있을지도 모른다.

《 그림 52 》

취리히Zurich와 보스턴Boston의 지그프리드 기디온Siegfried Giedion 교수는 이렇게 언급하고 있다.

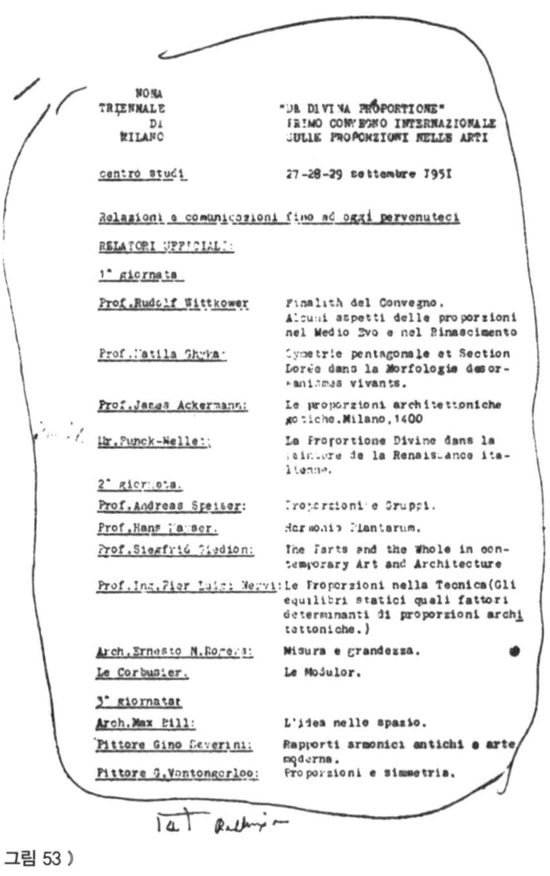

NONA TRIENNALE DI MILANO

"DE DIVINA PROPORTIONE"
PRIMO CONVEGNO INTERNAZIONALE
SULLE PROPORZIONI NELLE ARTI

centro studi — 27-28-29 settembre 1951

Relazioni e comunicazioni fino ad oggi pervenuteci

RELATORI UFFICIALI:

1° giornata

Prof.Rudolf Wittkower	Finalità del Convegno. Alcuni aspetti delle proporzioni nel Medio Evo e nel Rinascimento
Prof.Matila Ghyka:	Symetrie pentagonale et Section Dorée dans la Morfologie des organismes vivants.
Prof.James Ackermann:	Le proporzioni architettoniche gotiche.Milano,1400
Dr.Funck-Hellet:	La Proportione Divine dans la peinture de la Renaissance italienne.

2° giornata.

Prof.Andreas Speiser:	Proporzioni e Gruppi.
Prof.Hans Kayser.	Harmonia Plantarum.
Prof.Siegfried Giedion:	The Parts and the Whole in contemporary Art and Architecture
Prof.Ing.Pier Luigi Nervi:	Le Proporzioni nella Tecnica(Gli equilibri statici quali fattori determinanti di proporzioni architettoniche.)
Arch.Ernesto N.Rogers:	Misura e grandezza.
Le Corbusier.	Le Modulor.

3° giornata:

Arch.Max Bill:	L'idea nello spazio.
Pittore Gino Severini:	Rapporti armonici antichi e arte moderna.
Pittore G.Vantongerloo:	Proporzioni e simmetria.

(그림 53)

19세기의 태도는 '부분이 전체를 지배하는 것이었다(1884년 니체의 말).……' 또한 황금비는 인류 역사를 통해 유지되고 있는 듯하다(선사 시대의 동굴 벽화). 황금비는 전혀 다른 시대에도 단지 각각 특수한 방법에 따라 서로 다르지만 응용되어 왔다. 과거의 정적인 비례분할에 대해 우리는 훨씬 동적인 비례분할 쪽으로 기울어져 있다. 예를 들어 '비트루비우스 형 인간'의 표현과 르 꼬르뷔지에의 손을 들고 있는 인간과의 의미의 차이.

만약 지금 시대에 미국에서 인간과 관계있는 여러 가지 물건의 치수를 정하고, 서로 간에 그리고 전체 속에 표준치수를 찾아내지 못한다면, 혼돈된 세계가 되는 것은 불가피하다는 충고가 있다.

마틸라 기카Matila Ghyka는 정오각형의 대칭을 말하고 있다. 정오각형, 정십이각형과 그 결과인 황금비. 120도와 그의 분수 60도와 90도는 결정체에 속한다. 6,000종의 수정 결정은 육각형이다. 오각형의 꽃, 황금비, 정오각형의 대칭, 백합, 수선화 … 6, 유대인, 정의 … 5, 피타고라스, 사랑, 건강, 생명 … 파치올리Pacioli는 십이각형 안에 황금비율을 그리고 있다 … 성게의 입은 오각형. 조개, 대수나선, 황금비 … 황금급수. 이것은 기하 외에 두 개의 덧셈. 피보나치 급수, 식물 속의 피보나치. 피타고라스, 플라톤과 파치올리의 직감도 같은 곳에 도달한다. 아인슈타인, 데 드브로이de Broglie와 레오나르도 다 빈치의 원리…….

NONA
TRIENNALE DI MILANO

esposizione internazionale
delle arti decorative
e industriali moderne
e dell'architettura moderna

LE CORBUSIER
35, rue de Sèvres
PARIS VI°

CM/CP

11876

Milano, le 20 Août 1951

4 Réflexions

Cher Maître,

Permettez-moi de vous envoyer ma personnelle et très pressante prière à fin que, malgré les engagements qui vous accablent, vous participiez à la Rencontre Internationale sur les études de la proportion.

Cette manifestation sera, je l'espère, le résumé de nos efforts et l'expression intellectuelle la plus vivante de la Neuvième Triennale.

Votre Modulor est le pivot autour duquel tous les problèmes de la proportion dans l'architecture moderne s'agitent. Etant donné que vous nous avez fait l'honneur de nous envoyer le panneau du Modulor pour notre Exposition, il faut que vous nous honoriez aussi par votre participation à cette Rencontre. Je me permets de vous dire "il faut" parce que vraiment je n'arrive pas à imaginer la journée dédiée à l'architecture sans votre présence.

Je reste donc dans l'espoir que vous serez sensible à l'énorme importance que nous apportons à la possibilité de votre participation aux travaux de cette "Rencontre" et dans l'attente d'une réponse, que je me souhaite favorable, je vous prie, cher Maître, de bien vouloir agréer les expressions de ma haute considération.

Il Presidente della Nona Triennale
(Ivan Matteo Lombardo)

《 그림 54 》

이 중에는 금기에 속하는 말과 이름이 자주 들린다.

학자나 전문가 중에는 말(금기에 속하는 말도 포함)을 많이 사용하는 것은 마치 석공, 미장이, 장인(건축가도 함께)이 집을 세우는 것과 같이 자연스럽다.

그렇지만 여기에서 한스 카이저Hans Kayser 박사의 '조화Harmonics'의 세계에 관한 소리의 학설을 들어보자.

여담으로 나는 아마 어머니나 음악가인 동생을 위해서 음악을 찾고, 이를 내 것으로 하고 싶어하는 것 같다. 그러나 음악의 본질은 내적인 침묵의 단계로 움직인다. 기쁨, 감정의 (분출), 풍부, 참행복, …… 그렇게 부르길 원한다면.

카이저가 말하기를 '조화'라고 하는 것은 교감의 교리이다. (다만 국제적인 몇 개 언어를 이용하는 회의의 특징으로 통역에 따른 언어의 혼란 속에서 한스 카이저 박사의 생각을 분석하고 있다.) 오늘날의 사회는 집단주의의 가혹한 현실 속에 있으며, 더욱 더 이것 속에 잠기려고 하는 위험에 있다. 자신의 직업 때문에, 집단에 대한 의무 때문에 조용히 생각해보려고 시도하는 것도 점차 방해받아 어렵게 되고 있기 때문에 개인은 완전히 전체에 휩쓸려 버린다. 우리 시대의 귀를 먹먹하게 하는 것 같은 소음 속에서, 만약 반인격주의의 재앙으로 인해 인류 전체가 흰개미 같은 생활에 빠지는 것을 방지하려면, 그것에 대항하는 강한 조화를 연구하는 것이다. 작은 서재에 책상 하나, 의자 하나, 일현금 하나만을 두고, '조화'의 문제에 몰두하여 표나 그림을 보며 값진 명상의 시간을 갖는다면, 그 공기 속은 거의 들리지 않을 정도의 가벼운 음정으로 채워져, 멜로디나 하모니나 리듬이 생길 것이다. 일반 사람들은 소리없이도 음악을 만들어내며 시대착오적인 울부짖음 그 이상도 아닌 현대 음악과 함께할 것이다. 그러므로 조화는 듣고 싶다는 의지이며, 현실을 친근하게 파악하려는 것이며, 모든 것 속에 파고들어 그 본질을 이루려고 하는 것이다. 이러한 태도를 보이는 사람은 건강하고 순수한 공기를 자유롭게 들이마신다. 그러한 사람은 휴머니티와 관용과 존경, 이 세 가지의 큰 수확을 일을 통해 얻는 것이라고 알고 있다.

카이저는 덮쳐 오는 혼란에 대해 인간에게 피난처를 제공하고 있다. 그리고 이 방향, 이 장소에서는 금기를 떠나 다행히 다시 한 번 인간으로 돌아갈 수 있다.

회의는 예술 가운데 숨은 비례 연구를 계속하기 위한 위원회를 정하고 해산했다.

1951년 밀라노의 트리엔날레는 '디비나 프로폴치오네'라고 정하고, 황금비라는 예로부터 인간이 걸어온 길과 피타고라스 등을 기리는 것이었다.

르 리오네는 나한테 이렇게 썼다.

> 기술면에서 황금수는 특별한 특권적인 생각을 대표하고 있다고 생각하지 않는다 (본서 18페이지를 보라). 게다가 많은 경우, 흔히 있을 수 있듯이 일시적인 규정을 적용하는 경우라도 그것을 충실히 지키는 순간에는 꽤 큰 진보를 하는 것이다. 왜냐하면 그것은 해결 또는 질서를 만드는 하나의 원리가 되기 때문이다.

지금 여기서 다루고 있는 문제는 그다지 명백하지도 임의적, 특권적이라고도 생각되지 않는다. 황금비 공식이 오늘날 수학에서는 통속적인 것으로 생각되고 있어도 중요한 것은 아니다.

아니 통속적인 것이 바로 문제인지도 모르고 재발견해야 하는 것일지도 모른다. 즉, '인간과 환경'의 조화를 이룬 공존이지, 우주인이거나 투기적인 인간은 아니다. 우리는 도시와 주택 기타 설비를 조작하고 사용하는 인간을 위해 만들고 있다. 그런데 인간은 그의 신체, 일상생활을 히며 차지하는 공간을 결정하는 신체의 부분 치수는 파이(Φ)에 따라서 정해진다.

머리 내부는 치수를 결정하는 문제에서 벗어나기 때문에 우리는 의견이 일치했다고 해도 좋다. 나는 르 리오네가 미술에 관해 대단한 지성을 갖고 있음을 알고 있고, 여기서 싸울 생각은 조금도 없다.

이 소책자는 창조적 현상을 연구하려는 목적이 아니라, 창조적 사고의 기반으로 쓰일 자료를 연구하고 있는 것임을 반복해서 말해둔다.

〈 그림 55 〉

Ⅱ
단단한 대지 위에

2개의 신조어:

'조성적Texturique'

'눈의 음향학Visual acoustics'

(만약 당신이 불만스럽게 느낀다면 나를 미치광이라고 불러라.)

우리는 마치 탄탄한 대지에 도달했다. 가장 물리적인 문제에 논의의 초점을 맞췄지만, 동시에 그것은 감각에서는 가장 고귀한 것이다.

조성적이라는 것은 모듈러의 직접적인 산물이라 할 수 있는데, 그것은 모듈러가 평면과 함께 깊이에서도 입체 속에서 조화적으로 치수를 주기 때문이다. 모듈러 표의 급수(이미 본 것처럼, 그것은 뭐라 할 수 없는 소박한 도구이지만)를 자동적으로(혹시 마음에 든다면, 맹목적이라고 말해도 된다.) 응용하면 된다.

창작이라는 것은 전혀 다른 성격의 것으로, 이른바 시적 충격을 일으키는 행동, 조형적 행사 등이다. 나는 '행사'라고 한다. 거기에 행사가 일어나거나 일어나지 않는가이다. 그 열정의 결과가 손으로 만질 수 있는 물건이 되며, 발명자가 부여한 때부터 성격을 드러낼 것이다. 성격, 태도, 자세는 한눈에 알 수 있는 일이고, 시각적으로 감지된다. 이 정서의 친숙한 점은 조화이며, 음악적 언어로 그 자체를 표현하기 위해 쓰이기도 한다.

형태의 세계에서 음향적인 현상을 인정하기 위해서는 금기에 속하는 말과 통하기보다 예술가이자 우주 사물에 민감한 사람이어야 한다. 귀가 비례를 '보다see'가 가능하다. 눈에 호소하는 비례의 음악을 '듣는다hear'가 가능하다. 이 내용을 평가할 수 있는 예술적인 도구는 균형 잡힌 동물인 인간, 그 자체라고 생각한다. 인간은 그것을 느끼니까.

여기에서 다룬 감수성 능력은 동물인 인간에 속하는 것으로, 과거 세잔느에서 또 1941년 이전 입체주의자의 대가들에게서, 또 몬드리안 형type의 '승려monk'에게서(그 생애의 30년 동안),

《 그림 56 》

그 청각 능력의 최고점을 나타낸다. 그것은 단지 감수성과 정신 집중이라는 것보다는 가장 고귀한 사상의 근원을 떠오르게 하는 동기를 가진 시정poetry의 유일한 효과적인 지지로서, 의지 · 명석한 정신 · 정확성을 추구하는 마음인 것이다. 예를 들어 몬드리안에 대해서 거기에 순수에의 시도가 지적되지만 그 당시 물질적 홍수 시대에서는 당연한 자기방위로서 기술적 진보를 위해 필요했던 것이다.

'행동의 양식manner of doing'을 의미하는 '예술'이라는 단어에 포함되어 있는 문제가 다시 한 번 이 땅 위에 발생했다. 물질적인 것에서 정신적인 것까지 뻗어 있는 풍경, 즉 두 발이 땅 위에 맞닿아 있는 우리에게 말로 표현하기 어려운 기적을 보여주었다. 그것은 문명 속에서 나와 우리의 희망을 포함한 듯한 말 '시메트리(균형)symmetry'로 이끌 것이다. 시메트리는 두 개의 항 사이에 쳐진 무한의 관계를 나타내는 것으로, 그 각각은 속된 의미를 뛰어 넘어서 향상시키고, 또 서로 예측할 수 없는 예상치 않았던 놀랍고 두렵고 또 훌륭한 관계에 놓여 있는 것을 표명하고 있다. 즉, 한 편의 시poetry이다.

* * * * *

간섭Interferences

잘 관찰해보자. 여기 3가지 종류의 '지퍼톤Zip-a-tone' 무늬를 겹쳐 맞춘 파도와 같은 그림이 있다. 아마 이것은 수학적인 근원에서 생긴 것일 것이다. 기하학자도 수학자도 아닌 나는 설명할 처지가 못돼 이 현상을 관찰하는 것만으로 만족하고 있다.

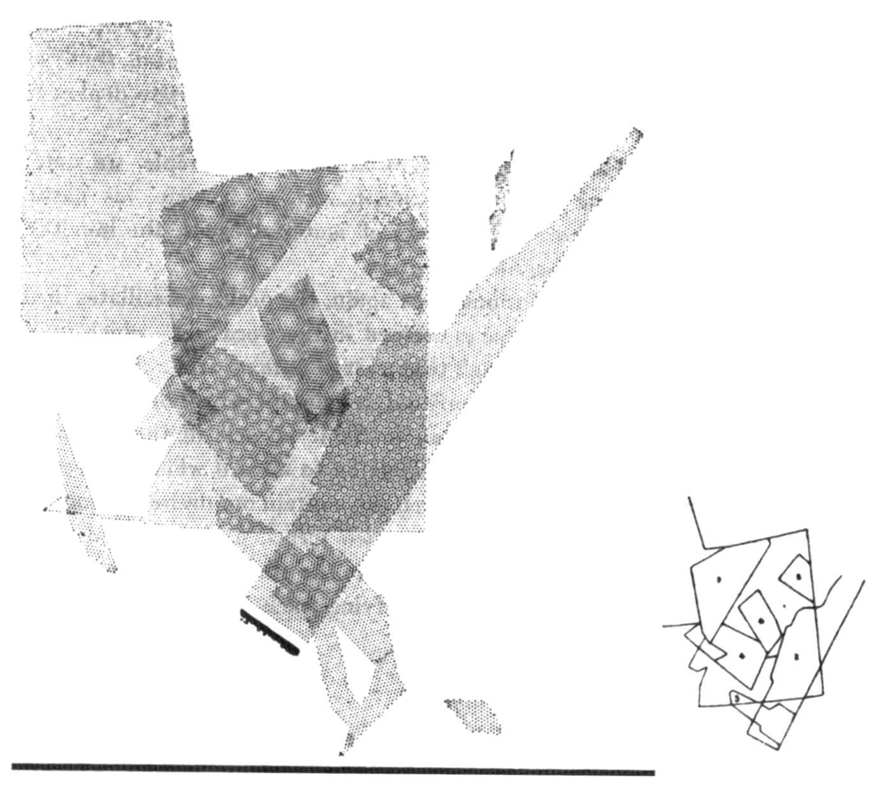

《 그림 57 》

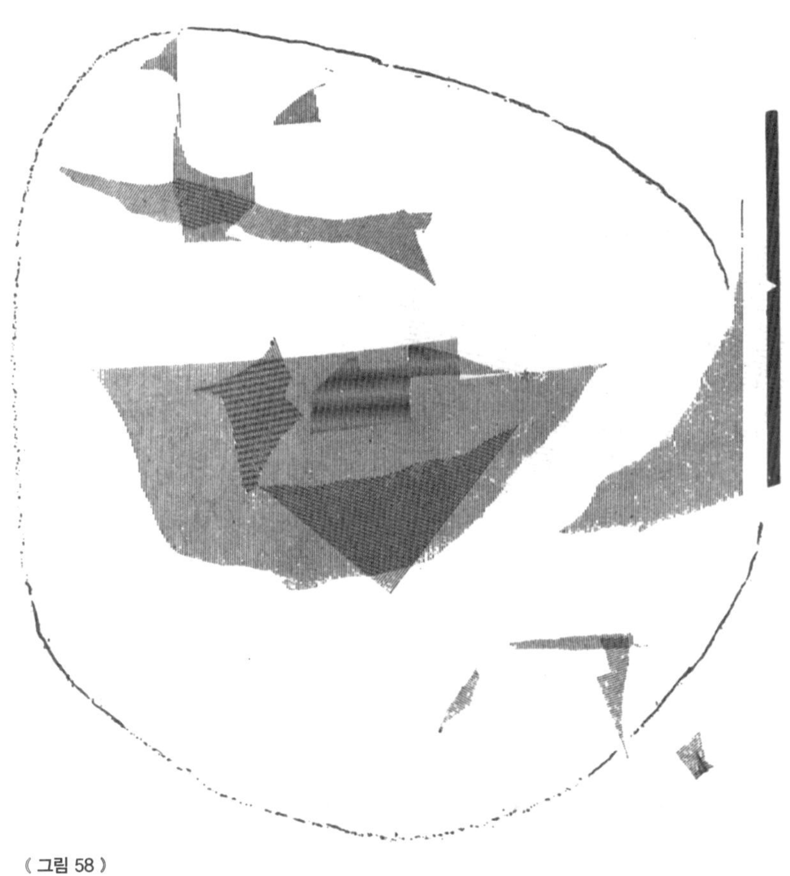

《 그림 58 》

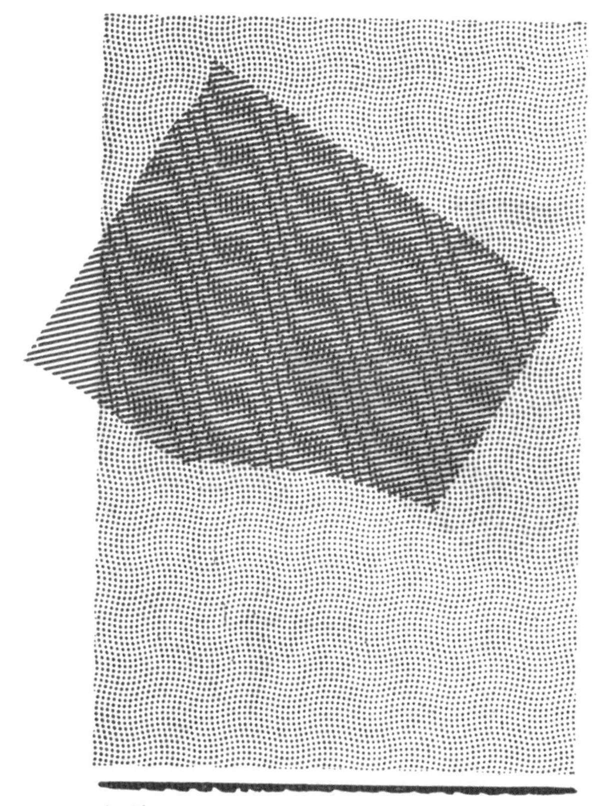

《 그림 59 》

'지퍼톤Zip-a-tone'은 제도사, 사진작가, 상업미술가의 아틀리에에 최근 제공된 산물이다. 셀로판의 투명한 종이 위에 검정으로 여러 가지 무늬가 그려져 있다. 여기에 나타낸 첫 번째 무늬는 규칙적인 점들이다.《그림 57》 두 번째는 규칙적인 무늬이다.《그림 58》 세 번째는 선과 점의 조합이다.《그림 59》 이 (예기치 못한) 놀이를 하려면, 어떤 것이든 상관없다. 가지고 있는 '지퍼톤'의 조각을 비슷한 다른 조각 위에 놓으면 된다. 그 오른쪽에서 왼쪽으로, 혹은 역으로 조금씩 회전시켜 보면 좋을 것이다. 그러면 원의 4분의 1도 움직이지 않아 7개의 다른 6각형의 그림이 나타나는 것을 깨달을 것이다. 그러한 일은 지금 당신 눈앞에서 일어난다. 단 1초 사이에 분명하게 기하학적 현상이 생기고, 발전해가는 것을 당신은 볼 수 있다. 그러나 종이를 돌릴 때 알맞은 곳에서 멈추지 않으면 그 도형은 존재하지 않는다. 그리고 당신은 문 앞에 서 있으면서도 아무것도 못 잡게 된다.

이 간섭이라는 현상은 완성을 보여주는 만큼이나 중단을 비난한다. 어떻게 되는가는 전부 당신이나 당신이 보는 환경, 당신의 부주의 혹은 물건의 사소한 이동에 따른 것이다. 세상의 풍부함이라고 하는 것은 바로 이 미묘한 차이 속에 있으면서 사람들은 보는 것을 잊는 것이다. 왜냐하면 풍요로움은 볼 만하고, 수다스럽고, 급속한 것이라고 생각하기 때문이다. 그리고 그것은 특권이 있는 곳에서만 있고, 보통사람에게는 손이 닿지 않는 곳에 있다고 생각한다. 그러나 관찰만으로도 좋은 것이다.

* * * * *

이러한 시각에서 밀라노 '디비나 프로폴치오네'의 위원회로부터 그 연구를 진행하도록 위탁받았다.

토론의 주제는 위원회의 존재 이유와 다룰 일의 성격에 대한 것이었다. 위원회는 이리하여 양자택일의 입장에 있다고 생각했다. 하나는 디비나 프로폴치오네(신적 비례)의 제1회 회의에서 시작된 방향으로 그것을 계속해 수학적이고 더욱더 과학적인 방향으로 발전시켜 나감으로써 예술 그 자체에 맞춰진 직접적인 임무에서는 점점 멀어져 가는 것이다. 또 하나는 과거의 고찰은 버리고 과학적인 주석을 포기하고 이러한 연구가 도달 가능한 목표, 즉 현대를 조화한 방향으로 이끄는 쪽으로 가는 것이다. 만약 위원회가 그 간단명료한 신적 비례라는 이름을 보존한다면, 르네상스의 작업과 특별히 연결되는 것이다. 1952년 9월 밀라노에 모인 위원회 위원들은 떠나는 게 좋다는 것을 인정했다.

그 자체의 목적의 본질을 파악하려고 노력한 결과, 위원회는 현대 사회에 나타난 문제는 무엇보다도 조화의 문제임을 인정했다. 상상도 못할 정도의 재산을 가지고 있는 현대 사회는 발전하면서 커지고 결실을 맺어 무한히 번성할 수 있다. 그러나 그에 비하여 현대의 발전이 질서를 잡히지 못하거나 혼란한 상태에서 탄생되는 것은 위대한 난잡이다. 상호 관계가 부조화한 상태에서 해를 입은 과실, 즉 사람이 그 스스로 만들어낸 것에 대한 부조화, 자신의 일에 대한 부조화, 각자의 개인적인 혹은 집단적인 일상생활에 관한 부조화이다. 이에 위원회는 '신적 비례'라는 제목과는 별도로 이를 대체할 제목을 찾는 데 의견이 일치했다. 그 제목은 '시메트리'이다. 이 시메트리라는 말은 오늘날 현대 사상의 전위적인 사람들로부터 두 가지 목적으로 채용할 수 있다. 하나는 아직도 뿌리 깊은 학문적 전통에 따라 유지되고 있는 잘못된 평등의 관념을 고발하는 것이고, 다른 하나는 '시메트리'라는 말을 본질적 의미, 즉 균형 잡힌 것으로 되돌리는 것이다. 그것은 바로 비례 그 자체의 문제인 것이다. '비례'라는 말은 위원회에서 너무 척도나 치수 결정이나 순전히 객관적인 관계로 강하게 이어지는 것이었다. '조화'라는 말은 우리가 탐구해야 할 토의 사항을 분명히 전개할 가능성을 지니고 있다. 오늘날의 질서는 공교롭게도 각자 자기만의 세계 속에 고립되어 있고, 또 각자 자기 자신 때문에 고립되어 있다. 진보는 개별적인 발전을 통해 매번 만들어지는 것이므로 그것들을 공존시키도록 해야 한다. 현대적인 작업을 하는 다양한 분야의 사람들의 분류를 통합하는 쪽으로 이끌 수 있다. 위원회는 이 새로운 방향으로 움직이는 것이 유효하다고 인정하고 다음 회의의 제목을 '조화'로 정하였다. 그리고 이탈리아의 역사적인 도시 시에나에서 회의를 여는 것이 좋다고 생각했고, 시에나 당국자들의 환대 속에 제2회 회의가 열렸다.

이렇게 모두 단단한 대지에 서 있는 것처럼 느껴지게 하였다.

Ⅲ

인간은 …… 맹목인 것에 고민하고 있었다

인간은 보면서 맹목적인 것에 고민하고 있었다…….
그리고 그를 위해, 나는 수를 발견했다. 가장 순수한 발명품으로서.
-『쇠사슬에 묶인 프로메테우스』, 아이스킬로스Aeschylu -

'직각의 시Poem of the Right Angle'는 1947년부터 1953년 사이에 여행할 때마다 비행기 안이나 호텔방에서 외로운 시간에 그리거나 쓰거나 속기한 것이다. 그 시 속에서 수에 경의를 표한 데가 있다.

시의 일곱 개의 항목 중에 'B2 : 정신'이라고 이름 지어진 곳에 모듈러가 다루어져 있다. 여기에서도 다른 주제와 같이 정당함을 인정하기 위해서는 의미 있는 순서로 구분하고, 건축적으로 다룰 필요가 있었다.《그림 60, 61》

* * * * *

수는 인간의 집에 위엄을 주었다. 신전을 예외적인 주거로 만들었다. 즉, '가족 신전family temple'이다. 그러나 작업장, 각 기관의 장소, 신들의 장소 사이에 단절과 격리는 없다. 서로 이웃한 연속된 사항이다. 인간의 주거의 필요성이 간절하다 해도 빠르고 값싸게 수를 늘린다는 핑계로 혹은 결함이나 가난하다는 이유로 간략화를 도입하거나 묵인할 가능성은 조금도 없다. 여기서 타협한다는 것은 증오스런 일이다. 그러나 슬프게도 이러한 일들은 매일 진행되고 있다. 좀 더 확실한 말로 말하자면, 눈앞의 급함이나 쉬움, 설비상의 이유로 기사들이 '그만'이라고 외치는 곳에서 건축가들은 좀 더 오랫동안 주의를 쏟아 완전한 답을 발

A. Environment
B. Mind
C. Flesh
D. Fusion
E. Character
F. The hand
G. The right angle

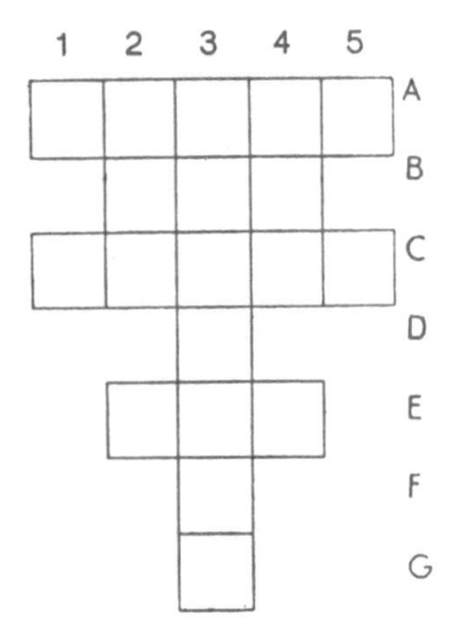

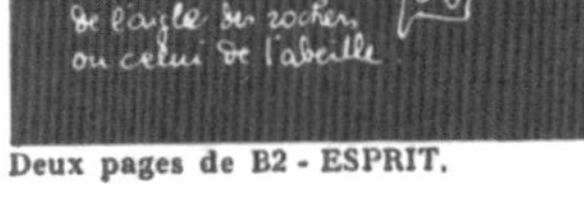

(그림 60) **Deux pages de B2 - ESPRIT.**

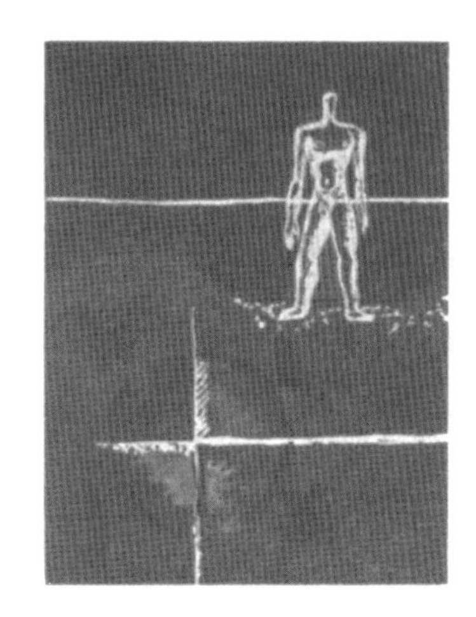

On a
avec un charbon
tracé l'angle droit
le signe
Il est la réponse et le guide
le fait
une réponse
un choix
Il est simple et nu
mais saisissable
Les savants discuteront
de la relativité de sa rigueur
Mais la conscience
en a fait un signe
Il est la réponse et le guide
le fait
ma réponse
mon choix.

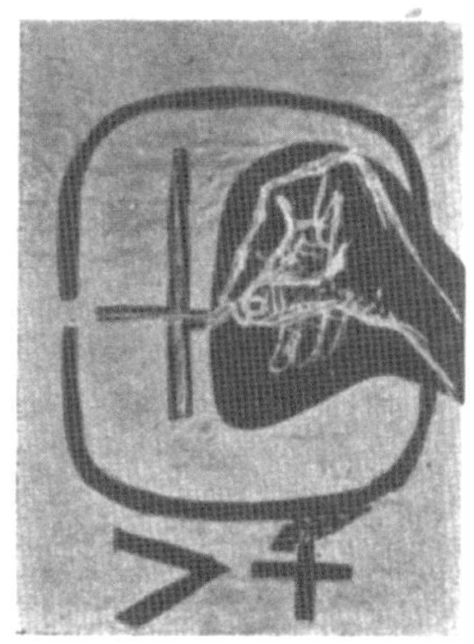

《 그림 61 》

견하고, 제안하고 강요하는 것이다. 엔지니어들과 건축가들의 길은 긴 여정에서는 공통적이지만, 기사들은 단호하게 '여기서 내 세계는 끝났다.'라고 할 수 있다. 엔지니어들과 건축가들은 꾸준히 함께 일을 하도록 운명 지어져 있으며, 가장 능률적으로 일을 해야 하는 파트너이다. 허영을 버리자. 현실 속에 몰입하자.

* * * * *

지금은 아카데믹한 애매함을 버리고 알캇션d'Arcachon 만에서 보낸 평범한 그림엽서를 보며, 우리의 문제를 직면해보자. 이곳의 어부들은 아무 말도 않고, 아무 말 없이, 아무것도 논의하지 않고, 그들의 집을 짓고 운하를 파고, 배를 정비하고, 나무를 심으며 인간적인 척도의 완벽하고 능란한 교향곡을 만들어내고 있다. 여기에 건축의 진정한 본질이 있다!《그림 62》

《 그림 62 》

* * * * *

'프랑스는 400만 채의 주택을 세워야 한다.'

현대 경제에서 주거문제는 근본적으로 해결해야 할 과제로 등장했다. 어느 대륙에서나 같은 문제로 고민하는 사람들이 있고, 누구라도 나서기만 한다면 당장이라도 당면한 문제에 뛰어들 준비가 되어 있다. 긴 말이 필요 없다. 여기 1950년 7월 25일 월요일자 소인이 찍힌 블레스 상드라르Blaise Cendrars의 자필 엽서가 있다.

> '나의 옛 친구, 로마식 헌신에 감사합니다. 그러나 저는 모듈러에 개의치 않습니다. 세계 어디에서도 아파트를 찾지 못하기에 잘못된 것이 틀림없습니다. 다정한 악수와 함께. 블레스 상드라르'

그리고 카드의 뒤쪽에는 '당신은 자신이 말하고 있는 것을 믿는 듯한 남자'라고 쓰여 있었다.

* * * * *

비판을 하려면 적어도 그것을 대신할 수 있는 회답도 제안해야 한다. 여기에 '비판된 것'이 제안을 한다.

'내일의 생활신조'

이 글의 목적은 분명히 건설업계 중에 '명명자Nomenclators 또는 분류자classifiers'라는 새로운 직종을 만드는 것에 있다. 이 부류의 기술자는 검사관 등과 같이 혹은 그 옆에서 건축가가 모듈러로 그린 도면에 협력하는 것이다. 명명자는 계획안을 목재, 철, 갖가지 재료 등 여러 가지 요소로 분석한다. 그는 장인 혹은 공방, 수공업, 기타 공장 등 그 나라의 생산 능력에 대한 모든 정보를 갖고 있고, 분류된 전표에 따라 여기저기에 주문할 수 있다. 주문 리스트와 함께 발행되는 조립전표는 각각의 건축 재료가 생산하기 가장 적합한 장소에서 만들어지기 때문에 건축 재료를 건축용지에서 바로 조립하여 건축할 수 있게 해준다.

더군다나 인간적이고 수학적이기까지 한 조화로운 척도, 모듈러는 확실함과 비례의 장점을 과거 획기적인 시대에 그랬던 것처럼, 직업적 비밀이나 시공자의 습관이 되어, 조합의 풍부함이 '다양하고, 대조되고, 무한한 단계적 변화'를 가져다준다. 이것은 표준화하는 강력한 방법이며, 재료를 절약할 수 있게 해주어 특히 제작 조직을 잘 이끌어준다.

문제에 대해 좀 더 살펴보자. 아직은 주거과학의 개념이 확립되어 있지 않다.

그러나 주거과학은 허황된 생각이 아니라 기술과 경제, 일반인들에게 현실로 다가올 미래 건물의 바람직한 모습이다. 이른바 '건축가'라고 불리는 측에 더 능률적이라든가, 재료에 대한 상세한 지식이라는 방향 등으로 발전해 나가야 하는 것이다.

프랑스에서 최고 학교로서 건축가 면허증을 주고 있는 곳은, 그 학과목 중에 한 과목도 주택의 문제를 다루고 있지 않다. 이 과업(400만 호 건설)에 착수하기 위해서 특별한 기술자를 훈련시키는 것은 당연하다고 생각된다. 그 기술자들은 건축가이거나 조형가이거나 설비사이거나 기계기사이거나 가족 계획가이기도 하다. 그들의 노력은 모두 가족, 남자, 여자, 아이에게로 집중된다. 가족의 단란함에서 시작해서 주택이나 도시, 나라 전체에 이르기까지 그 각각은 서로 단절 없이 연결되어 있고 서로에게 작용한다. 이와 같은 주택들을 건설하기 위해서는 인접 산업 또는 관련 기술 간에 계속적인 교류가 있어야 할 것이다. 모든 현대 사회를 만들고 있는 사람들은 이 일에 효율적으로 협력해야 할 것이다.

이제부터 국가 경제는 마르세유에 설립된 연구소를 이용할 수 있다.

마르세유의 주거 단위에서는 26개의 공동시설이 만들어지고, 가정주부들은 가사노동에서 해방되어 자녀 교육에 힘쓰고 있다. 여자들은 이 일을 실현하기 위한 장소를 가지고 있다. 올바른 계획을 수립할 수 있고, 그것을 실제로 옮길 수 있다. 건축가의 일은 주택과 관련한 모든 문제에 대해 여성들에게 개방하는 것이다. 건축이란 말은 이제 이러한 활동에는 전혀 맞지 않을지도 모른다. 그렇기 때문에 더욱 새로운 분야를 개척해야 한다. 그리고 그 분야에 몸담고 있는 사람들은 항상 현실과 마주해야 한다. 공방에서도, 공장에서도 혹은 현장에서도, 이 분야에 충분히 지식을 가진 사람들에게 주거에 관한 면허증을 주고, 이를 만들고 정비하는 것이 허락될 것이다.

Lundi 24. — Mon cher vieux,
Merci de la dédicace
romaine! Mais ton
"Modulor" je m'en
fous. Il doit être faux
puisque nulle part au
monde je ne trouve un
appartement...
Avec ma main amie
Blaise Cendrars

ND.25 Env. d'Avallon — CHASTELLUX
Le Château et le Viaduc

《 그림 63 》

현재 주고 있는 면허증은 많은 잠재적 에너지에 장애물이 되고 있다. 공식 면허증을 얻기 위해 요구되는 정신적 능력은 반드시 인간이 그들의 집을 위해 생애를 바치는 것과 같지는 않다.

〈르 포인트*le Point*〉, 1948년 11월

이름을 붙이는 명명에 따라 '건축가' 정신과 '엔지니어' 정신을 가르는(자연적인, 다시 바꿀 필요 없는) 그 간극(그것이 때로는 큰 구멍이 되고 있지만)을 메울 수 있다.

* * * * *

시카고의 콘래드 왁스먼Konard Wachsmann으로부터 1950년 1월

예전에 아마도 1947년 가을, 생제르망 데 프레의 카페에서 말씀하신 계획의 실현을 오늘 알릴 수 있게 되어 기쁘게 생각합니다. 시카고 일리노이 공과대학교가 저에게 건물 건설의 현대적 방법에 관한 연구에 대한 지원비를 마련해주었습니다. 그래서 지금까지 해온 방향과는 다른 건물의 공업화 연구와 설비 · 전기 · 난방 등에 대한 연구를 할 수 있게 되었습니다. 저의 임무는 젊은 건축가들에게 건물의 공업화와 그것에서 나타나는 문제를 교육하는 일입니다. 아시다시피, 그것은 넓은 분야를 포함하고, 실현에도 수년이 걸리며, 확실한 결과에 도달하기 위해서는 대단한 일을 요구할 것입니다. I.I.T. 과학 연구소가 협력하기로 약속했고, 우리는 단순히 새로운 방법의 연구만이 아니라 새로운 재료에 대한 연구도 다룰 것입니다.

급하게 이런 것을 말씀드리는 이유는 당신도 이러한 연구소의 중요성과 필요성을

믿고 계신다고 생각하기 때문입니다. 우리는 처음부터 미국에만 국한하지 않고 국제적으로 협력하여 일을 진행하고 싶습니다. 우리가 다루는 문제에 가장 유능한 분들과 물리나 화학, 수학 같은 순수과학을 연구하시는 분들을 모시고 자문위원회를 만들고자 합니다.

귀하의 참여를 기대해도 될까요?'

* * * * *

핀란드에서 발행된 잡지 《알키텍티 알키텍텐*Arkkitekti Arkitekten*》 1954년 제1호를 보면 입방체의 프리즘으로 만든 '살 수 있는 공간'의 기사가 실려 있다.

나는 핀란드어는 모르지만 그림이 내용을 말해준다. 이 살 수 있는 공간은 하나의 모듈러 단위를 기본으로 만들어졌다. 그리고 대략 2.50×2.50미터인 한 단위가 여러 가지 조합을 통해 주택을 만들어낸다. 그 안에는 침대나 테이블, 기타 부엌 도구 등 주택에 필요한 요소를 충분히 넣을 수 있다.

그러나 그 이전에 프랑스어로 이 시스템을 설명한 주석이 발견됐다. "《알키텍티 알키텍텐》 잡지는 1943년 제7호에 핀란드 건축가협회의 현상공모전을 발표했다. 몇 개월 전에 회원에게는 알린 이 현상공모전의 과제는 n명의 자녀가 있는 건축가 가족들을 위한 여름 주거 공간으로, 추후에 확장이 가능하게 만들어야 한다."는 조건이 달려 있었다.

스오멩 문화재단Suomen Kulttuurirahasto 덕분에 블롬슈테트Blomstedt는 이 과제를 1946년부터 1948년까지 다루고 발전시키는 기회를 얻었다. 나는 이번 기획으로 공업화된 건축 기법으로도 주거공간에 인간적인 성격을 담을 수 있는 새로운 길이 열리게 될 것이라고 생각한다.

《그림 64》

오른쪽에 실려 있는 매회 8개의 더 작은 정육면체 나누던가(또는 8개를 모아 더 키우는 것에 의해서) 입체가 차츰 깨지는 시스템이《그림 64》 지금 연구의 대상이다. 수학식으로 말하면 8n이며, 여기서 n은 + 또는 − 부호가 달린 정수이다. 나눈다는 간단한 원리가 건축의 치수 결정의 일반적인 시스템을 가능하게 해준다고 생각한다.(예를 들어 규정을 1cm로 했다고 하면 [그리고 나서 수열 2, 4, 8, 16, 32, 64, …] 여기에서 산술적인 혹은 기술적인 연구의 토대가 주어지는 것이다.)

이 글을 쓴 저자로서 이 문제를 밝히는 데 도움을 줄 분들에게 미리 감사를 드리겠습니다. 또 자금까지의 작업에 폴 베루누이 웨스테레Paul Bernoulli-Vestera와 케이요 베타야Keijo Petâjâ 두 사람에게 도움을 받았습니다.

아울리스 블롬슈테트Aulis Blomstedt

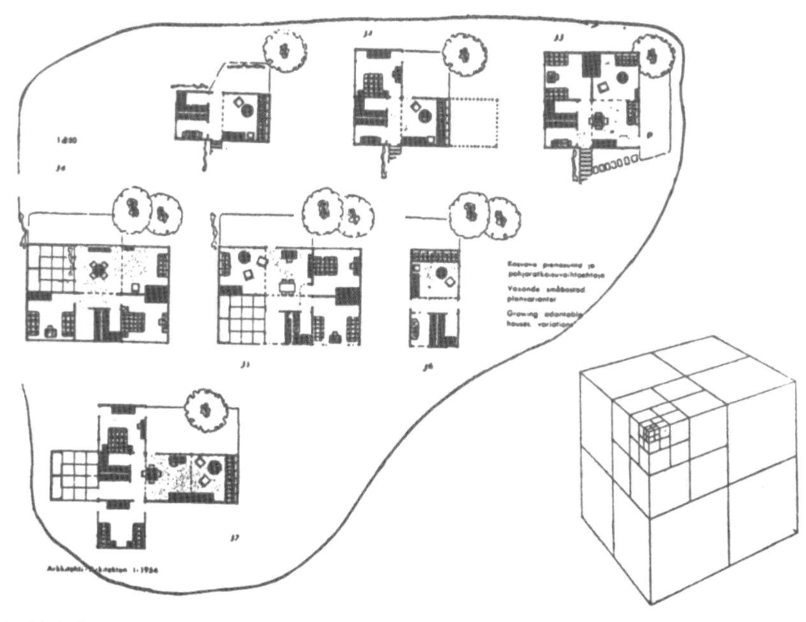

《 그림 65 》

새로운 조합은 점점 늘고《그림 65》 1947년부터 1948년에 새로운 기사가 더해졌다.

'공장에서 대량생산하는 것이 경제적으로 유리한 것은 언급할 필요도 없다. 그렇지만 집의 건축 부재를 공장에서 생산하는 것은 한편으로 여러 가지 다양함을 요구하는 주택계획과는 모순되는 것처럼 생각된다.

'인간의 주택을 규격화하는 것은 불가능하고 유해한 것이다.

‘그런데 한편으로는 대량생산되는 조립식 부재가 변함없이 일정하게 생산된다면 유익하다.

‘그렇다면 주택의 생산에 적용할 수 있는 공업적 대량생산은 어떻게 하면 될까?

‘산술에서 두 수의 공통분모를 찾듯이 대량생산과 인간적 주거의 형태와의 공통분모를 찾지 않으면 안 된다. 이 공통분모는 공업 또한 인간이 만들어낸 것 사이에 있다.

우리가 지금 하는 연구는 ‘공장생산 이론과 주택’을 실제로 실현하는 데에도 잘 들어맞는다는 것을 보여주고 있다. 이 기하학적 ‘딱딱한 공간(빨강 프리즘)rigid space: the red prisms’은 대량생산에 적합하고, 동시에 주택의 모든 상황을 만족시킨다.

이 과제, 즉 ‘유연성을 가진 규격elastic standardization’에 관해서 많이 거론해왔다. 그러나 인생이 자유와 유연성을 확보할 수 있기 위해 규격도 정확히 적용되어야 하고, 그 이름이 하는 것처럼 엄격해야 한다.

아울리스 블롬슈테트

* * * * *

이 기사에 이어 핀란드 잡지에는 ROQ와 ROB 계획(1950년 12월 15일 파리에서 우리가 취득한 226×226×226의 특허)의 연구가 실려 있다.《그림 66》

우리의 특허는 설비에 대한 해결(이것은 이미 오래 전부터 부분적으로 연구되어 해결된 문제이지만)과는 관련이 없다. 그것은 구조적 문제로 재료(절곡된 철판)의 연구이다. 발견으로, 관성에 유리한 직각이나 T형이나 십자형을 만들어서 압력 · 장력 · 굴곡이 거의 없게 간극을 연결시키는 것이다. 이는 새로운 기술로써 가능하게 되었다. 바로 전기 용접이다. 이 전체가 ‘주거의 세포형 공간’을 만들어낸다.

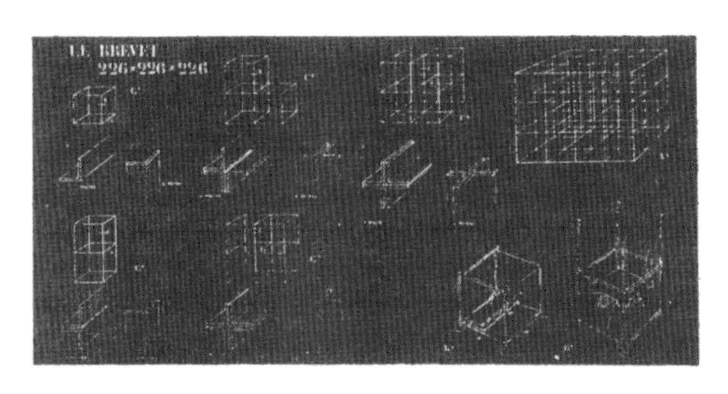

《 그림 66 》

이 응용으로 ROQ와 ROB의 두 가지 연구가 코트 다쥐르Côte d'Azur에 상정되어 행해졌다. 여기에 채택된 모듈(조립 부품)은 '팔을 든 인간, 2.26m'라는 모듈러의 열쇠라고 할 수 있다. 《그림 67》

세포형 공간에 대한 생각은 1950년경부터 생긴 것으로, 그 당시 마르세유의 주거 단위Unité d'Habitation에 장 푸르베가 만든 구부린 철판의 작은 대들보가 걸려 있었다. 그것은 가벼움, 운반의 편리성, 시공의 효율성으로 훌륭한 자원의 가능성을 제공한다.

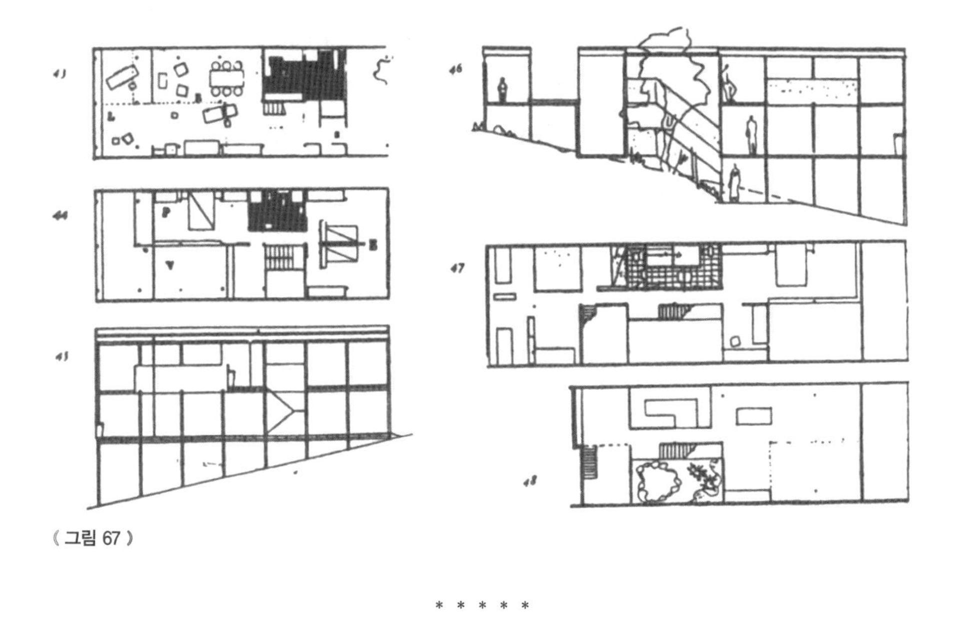

《 그림 67 》

* * * * *

'마을에서 식수병까지, 식수병에서 마을까지'

다음은 내가 밀라노 트리엔날레의 디비나 프로폴치오네 회의에서 모듈러에 대해 행한 유일한 대연설의 내용이다.

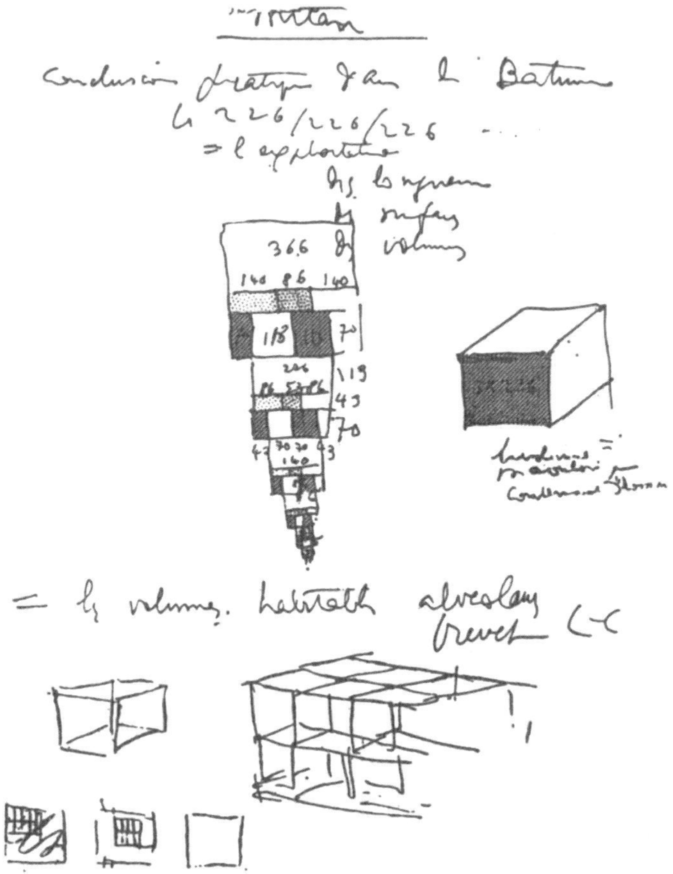

《 그림 68 》

226×226×226을 중심에 두고 위와 아래를 나타내어 세포적 공간에 대한 설명을 그림으로 첨부했다. 그와 함께 나는 다음을 특히 강조할 필요를 느꼈다. 이것은 주거세포housing cell를 구성하는 요소라기보다 모듈러적 조성의 연구에 불과하다. '주거구역Housing Sector'을 만들 때에는 주민의 일상관리나 교통을 모듈러 외에 자유로운 다른 규칙에 따라 운영되는 것을 보장하기 위해 '녹색도시green city'를 분할하는 것을 보장할 것이다.' 찬디가르Chandigarh의 사례를 말하면서 나는 800m×1,200m의 토지에 5,000명, 1만 명 또는 2만 명의 인구(이것은 전체 계획의 요구에 따른 분류이지만)가 살면 그것이 하나의 도시 영역이 될 것이고, 이를 '구역'이라고 이름 붙이고 이들이 자치적인 이익을 누리고 있음을 표시했다. 이 공간 속에, 나는 '집'으로 예정된 장소를 그렸다. 건축가, 시공업자, 대량생산가들은 모듈러를 사용하든 사용하지 않든 어쨌든 이 공간 내에 어떻게든 담는 것이 좋다. 특별한 모듈러적 성질의 다른 이벤트들이 있었다. 그것은 한 구역의 주거세포에 각 출입구를 이음과 동시에 도시 전체로서 마을의 도시 구성 요소를 연결하는 순환 계통이다.

이 순환 계통은 특징 있는 쓰임새를 갖춘 일곱 가지 유형으로 되어 있는데, 후에 여덟 번째 형태가 여기에 첨가되었다. 대륙 간에서 도시로, 그리고 주거세포의 각 출입문으로 연결시키는 현대 교통망의 중요성을 기초로 하여 계급별로 나누어진 법칙을 나는 '7개(혹은 8개)의 V법칙'이라고 이름 붙였다. 생물학적 성격의 교통 현상은 다른 속도 표시로 표면에서 발전해나간다. 찬디가르의 두 번째 구성 요소는 '구역'이며, 구역은 경계에 의해 혹은 내부를 소분할하지만 이미 Φ(파이) 같은 불합리한 수에 따르는 것이 아니라, 오히려 단순하고 유치해 곧 알 수 있는 산술적 요소에 의한다. 그

산술적 수열은 1,200m, 800m, 600m, 400m, 200m, 즉 그 관계는 6, 4, 3, 2, 1이라는 것이 된다.

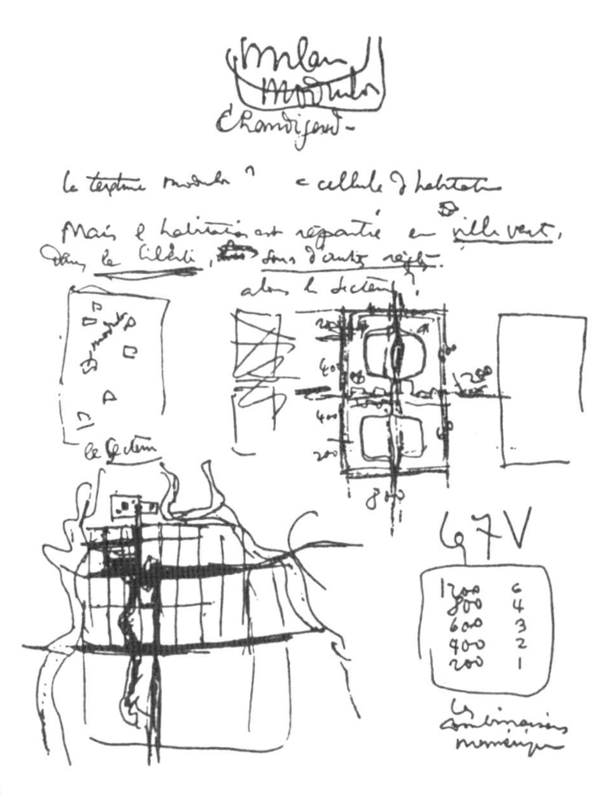

《 그림 69 》

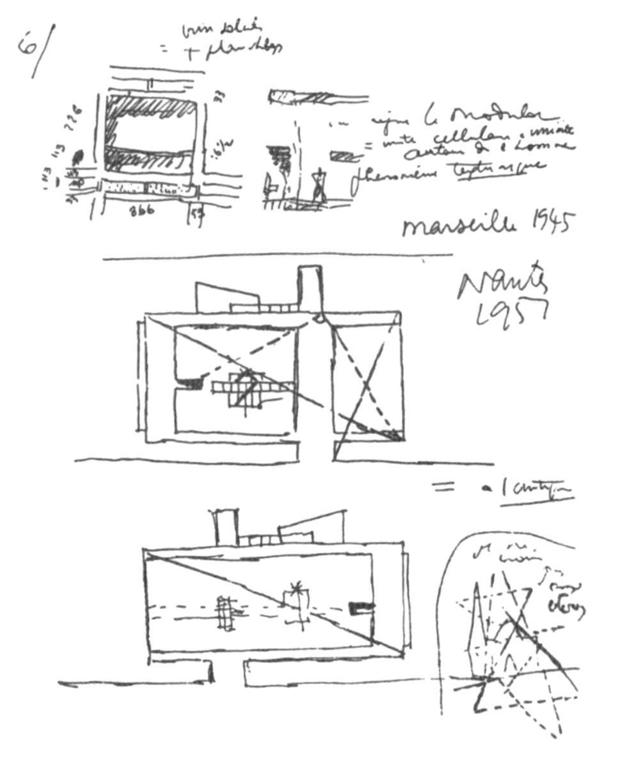

《 그림 70 》

강연에서 찬디가르에 대한 이야기는 이 정도로 하고, 다시 주택 과제로 돌아와 그 외곽 치수가 반드시 모듈러를 따르지 않는다는 것을 다뤘다. 나는 여기에서 '적절한 크기의 주거 단위'에 대해 말하는 것이다. 여기에서 그 틀(그 액자)은 덧셈의 결과에 불과하다(그것은 새로운 낭트 루제의 주거 단위에 대해 말할 수 있는 것이었다.). 나는 주거세포 자체에 유용한 모듈러 값이 주어지고, 전체적으로 조화로운 조성이 그 건물에 주어지고 있음을 나타냈다. 건물 전체의 조화는 거기에 모인 주택 수에 따라서, 또한 거기에 맞춰진 공동시설의 종류에 따라서 결정되는 것이다. 또 수평과 수직 양쪽의 교통의 기능에 의해 결정된다. 그리고 이들 모든 요소에는 하늘 아래에 수직상태, 볼륨과 같은 건축의 결정적 감각이 더해져야 한다. 모듈러에 관한 논의는 이차적인 문제가 된다. 부유함이 과시 또는 빈곤이 고백되는 것은 사실 조형적인 태도, 서정성 등 기하학적일 것이다. 그것은 구조적인 이유와 설비적인 가치와는 무관한 조각적인 현상이다. 웅변하듯 말을 꺼냈던 최초의 공간이다. 건물의 상하좌우에 그려지는 윤곽이다. 이때 '기준선'에 따른 시정, 서정, 발명을 가져올 시기가 온다.

이런 것들을 설명하는 것도 이렇게 쉬운 일이 아닌데 하물며 실행하기는!

(1951년 9월 28일 트리엔날레의 대회의실에서 강연)

* * * * *

이 항은 '마을에서 식수병까지, 식수병에서 마을까지'라는 제목이 달려 있었지만, 나는 두 가지 일을 확실히 하고 싶었다. 완전한 가족 컨테이너의 가능한 존재(이것이 내가 말하는 식수병이다), 그리고 식수병과 무관한 마을은 도시계획의 특정한 사항에 남겨져 있다는 것이다. 이것은 무엇이든지 모든 것을 모듈러로 정할 필요가 없다는 것을 보여주기 위해서이다.

* * * * *

지금부터 23장의 작은 그림을 넣어, 독자들에게 좋은 비례를 만들어내려는 관심사가 어떻게 생겨났는지를 알려주고자 한다. 또 각각이 얼마나 다르고, 종류가 얼마나 많은지, 또 그것들이 얼마나 많은 교향악적인 효과를 갖고 있는지, 그리고 비례가 일상용품에서 대도시까지 구상되고 확대되고 있는 것을 보여주고 싶다.

《 그림 71 》

1 에스프리 누보관, 1925년

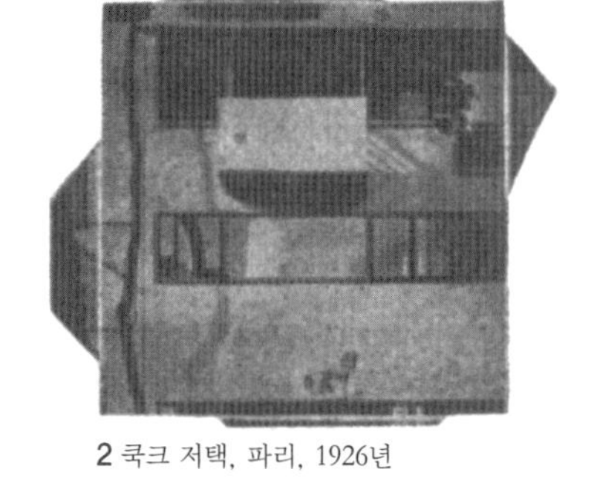

2 쿡크 저택, 파리, 1926년

3 크라르테Clarté 아파트, 제네바, 1928년

4 빌레드블레Ville-d' Array의 주택, 1928년

5 빌라 사보아, 포아시, 1929년

6 빌라 사보아, 포아시, 1929년

7 센트로 소이와스관Centrosoyuz Place, 모스크바, 1928년

8 스위스관, 파리, 1930년

9 임대 아파트, 파리, 1931년

10 알제리의 도시계획, 1932년

11 지혜의 박물관, 1930~1939년

12 '빛나는 도시'의 모형주택, 1932년

13 '빛나는 도시'의 모형 주택, 1932년

14 데카르트적 마천루, 1935년

15 데카르트적 마천루, 1935년

16 파리의 도시계획, 1922~1955년

17 '파리계획 37', 1937년

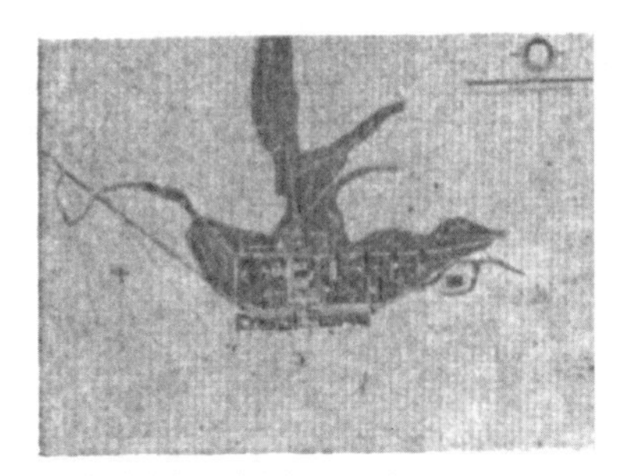

18 샹 디에의 도시계획, 1945년

19 알제리의 업무가, 1939년

20 마르세유의 주거단위의 어린이 방, 1946년

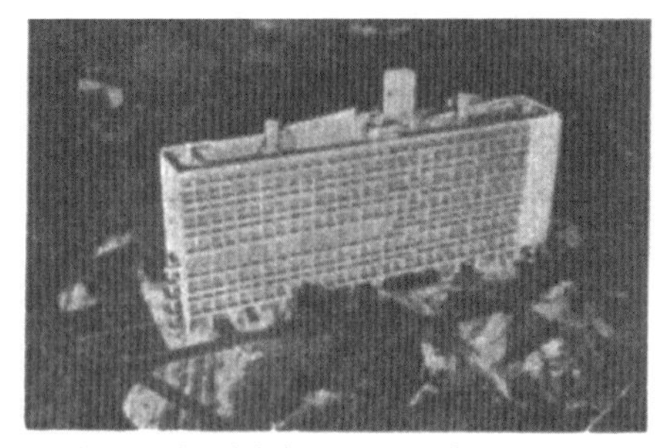

21 마르세유의 주거단위, 1946~1952년

22 이스트 리버의 UN회관, 1947년

23 이스트 리버의 UN회관, 1947년

* * * * *

1952년 1월 10일 세브르 가 35번지의 아틀리에에서 우연히 읽은 행복한 교훈, '단위와 심포니'

1. 제도사 : 삼페르Samper, 베레스Percent와 도시Doshi
찬디가르의 카피톨Capital V2호

나는 (당시) 도로 한쪽을 2km의 길이로 이어진 쇼핑 아케이드로 결정했다. 이 아케이드는 높이 7.75m, 3개로 나누어 2.26m, 또는 2개로 나누어 3.66m로, 또는 4.78m+2.95m 또는 단일높이 7.75m로 나눌 수 있을 것이다. 기둥의 간격은 7.75m, 4.78m, 2.95m, 3.66m, 5.92m 등일 수 있다. 특히 어떤 치수를 취해야만 할 필요는 없는 것이다.

이리하여 가게를 사들인 상인에게는 무수한 조합이 가능해졌다.

* * * * *

2. 시의 임시 행정 사무소

당시 국가 행정관이었던 타파Thapar는 이 도시의 건설을 담당하고 있었다. 그는 나에게 단층짜리 임시 사무소를 지을 기본 계획을 부탁하며, 하루라도 빨리 시작할 수 있는 적당한 장소로 지금은 넓다란 땅 한가운데이지만 곧 대간선 도로가 지나가게 될 역 앞 도로를 지

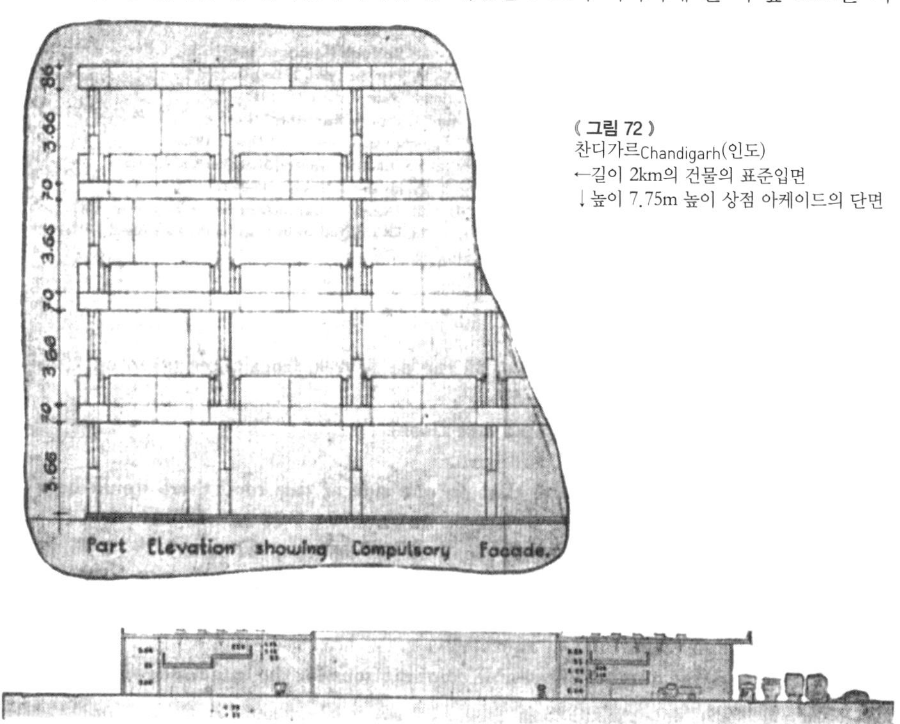

〈그림 72〉
찬디가르Chandigarh(인도)
←길이 2km의 건물의 표준입면
↓높이 7.75m 높이 상점 아케이드의 단면

목했다. 임시 사무소가 폐기된 후에는 여행자들을 위한 숙소나 호텔로 개조할 수 있기를 바랐다.《그림 73》

(a) 기후의 상태에 의한 방위 : 바람의 방향, 태양, 그늘

(b) 장래의 대로에 면하고, 반복되는 듯한 일반적인 평면의 도식

다른 도식으로, 이 장소를 두 배로 하기 위해 보조적인 2층을 붙일 수 있도록 한다.

마지막으로 제3의 조합은 4층의 건물이 제공됨으로써 완벽한 설계설명서로 전체의 통일을 완성한다.

양지 쪽에는 2.26m+2.95m=5.21m의 기둥으로 떠받치고 있는 3.66m의 돌출된 베란다의 그림자가 있다. 베란다 아래 창문이 있는 벽은 2.26m의 모듈러로 나눌 수 있다(공통 척도). 그 벽과 창문 뒤 사무소의 칸막이는 2.26m, 2.95m, 3.60m, 5.25m 등으로 나뉜다.

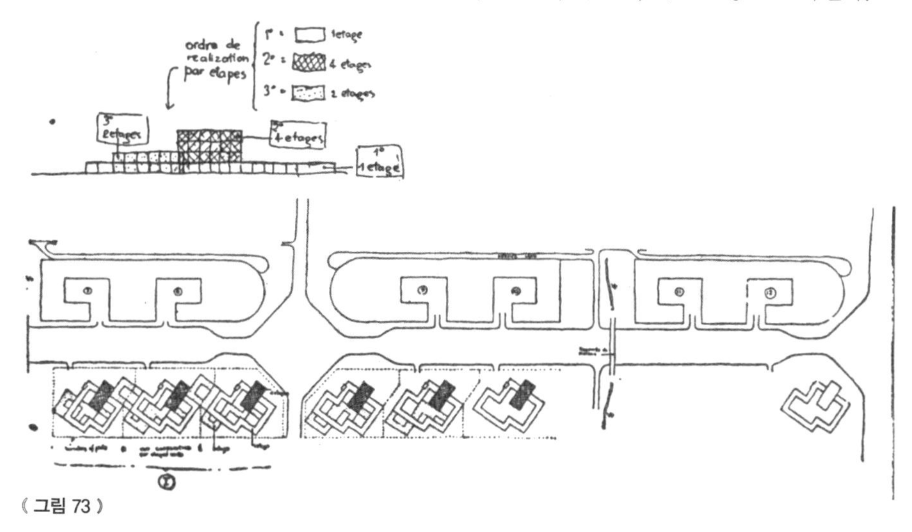

《 그림 73 》

* * * * *

3. 제도사 : 메조니에Maisonnier와 삼페르Samper

찬디가르의 최고재판소 건물과 일곱 개의 부처가 모여 있는 합동청사는 무엇보다 기후 조건을 고려했다. 이 건물들은 우세한 겨울 바람과 반대편에서는 우세한 여름 바람이 부는 십자형으로 위치하고 있다. 볕이 많이 드는 쪽은 햇빛 가리개를 달아 사무실에 그늘이 들게 했다.

'세브르 가 35번지 아틀리에의 기후 그리드'는 각 장소마다 고려해야 할 바람, 음지, 습도의 문제를 다룬다.《그림 74》

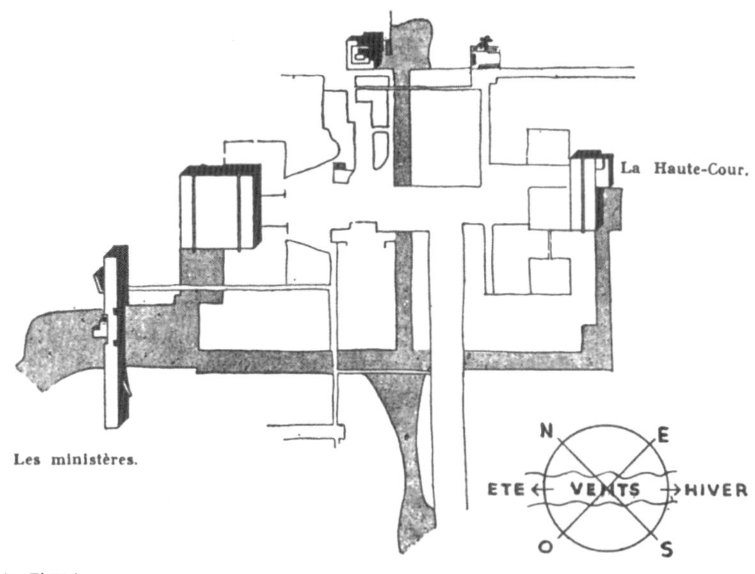

《 그림 74 》

* * * * *

4. 낭트 루제, 주거 단위. 기준선의 재검토

제도사 : X.

당신의 기준선은 부정확하다. 조작 도중에 헤맴으로써 나중에 중대한 결과를 가져올 수 있다. 여기에는 기준선이 몇 개 그어져 있다(당신이 그린 색이 다른 몇 개의 대각선). 도대체 당신은 어느 면, 어느 입체에 따라 기준선을 취하고 있는가? 이들이 모듈러와 뒤섞여서는 안 된다. 기준선은 모듈러 이외의 것이다. 때로는 모듈러와 합치하는 것이 있을지도 모르지만, 모듈러가 어느 기준선을 규정한다는 것은 우연히 더해진 수치가 어쩌다 일치하는 것 외에는 아마 없을 것이다.

이 아틀리에에서의 토론은 어느 오후에 다양한 문제와 함께 가장 중요한 문제가 제기되고 있는 것을 보여준다. 그리고 그것은 모두 평가, 판정, 현명한 독서의 문제이다. 그리고 경솔한 무의식적인 조작이 무지 이상으로 위험하다는 것을 나타내고 있다.

* * * * *

창문의 발전에 대한 에필로그

예전에 세브르 가 35번지의 아틀리에에 있던 알라자루Alazard 군(지금은 유리와 거울의 상사를 운영하고 있다)이 낭트에서 돌아와서, 1954년 5월 18일에 나한테 이렇게 말했다.

1920년 《에스프리 누보》에 당신 기사가 실린 이후부터 현재까지 창문의 발전에 대해 지속적으로 세심하고 섬세하게 상술할 수 있었습니까? '긴' 창문은 목재, 철 또는 철근 콘크리트라는 산업구조와 인간 몸의 치수에서 생겨난 것입니다. 그리고 유리패널glazed panel은 값비싼 상인방lintel이나 스팬드럴Spandrel을 없애고《그림 33》, 입면의 주요 기능 중 하나인 중요 자산으로 채광을 추가합니다. 이것이 세월과 함께 '방의 제4번째 벽'이 되어갔습니다. 이제 패널은 전적으로 유리로 만들지 않고 불투명한 것도 있으며, 책장을 패널에 붙이고, 테이블을 패널에 기대 세우고, 필요한 곳이나 측벽, 천장 또는 바닥에 햇빛이 들어올 수 있게 하는 역할을 하고 있습니다.《그림 75》 그다음으로 브리즈 솔레유brise-soleil는 유리패널에서 생겨난 강한 일사라는 적을 눌렀습니다.《그림 76》 브리즈 솔레유는 여름에는 유리면에 그림자를 만들고, 겨울에는 방 안쪽까지 햇빛이 스며들게 합니다. 이미 소크라테스Socrates는 포르티코portico라고 부르고 알고 있었습니다. 그리고 나서 유리패널은 주거 단위의 집단 안에서 개인적 사용법으로 특색을 이룹니다. 브리즈 솔레유 형태의 발코니가 주랑으로서 로지아가 되고, 이것이 각 거주자들이 유리면을 안과 바깥 양쪽에서 조절할 수 있게 했습니다. 예를 들어 유리를 닦거나 커튼을 칠 수 있으며, 창 유리면이 비가 들이치는 것을 막아주어 테두리를 철 대신 나무로 쓸 수 있습니다. 나무 창문은 이제 예전처럼 창으로 끼워지는 게 아니라 '구조를 구성하는 부분으로' 사용하고 있습니다. 이것은 새로운 창문의 미를 낳고 있습니다. 이제 창문은 가구에 속하고, 그 자체가 건축적으로 안팎에서 사용됩니다.

자울Jaoul 저택, 프랑스 뇌이Neuilly, 1955년

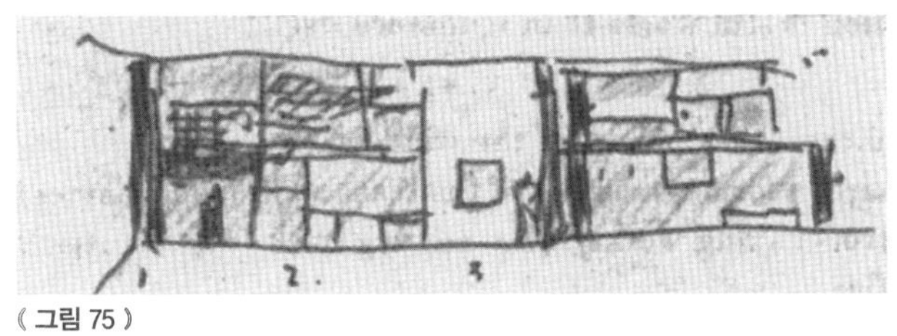

《 그림 75 》

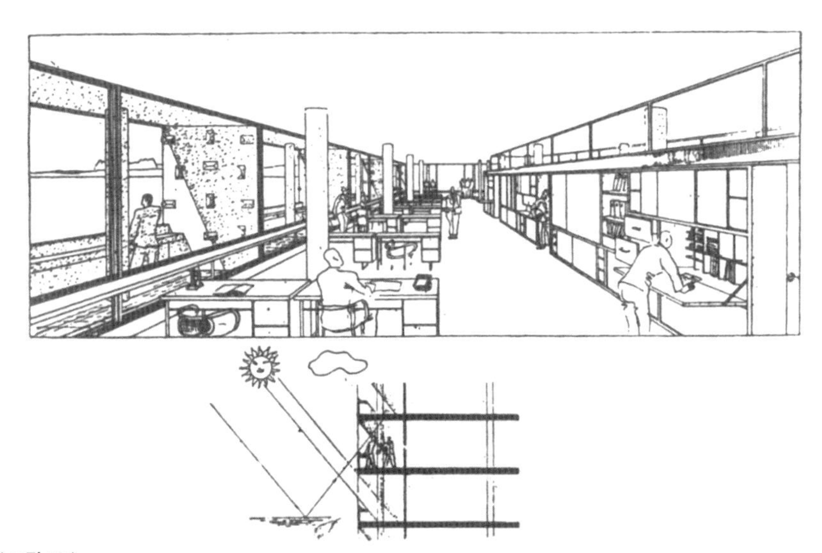
《 그림 76 》

나는 아라자루에게 이렇게 대답했다.

아직 끝나지 않았습니다. 인도에서 나는 호흡하는 문제와 함께, 건물 내부의 환기 문제에 대해 거론했습니다. 나는 유리패널의 두 가지 기능을 채광과 환기로 분류하였습니다. 그리고 이 두 가지 기능을 나눠 경제성과 능률성을 살렸습니다. 제1원리는 오래된 술이 담긴 병에 새 술을 넣기 위해서는 우선 오래된 술을 병 밖으로 내보내 버려야 한다는 것입니다. 만약 그렇게 하지 않으면 실현은 불가능합니다. 이것은 건축에서는 고려된 적이 없지만, 잠수함이나 근대 영화의 건축업자들은 이를 계산에

《 그림 77 》

넣고 있습니다. 이제 이것으로 충분합니다. 채광을 위해서는 유리로 끼워 맞춘(열리지 않는) 창, 그리고 중공 기둥hollow pillar이 이를 지지하고, 이 중공 기둥의 세로 구멍으로 환기를 조정해, 기호에 따라 막거나 가감하거나 변화할 수 있게 되어 천장에서 바닥까지 칼처럼 좁은 공극에서 폭 17cm의 세로를 통해 공기가 들어오게 하는 띠가 생깁니다. 폭 1cm, 높이 2.20m의 세로의 공극에서 들어오는 공기가 어떨지 생각해보았습니까? 혹은 폭이 3, 4, 10, 17cm라면! 방에 이 중공 기둥이 몇 개 있으면 실내 환기는 훌륭합니다. 외측에 구리 그물망을 달고 모기가 들어오지 못하게 막아 이 발명을 더 좋은 의미로 만들 수도 있습니다. 그러나 공기의 환기를 위해서는 방의 반대편에도 같은 크기의 구멍을 내는 것을 잊어서는 안 됩니다.

* * * * *

리비에라Riviera의 '푸른 열차Blue Train'에서 심라Simla의 인도 상인과 히말라야 기슭의 레스토랑 주인까지. 그림은 설명을 줄여준다. 푸른 열차의 식당차는 시속 130킬로미터로 달리면서 파리에서 니스로, 이탈리아로 손님을 실어나른다. 그들은 집 안에 있고, 그 집은 달리고 있다. 그들은 프랑스 제일의 호화로운 기차 안에 있고, 그것을 큰 자랑으로 삼고 있다. 이와 같은 호화로운 집은 현재 위생법규 때문에 세계에서 금지되어 있다. 침대차, 전망차, 식당차는 높이 2m에 40cm의 둥근 천장이 붙어 있다. 그 안에 50명이 있다. 만약 법규가 정말 이 치수 2.26m를 주택에도 응용할 수 있다면 모든 것은 바뀐다.

심라 상인은 일을 잘 하고 있다. 그는 지상에서 약 1.13m(나는 대략이라고 말한다.) 높이의 가게를 만들었다. 그는 거기에 앉아서 담배를 피우고, 먹고, 물품을 판다. 그리고 밤에는 사진에서 보는 것처럼 덧문을 닫는다.

《 그림 78 》

그런 그의 친구인 강둑의 레스토랑 주인은 다시 공간 이용에 대해 치수의 상대성과 그 유효성을 증명해준다.

이들 세 가지 시각적 자료는 반성을 촉구하기 위해 여기에 실은 것이다.

《 그림 79 》

Ⅳ
다시 높이를 갖자

1953년 말 런던의 제인 도류Jane Drew와 친구들이 발간한 《건축가 연감》 제5호 마무리에 그해 건축적 중요 사건의 페이지 앞에 루돌프 위트코워 교수가 에세이를 실었다.

여기에 비례 체계와 연계하여 플라톤의 입체Five Platonic Bodies 다섯 개, 유클리드의 오각형, 밀라노 성당의 삼각측량Triangulation(1391년), 비트루비우스의 책(1521년)에서 인용한 피타고라스의 삼각형. 역시 비트루비우스의 책에서 정사각형을 두 배한 다음 다시 그것을 반으로 쪼갠 뒤러Dürer의 '세르팡serpent 콤파스'의 그림을 실었다. 여기에서 주관적이며 개인적인 것으로 레오나르도 다 빈치와 빌라르 드 온느쿠르Villard de Honnecourt의 연구가 있는데, 하나는 레오나르도의 머리를 1 : 3, 1 : 2, 1 : 2라는 비율로 다룬 연구이고, 또 다른 하나는 빌라드 온느쿠르의 앨범이다.

여기에 모아진 이 그림들은 도대체 무엇인가? 이것들은 고대나 르네상스 시대에 비례를 연구한 증거들이다. 그것은 정신의 보고를 만들어내고 있다. 그것들의 기초는 인체의 물질적 구조밖에 있다(오각형, 정방형, 삼각형). 그것들은 정신의 '배회'를 자유롭게 하는 구실이 될 수 있다(배회는 여기서 모험에 나선다는 것을 의미한다). 그러나 이러한 시대(피타고라스, 플라톤, 비트르비우스, 뒤러)에는 피트, 팜, 큐빗 등이 인간 중심 척도의 대응물로 여전히 확고하게 자리잡고 있었다. 그리고 또 재능(그 자체)에 이끌려 탄생한 작품을 '형제인 인간'에 연결하여 현실에서도 감정에 있어서도 핵심에 도달했던 것이다.

비례에 관한 것은 그 후 조금씩 비틀거렸다. 루돌프 위트코워Rudolf Wittkower의 연구는 모듈러에 관한 관찰로 결론 맺고 있다.

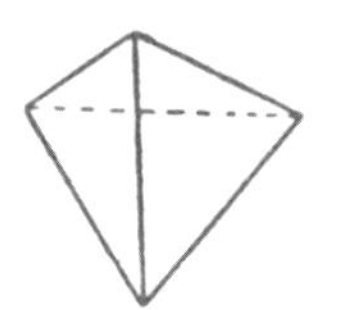
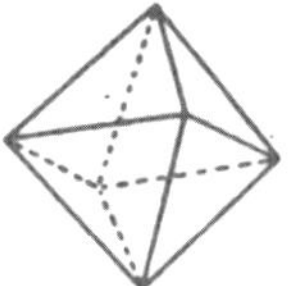
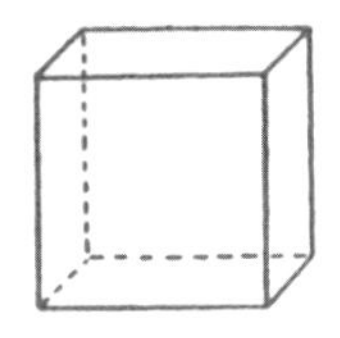
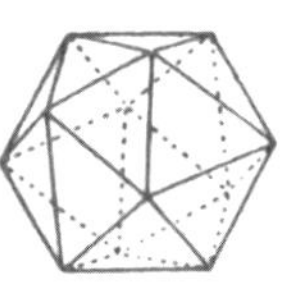
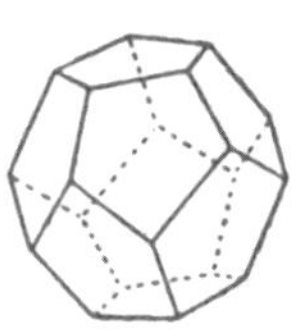

Fig. 4. The Five Platonic Bodies

《 그림 80 》

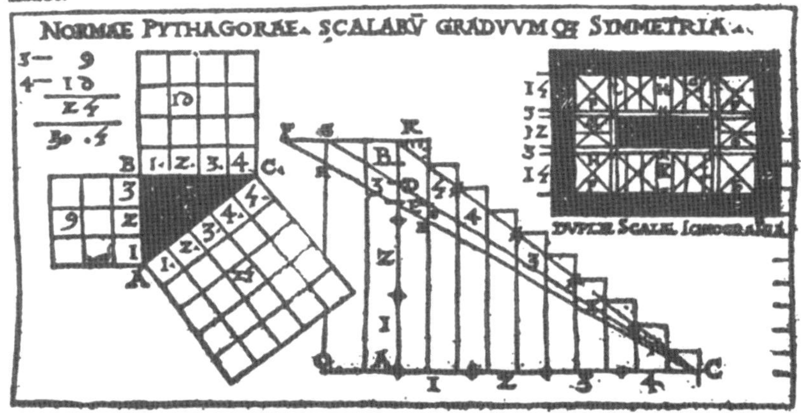

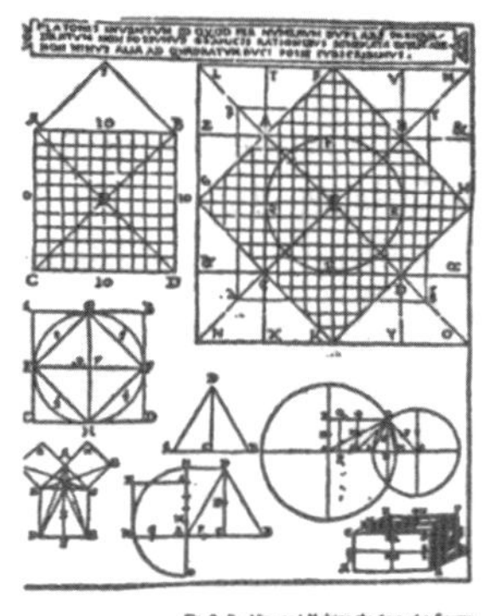

Fig. 9. Doubling and Halving the Area of a Square
Vitruvius, edited by Cesariano, 1521

《 그림 81 》

그러나 '비례의 체계'에 대립하는 시대가 끝나가고 있음을 보여주는 수많은 징후가 나타났다. 건축가는 살고 있는 문명의 공감대 같은 것이라는 말은 사실이다. 그가 만약 그 문명에 대해 반감을 가지고 있다고 해도 그 규율을 그대로 표현한다. 우리는 전 세기 말에서 금세기 초에 비유클리드 기하학은 현대 우주관에 기초가 된 것을 알고 있다. 과거와의 단절은 참으로 근본적이다. 아니 중세의 스콜라 학파 사람들과 레오나르도, 코페르니쿠스Copernicus, 뉴턴Newton의 유클리드 수학적 우주와의 단절보다 더 근본적이다. 예술 속의 비례는 어떨까? 어떤 것이 시간과 공간의 절대 척도를 시공의 동적인 새로운 관계로 옮겨놓는 것일까? 그 예비적 답변을 르 꼬르뷔지에의 모듈러가 제공하고 있다. 이에 역사적인 검토를 추가한다면, 그것은 우리의 비유클리드 세계와 오래된 전통과의 조정을 하려고 한, 마음을 끌어당기는 듯한 시도이다. 첫째, 르 꼬르뷔지에는 우주적 명제 대신에 인간을 그가 살고 있는 환경 속에서 다루는 데서 출발한 것으로, 절대적인 것을 기준으로 한 것에서 상대에 따라 변하는 것을 중명하고 있다. 그러나 이때 그는 새로운 정리를 시도하고 있다. 오래된 비례 체계는 기하학적 또는 수학적인 개념의 일관된 발전에만 치우치는 한 일방통행 시스템이라 불릴 만하다. 하지만 르 꼬르뷔지에의 모듈러는 그렇지 않다. 요소는 아주 단순해서 정방형과 그것을 두 배로 한 것, 그리고 그 분할을 극한과 평균으로 하고 있다. 요소들은 기하학적인 것과 수적인 비율 두 개의 관계를 혼합하고 있다. 대칭의 기본 원리는 황금분할에서 나온 소수를 포함한 두 무리의 조합이다. 모듈러에 대해 무엇을 생각하더라도, 이것은 분명히 오래된 시스템의 결함에서 벗어난 최초 이론적 종합임에 틀림없으며, 또한 우리의 문명을 반영하고 있다. 동시에 또 전통적인 우리의 문화와도 연결되어 있다.

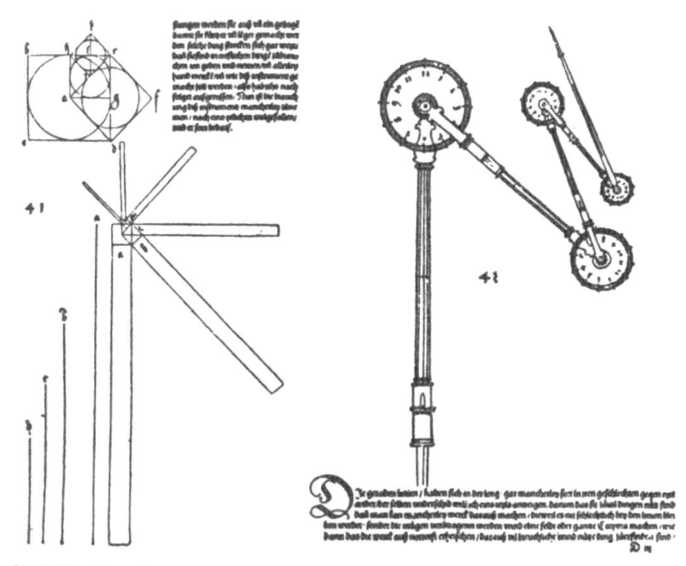

《그림 82》

Fig. 12. Dürer· Serpent Compasses

'중세 시대 평면 기하학의 비례, 그리고 르네상스의 음악적 산수의 비례와 마찬가지로 르 꼬르뷔지에의 두 개의 소수 계열 또한 서구 문명을 연 피타고라스, 플라톤의 생각에 위에 서 있는 것이다.'

* * * * *

어떤 원천에서 나온 일 때문에 말이 때로는 빛나는 듯한 의미를 갖는 경우가 있다. 「아포칼립스Apocalypse(묵시록)」 중에 "그는 성벽을 쟀고 144큐빗을 찾아냈다. 이것은 천사였던 사람의 치수이다."라는 말이나 "그는 144큐빗의 성벽을 쟀고, 그 치수는 인간의 것임과 동시에 바로 천사의 치수이다."[10]라는 말들이 그런 예이다.

* * * * *

12년간 이를 실제로 이용한 뒤, 도처에서 여러 가지 계획이나 기획에 매번 모듈러적인 수치 가운데 하나가 열쇠(나는 여기서 226×226×226의 치수를 말하는 것이다)로 나온다면, 이를 '인간의 용기container of men'라고 이름 붙일 자격이 있는지도 모른다. 그것이 질서를 줄 수 있는 용적volumetric 단위로서 인정되어, 법규를 고치고 현대 건축의 무거운 임무인 기계 시대의 주택을 만드는 데 도움이 될 것이다(이 책 58, 172페이지 참조).

* * * * *

[10] 미쉘 바타유(Michel Bataille)에 의해 지적.

모듈러의 도움을 빌려 어느 그림을 구성할 때, 마음은 끊임없이 속박을 받아들이기를 거절한다. 나의 조형적, 시적인 발상 중에 포함된 치수가 모듈러의 간격에 따라 규정될 때(1952년, 1953년, 1954년에 그려진 그림의 계열), 갑자기 나는 자신(인간의 치수)에서 벗어나는 기쁨, 즉 제한도 없고 치수도 없는 세계, 예술의 세계에 들어가는 것을 버린 게 아닌가 하고 자문한다.

모듈러는 나를 손발이 연장된 세계에 들어가게 하여 내가 자신의 우주 속에 남아 있게 한다. 이것으로 좋을까? 할 수 없다, 반대로 인체치수의 밖에 있는 조화가 마술 세계로 이끌어주지 않을까? 나는 미술 속어로 신조어를 강조하기 위해 미국식 영어로 '마술'이라고 썼는데, 이는 벗어나고 싶다는 정당한 희망의 상징이다. 그러나 원래 예술 작품이라는 것은 그 정의에서도 고귀한 도피이며, 넓은 바다를 항해하는 것이며, 초월한 세계에 들어가는 것이다('과장'의 의미에서 이런 말을 하는 게 아니다). 나의 인생 경험에서 내가 오래도록 믿어온 것이기도 하지만, 도피라는 시적인 사건은 정확함의 산물이라고 인정하게 되었다.

잘 생각해보면 여기에서 다룬 것이 대단한 협박을 한 것은 아닌 것 같다.

도피의 마술은 무확정, 무의지, 객관적인 의사 표시 없이도 찾아질 수 있지만, 이 책의 각 페이지를 차지하고 있는 또 다른 도피가 있다. 또 다른 도피는 상징의 추상적인 세계와 형이상학적인 거만함의 소용돌이, 밖에 또는 위에 나선다는 탐구를 통해 얻어진 것이다. 나는 이미 그렇게 높게 자신을 올릴 수 없다고 말했다. 1948년 『모듈러』 제1권의 47페이지에 나의 태도를 명확히 밝혔다.

> "우리는 이 규칙이 인간의 신체에 따라서 점유되는 핵심 지점을 정확하게 지시해주고, 또 주어진 한 값의 가장 단순하고 기본적인 수학 급수, 즉 단위, 이중단위, 2개의 황금분할, 추가 또는 삭제를 나타내고 있다."

그리고 48페이지에 아마도 모듈러의 결정적 순간을 나타내는 그림이 있다. 그것은 조화된 모습이며, 그의 마음 속의 조화된 나선(또는 조개), 눈으로 파악되는 구체적인 사실, 그 시야 안에서의 눈부심(이 책의 81페이지를 보라.)에 가깝게 숫자(또는 수)의 그리드를 이용하여 그린 조형 예술가의 발명이다.

당시에 열쇠라고 할 수 있는 숫자는 108이었으며, 이는 175에서 나와 216에 이르렀다. 1946년 1월 10일이라는 날짜는 대서양의 폭풍우 속에서 밸러스트 없이 파도 위에 흔들거리는 화물선 같았다. 175에서 나온 108이라는 열쇠는 문제없이 6피트, 즉 183cm로 바뀌고 파이(Φ)에 의해 113, 또 113의 2배인 226으로 우리를 이끌었다.

1950년 12월 16일 지금, 파리의 베가 서점 루이에Rouhier 지배인이 가르쳐준 『자연적 건축Natural Architecture』이라는 책에 주의를 기울이면서 나는 마자린 도서관Bibliotheque Mazarine에서 몇 가지 내용을 찾아냈다.

거기에 힌두Hindu의 기본적인 열쇠는 108이라고 이름 붙어진 아바로키테샤라Avalokiteshara이다.

$8 \times 108=864$

108과 7

$216=2 \times 108$

또는 $223=216+7$(=조정자)

108과 7이란 모두 신비로운 기본 수라고 생각된다.

108과 49(7×7), 그 배인 314는 샥티(Skati, 인도의 신)에 바쳐진 '은의 직사각형'의 단면과 대각선과 비례한다.

$(\frac{108}{7 \times 7}=\sqrt{5})$

나는 108에서 113으로 옮김으로써 피트-인치와의 연결고리를 만들려고 했다. 바꿔 말하자면 1.75m의 사람을 182.9m의 인간으로 바꿔서 2.26m를 얻었다.

그런데 113이란 숫자는 이 또한 열쇠라고 할 수 있는 큰 수인 것 같다. 나는 여행 도중에 측량한 많은 치수에서 내 눈으로 그것을 발견했다(제1권의 190, 193, 194, 200, 203, 206~207 등의 페이지). 게타르Guettard는 나에게 신기하게도 "113은 1개의 열쇠다."라고 말했다. 그러나 나로서는 113cm 또는 108cm를 말하고, 센티미터에서는 아무 열쇠도 찾지 않았다.

마자린 도서관에 있는 책 힌두교 신자의 가치는 결정적이다. 브라만Brahmins인 푸루샤Purusha는 팔을 위로 뻗고 몸을 늘리고 길게 누워 있다. 찬디가르에서 나는 종교적인 지식을 넓히고 싶어서 수도 건설의 책임기사이며 신앙심이 깊은 시리 바르마Shri Varma에게 푸루샤를 아느냐고 물었다. 그는 알지 못했다. 하지만 이것은 아무 의미도 없는 일이기도 하다…….

속인인 나는 이 푸루샤에게서 대단히 매력적인 것을 발견했다.

《 그림 83 》

* * * * *

이와 같이 해서 즐거움을 어디까지고 계속할 수 있을 것이다. 하지만 어디선가 그만두지 않으면 안 된다. 다른 사람들이 이미 오래 전에 혹은 어느 시대에도 이 일에 관심을 갖고 있었다. '성스러운 병Holy Bottle'의 발명자는 노블 랜턴 바크뷰크Noble Lantern Bacbuc 부인에게 "당신 집에서 누가 '성스러운 병'의 판단을 얻고 싶습니까?"라고 질문했다.

…… 우리의 원하던 섬에 도착했다.……
오늘날 우리는 적어도 수고와 노동을 기울여 얻고자 했던 것을 얻었다.
…… 여기에 두 줄의 시구를 소개한다.

이 갱도에 들어가려 하면
좋은 등불을 갖추고 가게

…… 우리는 네 단계로 계단을 내려간다.
1, 2, 3, 4계단을 내려가 총 10계단
피타고라스Pythagoras적 4단계는
10, 20, 30, 40을 합쳐
총 100이라고 팡타그뤼엘Pantagruel이 말한다.
첫 번째 세제곱근 8을 더하면
=108
이 운명적인 수 다음에 신전의 문을 찾아내야 한다…….

플라톤의 정수는 아카데미 사람들이 그토록 숭배했지만 거의 이해하지 못했다. 그것의 절반은 유닛으로 구성되어 있고, 처음 2개는 정수, 그 제곱, 그 3제곱으로 삼았다(1, 2와 3은 제곱하면 4와 9, 세제곱 하면 8과 27). 그것을 합하면 54(라고 플라톤은 말한다).

(그들은 108계단을 내려온다.)

'…… 가장 경이로운 여인이여, 회개하는 마음으로 간청하니 우리에게 돌아오세요. 절대진리로. 나는 두려움으로 죽어가고 있어요.'(라고 파뉘르주Panurge가 말한다.)

…… 새겨져 있다 …… 이 단장격의 풍자시iambic …….

'운명은 긍정적인 사람을 이끌고, 반항하는 자들은 데리고 간다.'

그리고

'모든 것은 그 끝을 향해 움직인다.'

'샘물은 마시는 사람의 상상에 의해 술맛을 나게 할지도.'

"마셔."라고 바크뷰크Bacbuc는 말한다. "한 번, 두 번, 세 번. 또한 한 번 상상을 바꿔 마시면 마음먹은 대로의 술의 향과 맛을 낸다. 이제부터 당신은 신에게 불가능한 것은 없다고 고백해야 해."

바크뷰크는 묻는다.

"당신들 중에 Lady Bottle의 판정을 원하는 사람은 누구인가?"

"나요."라고 파뉴르쥬Panurge는 말했다.

'친구여, 너에게 한 가지만 충고하겠네. 네가 신의 계시를 받을 때 주의깊게 한쪽 귀로 판정을 들어라.'

'그 다음에 그녀는 그에게 녹색 긴 웃옷을 입히고, 머리에는 흰 수녀의 두건을 두르고, 멀드와인 여과기로 그를 감싸고, 나무뭉치 대신 세 개의 꼬챙이를 달고, 장갑으로 그의 손에 두 개의 고대 샅주머니를 씌우고 세 개의 백파이프를 벨트에 묶고, 샘에서 다섯 번 얼굴을 씻고, 눈에 한줌의 가루를 던진 후 멀드와인 모자 오른쪽 위에

닭털 세 개를 달고, 샘에서 아홉 번 돌게 하고, 세 번 앙증맞게 뛰고, 땅에 엉덩이를 일곱 번 부딪친다. 그녀가 주문이나 에투루리아 말을 중얼거리는 내내 그녀 옆에서 비법전수자 중의 한 명이 의식에 관한 책을 읽는다.'

'오른손으로 그를 이끌고 금문을 통해 신전 밖으로 나가 둥근 예배당으로 데리고 간다.'

'중앙에는 질 좋은 설화 석고로 만든 샘이 있고, 모양은 칠각형이다…….'

'그 안에 성스러운 병Holy Bottle은 반쯤 담궈져 있다.'

'여기에서 파뉘르주를 무릎 꿇리고, 샘 가장자리에 입 맞추게 하고, 일어서게 한 다음 그 곳을 돌면서 박커스Bacchic 신을 위한 춤을 세 번 추게 한다.'

의식서를 펼치고, 다음과 같은 아테네 사람의 오래된 포도주의 노래를 부른다.

O
Bottle full
Of mystery,
With a single ear
I hark to thee.
Do not delay,
But that one word say
For which with all my heart I long.
Since in that liquor so divine
That your crystal flanks contain
Bacchus, India's conqueror strong,

Holds all truth, for truth's in wine.
And in wine no deceit or wrong
Can live, no fraud and no prevarication,
May Noah's soul in delights dwell safe and long,
Who taught us use in moderation
Of our cups. Be kind to me,
Let the fair word be said.
Form misery set me free
Then no drop, white or red
Shall perish. There shall be no waste of thee.
O Bottle full of mystery,
With a single ear
I hark to thee.
Do not delay.[11]

'…… 바크뷰크는 무언가 샘 속에 던졌고, 큰 잔치가 있었을 때의 부르게유Bourgueil의 큰 가마솥처럼 갑자기 물이 끓기 시작했다. 파뉘르주는 듣고 있었으며…….'

'성스러운 병에서 나오는 소음은 벌이 우는 소리라기보다는 어린 수소를 죽이고 아리스테우스Aristaeus의 능수능란한 방식에 따라 꾸민 고기에서 나는 소리 같았다.'

'그의 트링크Trink란 말을 들을 때…….'

'그때 바크뷰크가 일어나, 파뉘르주를 조용히 가슴 속에 품고 말하기를.'

[11] Rabelais(Penguin Books에서 출간된)의 코헨(J. M. Cohen) 번역으로부터.

'친구여, 하늘에 감사해라. 너는 타당한 이유를 가지고 있다. 가장 빨리 성스러운 병divine Bottle의 판정을 받는 것은 가장 기쁘고, 가장 신성하고, 내가 가장 신성한 신탁을 받는 사제로 지내면서 계시를 받은 가장 확실한 대답이다.'

'……가게, 나의 친구야, 이 지적 영역의 후원 아래 어디에 가도 그곳이 중심이고, 어디에서도 제한이 없기에 우리는 신이라 부르네. 위대한 보물과 아름다운 것은 땅 아래 숨겨져 있다는 것을 증명하여 너의 나라를 이루게.'

파뉘르주는 '그 초라한 모습에서 벗어나는 말'을 기다리고 있었다. 기적을 요구하고 있었다. 병은 그것에 답했다. '마셔'라고.

나 자신에게 확실히 하기 위해 해설을 한다. 행동하자. 그러면 너는 기적을 볼 수 있다. 그렇게 폄하하지 마라. 도피를 구하지 말라. 병은 네게 말했다, 마시라고.

* * * * *

헨리 칸바일러Henri Kahnweiler는 1950년 5월 18일, 『모듈러』를 읽고 편지에 이렇게 써 보냈다.

나는 당신이 매우 친절한 용어를 사용하여, 나의 후안 그리스Juan Gris에 관한 책에 대해 다루고 있는 것에 감격했습니다. 그러나 기하학과 수학과의 관계에 대해서 약간, 설명을 해두는 게 좋을 것 같습니다. 당신처럼 나도 그것을 '계산에 넣는다'는 것은 확실히 옳다고 생각합니다. 오늘날의 건축이 당신의 모듈러 아이디어를 선택한다면 얻는 것이 많으리라 생각합니다. 그렇게 함으로써 무정부 상태에서 벗어나 올바른 제안에 도달하리라 생각합니다. 그것은 대단한 일이지만, 그것이 전부는 아닙니다. 우리는 그것에 의해 조화를 이룬 마을을 얻을 것입니다. 이는 위대한 것입니다.

그러나 내가 믿을 수 없는 것은 어찌했던 아름다움이 갑자기 만들어진다는 것입니다. 만족스러운 건물은 만들어질 것입니다. 반복해서 말씀드리지만, 이것만으로도 엄청난 의미입니다.

아름다움이란 몇 명의 대예술가에게 주어진 신비적인 재능으로 이를 작품에 부여하는 것입니다.

꼬르Corbu 씨, 당신은 위대한 건축가이며 지금 시대의 가장 위대한 사람이며, 훌륭한 매스들의 창조자이며, 게다가 공간의 창조자이기도 합니다. 마치 후안 그리스에 대해서도 그렇듯이 기하학은 당신에게 도약판이 되어 (만약 이 말이 맘에 들지 않는다면 법칙이라고 할까요?) 줍니다. 그러나 당신이 모르는 사이에 당신의 아름다움이 창조됩니다. 나는 어떤 진정한 예술가도, 미를 의식하고 요구하지 않았기를 바랍니다. 그는 그 목적을 추구하고, 그것은 항상 똑같다고는 할 수 없지만, 당신도 솔네스Solness와 마찬가지로 '인간을 위한 주거dwellings for men'를 만들고 계십니다. 신비한 황금의 후광인 아름다움은 설명되지 않습니다.

이상이 내가 문제로 한 것에 대한 의견입니다.

친한 친구로서

칸바일러

결국 내가 지금 쓴 것은 아인슈타인의 말로서, 당신이 인용하고 있는 멋진 말에 나쁜 말을 첨가한 것 같은 것입니다.

* * * * *

신은 벽 뒤에서 세계와 영혼을 조정한다. 이쪽에 선 인간은 때로는 말의 웅성거림을 발견하고, 그것을 훔친다. 그것은 부자의 식탁에서 떨어진 빵가루 같은 것이다.

《 그림 85 》

5장 • 세브르 가 35번지 35 rue de Sèvres

Ⅰ. 공간과 수
Ⅱ. 식별
  (a) 산술적
  (b) 조성적(모듈러)
  (c) 조절선
Ⅲ. 건축 규격 단위
Ⅳ. 인간 가까이에
Ⅴ. 자유 예술

우리에게는 외계를 '설정'하는 두 가지 방법이 있다.

1. 수. 그로 인해 사물의 다양함이 얻어진다. 공감, 질서, 조화, 미, 등등. 간단히 말하면 모든 정신적인 것이.

2. 공간. 이것은 우리에게 '눕다'를 준다(바로 자고 있는 것).

공간적인 세계 속에 수적인 세계상이 투영된다. 우선 자연 그 자체에 의해, 그다음에는 인간에 의해, 그리고 특히 예술가들에 의해. 지상에서 우리의 임무는 일생 동안 바로 이 수에서 태어난 모습을 투영하는 데 있다고 할 수 있다. 그리고 당신들 예술가들은 가장 고상한 방향, 높은 윤리성의 작품을 실현하는 데 있는 것 같다. 도형과 수와 동시에 호소하는 것은 가능하기만 한 것이 아니라, 거기에 우리 인생의 진짜 목적이 있다.

안드레아스 쉬바이저

I

공간과 수

5장 머리말에 인용된 글은 수에 의해 생명을 불어 넣은 공간 형태의 프로젝트는 인류의 숙명이라고 말했다.

모듈러의 연구에 대해 전 세계에 공개된 한계의 하나로 보내온 쉬바이저의 의견은 나에게 어떤 감격을 일으켰다.

이 책은 1945년에 쓴 『말로 표현할 수 없는 공간L'Espace Indicible』에 대한 인용에서 시작되었다.

> …… 거기에 잘 부합하는 현상이 발생하고, 그것은 수학처럼 정확해서 바로 조형적인 음향 효과가 나타난다.
>
> …… 이 4차원 세계(여기서도 몇 명이 말하듯이)는 조형적 수단이 특별하게 올바른 협화음이 됨으로써 얻어진 황홀경을 말하는 것 같다.
>
> …… 그것은 선택한 소재의 효과가 아니라, 이 모든 것의 비례가 결정한 승리이다. 그것은 작품의 형태이기도 하고, 예술가가 의식했든 하지 않았든 그 의도의 효과이다.
>
> 그러면, 깊이를 알 수 없는 심연이 열리고, 모든 벽들은 무너지고, 존재하는 모든 것은 사라지고, 뭐라 말할 수 없는 공간의 기적을 이룬다.

쉬바이저 박사는 1954년 6월 13일 편지에서 "내가 만들어낸 이상의 것이 내게 주어졌다."라고 말하고 있다. 루카 파치올리와 그의 '디비나 프로폴치오네Divine Proportione'(본서 77페이지)를 예로 들어 "당신이 거기서 이루어낸 것은 열네 번째의 효과를 나타냈습니다."라고 덧붙였다. 그리고 이를 수적인 정리로 증명하고 있다고 쓰고 있다.

1948년 출간된 『모듈러』 제1권 48페이지의 그림을 떠올려보자.

사실 그 당시에 나는 내가 무언가를 만들어냈다는 것을 깨닫지 못했다. 나는 인간을 극적인 상황의 중심으로 가져와서 그 팔다리가 공간을 차지하는 모습을 나타나도록 하고 명치에 3단계의 실마리를 두었다. 그 3단계는 일련의 황금 급수를 만들어냈는 데 이것은 피보나치의 급수(나는 그 이름도 몰랐다.)로 판명되었다. 그러나 조소가이고, 창조적 예술가이며 조화와 형태에 관심이 많은 사람인 내 손에 의해 수학적 관계는 저절로 조화 있는 나선으로 구상화되고 이상적인 조개껍질 모양이 된다. 내 발명품이 들어온 곳은 그것이 화물선 베르농 S 후드 위에서이며 그것은 결코 과학적인 성격의 것이 아니라 형태를 갖고 시적인 것에 열정을 쏟은 직감적인 생산물이었다.

여기까지 이어져온 것은 앞으로도 계속될 것이며, 나에 관해 또 모듈러에 관해 이 일방통행에서 벗어나는 일은 없을 것이다.

세브르Sèvres 가 35번지 내 아틀리에에서 벌써 32년간 일을 하고 있지만 한 번도 딱딱한 대지로 던져진 적은 없었다.

30년 동안 그곳에서 도면을 그리면서 도시, 침실, 궁궐, 노동자 주택, 주거 단위 등을 만들었다. 어느 때에는 그 연구가 건축으로서 겨우 멋진 꽃이 되었다고 생각하였다. 그리고 혼돈의 시대로부터 벗어나는 데 도움이 될까 하고 생각했고, 곶cape을 돌아 항해했다. 1946년부터 1947년까지 나는 뉴욕 유엔 건물을 계획했다. 그리고 1952~1954년에 파리의 유네스코 회관을 세우는 데 참여했다. 그들은 이스트 리버East River에서 엄격함rigour, 미적인 지원support of poetry, 성실함integrity, 건축가의 기본 자질을 가지고 우리 시대에 불을 밝힐 수 있을 것 같은 400m와 150m 부지에 높이 200m의 거대한 공간에 건립되는 건물에 나의 의견을 반영하지 않았다. 그 건물은 모듈러 없이 만들어졌고, 또 뉴욕의 혹독한 기후 아래 있는데도 햇빛 가리개 없이 만들어졌다. 내가 거기에 참가했다는 것을 말하지 않게 하기 위한 것처럼 말이다. 파리에서는 유네스코 회관을 위해 다른 건축가들이 임명되었다. 우수한 건축가 다섯 명의 위원(나도 그중에 한 명에 들어가오니 용서해주시길)[12]이 고문으로 임명되었다. 그곳에서는 모듈러에 관해 위원회의 동료들에게도 (신중함을 이유로) 다시 작업하는 건축가들에게도 한마디도 하지 못했다. 결국 모듈러는 '르 꼬르뷔지에의 일'이다. 그것은 창조라는 임무를 받은 사람이 꾸는 꿈을 속박해버릴 가능성이 있다. 개인적인 관점에서 어떤 임의의 것을 강요할 가능성이 있으며, 또 그 자리에 불려나간 창조의 여신의 날개를 잘라버릴 우려도 있다. 공간과 수는 예술가의 개성을 침해할지도 모른다. 게다가 이처럼 높은 곳에서 그것은 단지 속된 상업적 광고일 뿐이며, 이처럼 높은 곳으로 들어오지 못하게 할지도 모른다.

그러나 유네스코 회관 건립에 내가 적극적으로 참여하는 것을 국무부 측에서 세 번째 반대한 다음날, 파리의 미국 대사 디론Dillon은 공식행사의 연설에서 나에게 가장 최고의 가장 유일한 미국 예술가 단체라는 화려한 이름으로 명예상을 주었다.

일반적 양심의 단계에서 인간 세계의 일은 그렇게 지나간다. 그것에 놀라는 것은 조금이라도 지혜가 있다는 것이고, 이것은 다시 나에게 좋지 않은 상황을 만들었다.

[12] Walter Gropius, Lucio Costa, Markelius, Rogers, Le Corbusier.

II
식별

(a) 산술적
(b) 조성적(모듈러)
(c) 기하학적(조절선)

(a) 산술적 : 산술은 머릿속의 아주 간단한 조작에 따라 이루어진다. 2+2는 4이다. 이것은 명백하고 알기 쉽다.(나는 여기서 보인다고는 말하지 않았다.)

(b) 조성적 : 라루스Larousse 사전에 따르면 한 작품의 부분 또는 신체의 부분을 연결하는 방법과 배열하는 방법, 신체의 부분 방식이다.

* * * * *

여기에 찬디가르의 계획안이 있다. 제1단계 계획은 15만 주민에게 공급되는 것이다.

거기에 각 변이 800m×1200m인 17지구sector가 있다.(《그림 86》 왼쪽). 지구(섹터)의 발명은 1950년의 보고타Bogota 도시계획안《그림 87 오른쪽과 87(a)》, 또 1929~1939년 부에노스아이레스의 계획안(점령 시대에 만들어진 스페인 광장 또는 쿠아드라스cuadras의 재편성으로 현대의 교통 문제를 해결하려 했다.)까지 거슬러 올라간다.

800m×1,200m는 계획에 명시된 여러 밀도에 따라 5,000명, 1만 명, 1만 5,000명, 2만 명 등의 컨테이너가 된다. 이것은 한 구획의 넓이이며, 간단한 비례에 따라서 산술적으로 구획된다. 《그림 89》는 산술적인 풍부한 조합을 나타내고, 고속 교통 시스템이 각 지구의

주변을 둘러싼 400m마다 정거장을 정하고 있다. 이러한 정거장은 섹터의 모서리(角)에 있는 것이 아니라, 원하는 광장과 연결되는 효과가 있다. 산술은 여기에서 도시계획에 현명하고 실용적인 형태를 준다. 눈으로는 400m 거리를 붙잡지 못할지도 모르지만, 머리는 400m, 200m, 또는 그 배수인 800m, 1,200m 등을 느끼고 거기에 시간 개념이 자동적으로 도입된다.

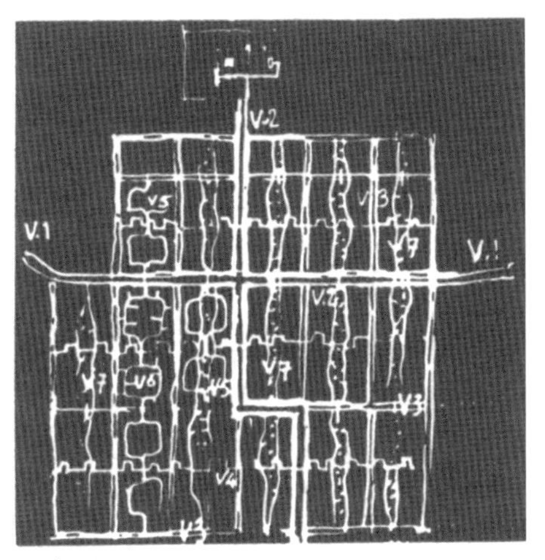

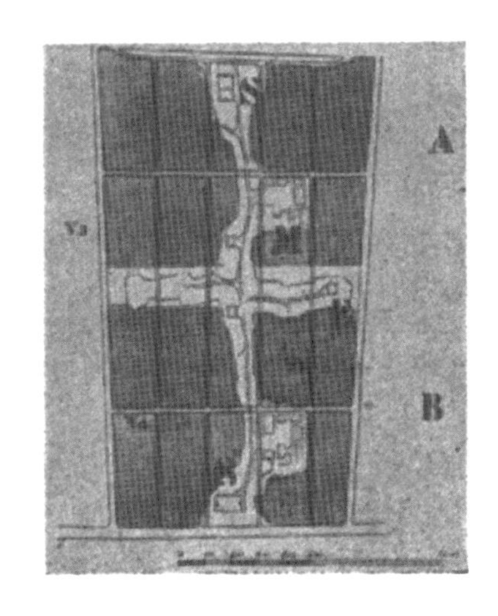

《 그림 87 》

찬디가르의 캐피톨Capitol의 위상을 위해서도, 산술적인 것이 이용된다. 찬디가르의 캐피톨은 새롭게 건설되는 정부의 중심부이다. 거기에는 새로 만들 공원 안에(해자의 형태 안에 접근로를 두어 차량으로부터 따로 떼어놓음) 의회, 합동청사, 재판소, 그리고 총독관저가 놓인다. 이 공원은(당연히 마을 전체가 그렇듯이) 농업지대에 아주 자유롭게 만들어졌다. 그렇지만

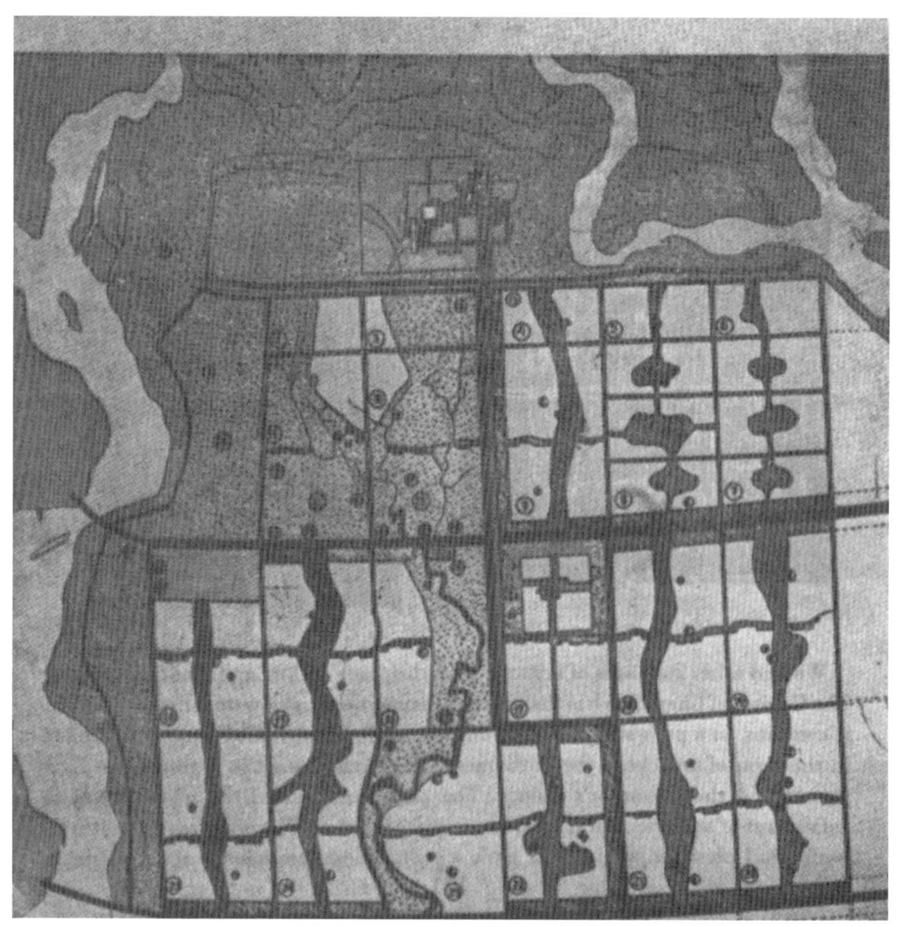

（그림 88）

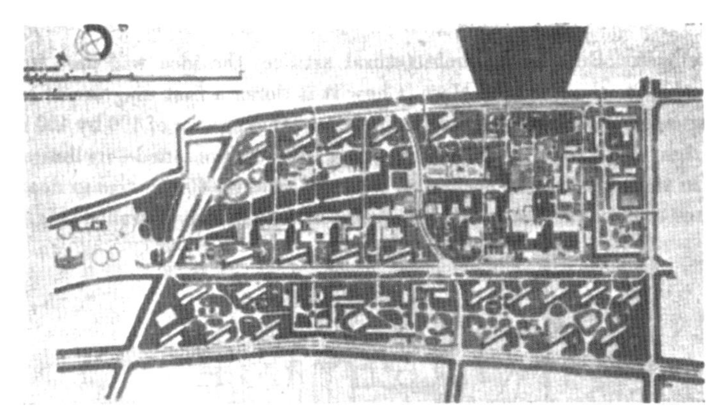

《 그림 87 (a) 》

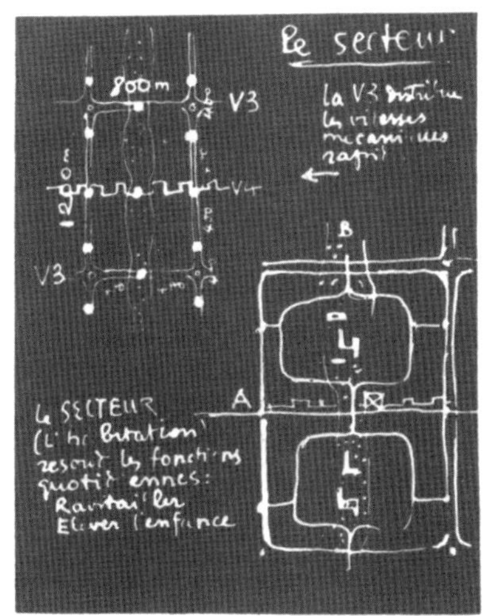

《 그림 89 》

이 공원을 기하학적 형태로 배치하는 것은 자연스럽고 유용하고 유쾌한 일이며, 또 다시 매우 뚜렷하고 지혜로운 일이다. 그러나 건축적 고안에 따라 아이디어는 생각할 수 있음에서 바라볼 수 있음으로 바뀐다. 그 방법은 이렇다. 우선 800m의 정방형을 두 개 쓴다. 그 왼쪽의 정방형에, 한 변 400m의 정방형을 넣는다. 그 오른쪽은 800m의 정방형의 끝이지만, 대부분은 강에 의해 침식된 곳에 넣어버렸다. 그렇지만 새롭게 만들어진 400m의 정방형은 상대측의 것으로 이미 설치된 400m에 이어진다.《그림 90》

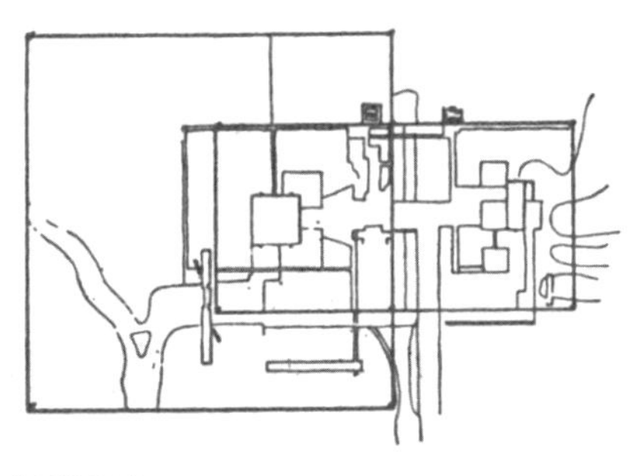

《 그림 90 》

우리는 지금 벌판 안에 있다. 북쪽에는 히말라야 산맥이 거대한 풍경으로 자리하고 있다. 아무리 작은 건물도 여기에서는 강렬하게 나타난다. 공공용 건물은 크기와 높이의 엄격한 비례 속에 사로 결합되어 있다. 마음의 기쁨을 위해 오벨리스크를 세움으로 기본적 산수를 증명하기로 결정했다. 첫 번째군은 800m 사방의 정방형으로, 두 번째로 400m 사방의 정방형으로 표시해둔다. 첫 번째 것은 시골에 세워지고, 두 번째 것은 건물 근처에 세워져 건축군의 구성에 참여한다(나머지는 '오벨리스크'라는 말의 의미뿐이다).

공공용 건물(또는 대규모 공공건물)을 어디에 배치할 것인지 결정할 때 시각적인 문제가 무엇보다 결정적이다. 8m 높이의 장대를 만들어 흰색과 검정색을 번갈아 칠하고 흰 깃발을 단다. 흰 깃발을 그 앞에 붙인다. 그리고 우선 부지 선정 제1안을 상정했다. 공공건물 모퉁이에 이 흑백의 기둥이 세웠다. 그러나 이렇게 해놓고보니 건물 사이의 간격이 너무 넓다는 것을 깨달았다. 광활한 토지에서 예상치 못한 불안과 번민 속에 결정을 해야 했다. 비통한 자문자답. 나는 혼자서 평가하고 결정해야 했다. 이제 이성의 문제가 아니다. 감각의 문제이다. 찬디가르는 사법관과 영주나 왕의 마을처럼 성벽을 둘러치고, 이웃이 겹쳐져 있는 듯한 거리는 아니다. 평야를 점거해야 했다. 기하학적인 조작이 참으로 지적인 조각인 것이다. 손 안에는 이를 시험할 점토도 없었다. 축소 모형은 진짜가 아니기 때문에 결정하는데 도움이 되지 못했다. 그것은 건물이 완성됐을 때 결실을 맺을 수 있는 긴장이고, 자연 속의 수학이었다. 정확한 위치. 정확한 거리. 그 평가. 분류, 우리는 서로 가까이에 있는 장대를 가져왔다. 그것은 머릿속에서 공간의 전쟁과 같은 것이었다. 산술적, 조성적, 기하학적, 그러한 모든 것은 완성되었을 때에 나타난다. 지금은 햇볕에 타들어 가는 들판을 황소, 암소와 산양들이 농부들에 이끌려 다닐 뿐이다.

* * * * *

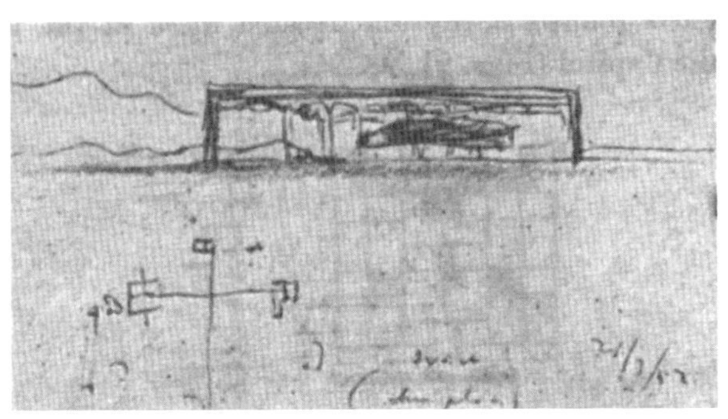

《 그림 91 》

대법원 건물은 부가적인 요소, 법원 여덟 개와 대법원 하나로 진행되었다. 풍향prevailing wind, 태양(또는 그늘)이 건물의 위치를(당연히 도시 전체도 그렇지만) 결정했다. 연속적인 법원들은 캐피톨의 최초 구성에서 결정된 리듬에 따랐다.《그림 91, 92, 95》

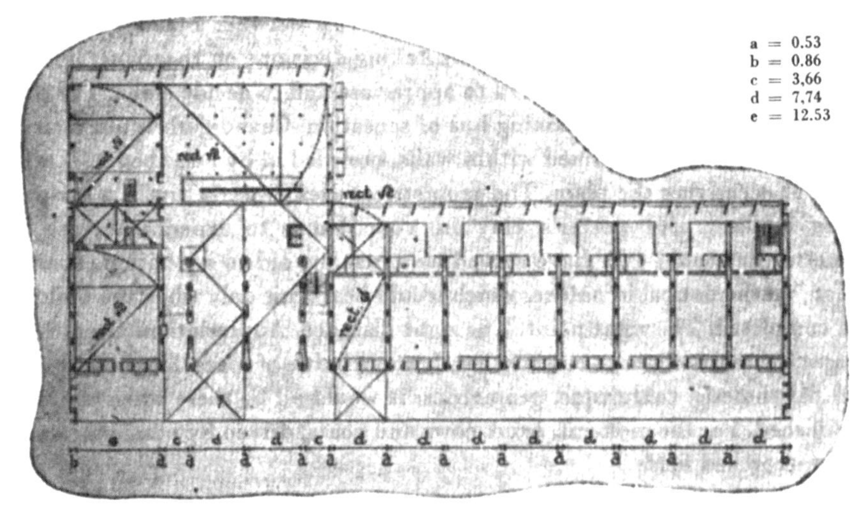

《 그림 92 》

대법원과 다른 법정의 치수 결정은 우선 산술적으로 이뤄졌는데, 이는 각 부가 각각 조형적인 단위를 이루도록 생각했기 때문이다. 높이, 폭, 깊이는 8×8×12m는 작은 법정, 12×12×18m는 대법정을 기본 전제로 하였다. 그렇지만 창문 비율과 햇빛가리개를 정할 때 당연히 모듈러가 적용되었다. 산술적인 것과 조성적인 것 사이에는 당연히 '잔여부분residues'이 나오지만 그것은 통상 다시 어딘가에 흡수되고 만다.《그림 93, 97》

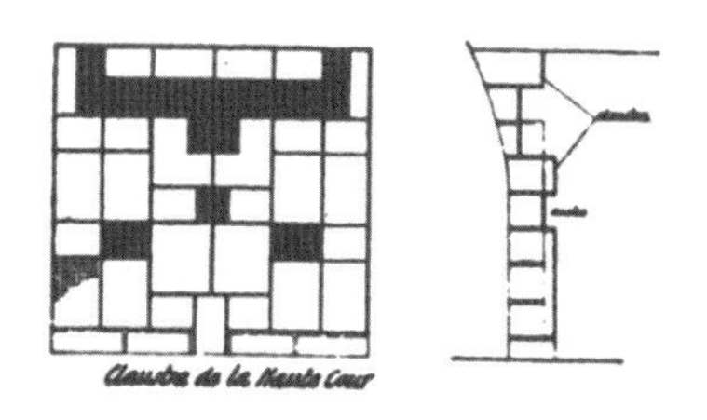

《 그림 93 》

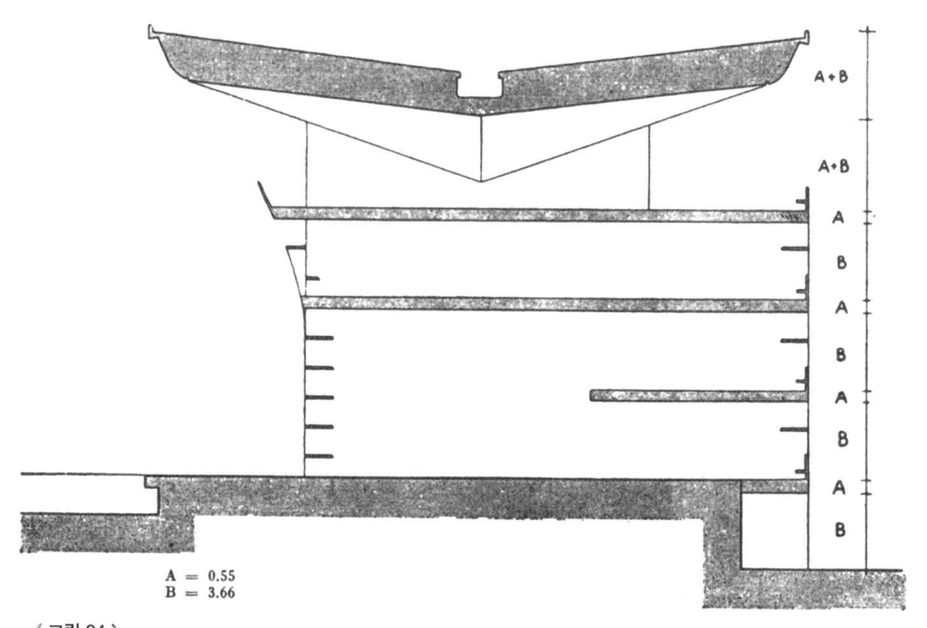

《 그림 94 》

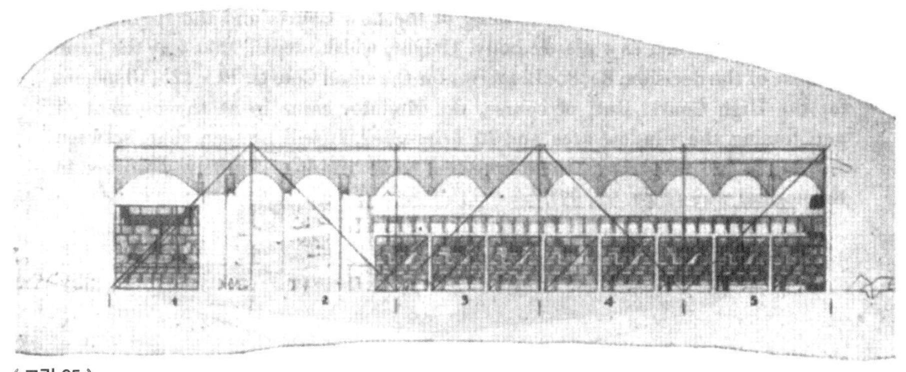

《 그림 95 》

사무실이나 법정에 햇빛을 피하기 위한 장소를 갖고 있는 건물의 일반 단면에서 보듯이, 모듈러는 모든 장소의 구조적 통일성을 가져다준다.

정면의 설계도에서, 모듈러(조성적)는 이미 골조(산술적)가 갖추어진 공간 속에 빨강색과 파랑색의 계열이 적용되었을 것이다.《그림 95, 97》

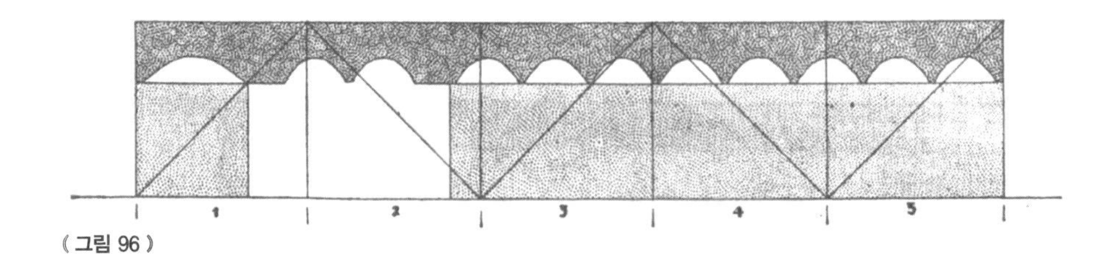

《 그림 96 》

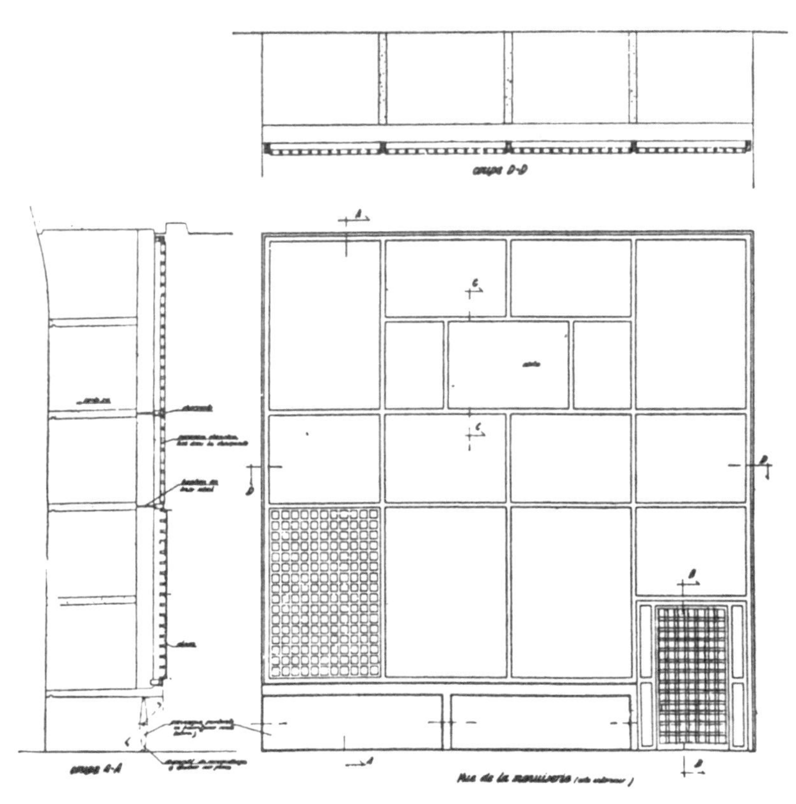

(그림 97)

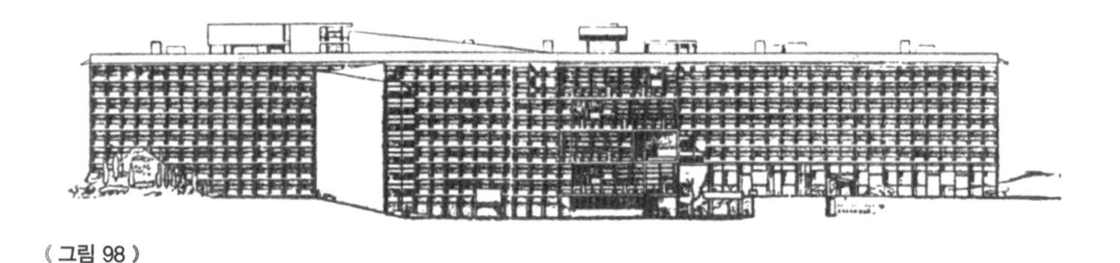

《 그림 98 》

합동청사 건물은 길이 280m, 높이 35m로 3,000명 이상의 관리를 수용한다.《그림 98》

제1단계는 골조의 단위를 정할 모듈러의 채용과 선정이었다. 그 골조(철근 콘크리트의 수직 벽)는 간격 3.66+0.43m로 만들어진다. 63개의 주랑portico과 252개의 기둥들이 들어섰다. 《그림 99》

사무국의 높이는 위생적인 건설을 가능하게 하고 충분한 배관설비와 통로를 허용할 것이다.

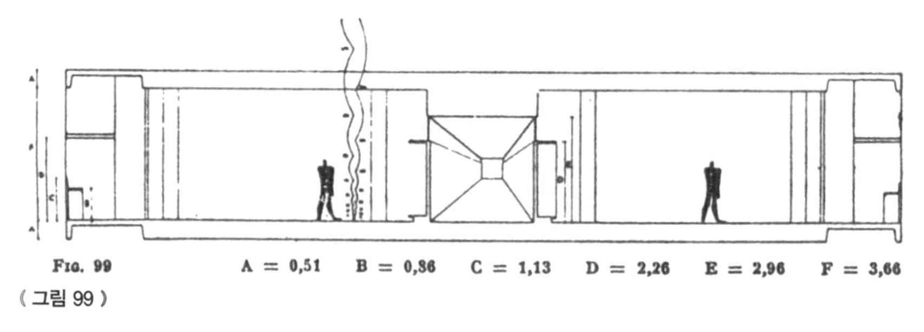

《 그림 99 》

그렇지만 이 일곱 개의 부서가 들어가는 부속건물의 종단면은 높이를 두 배(모듈러)로 함으로써 커보이게 된다.《그림 100》

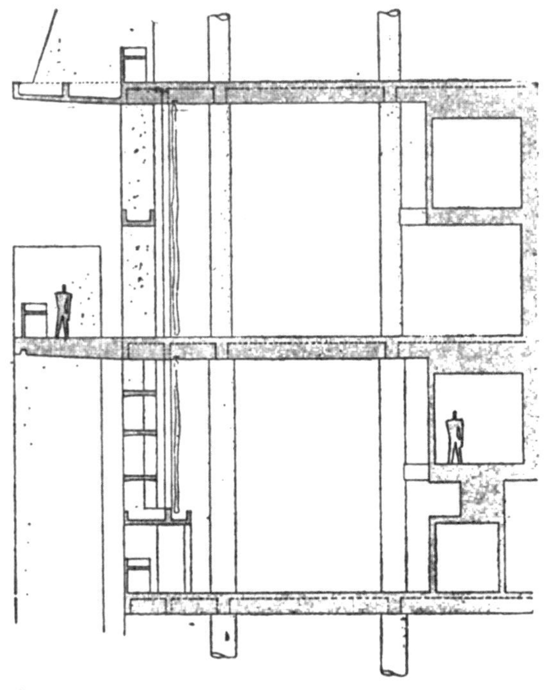

《 그림 100 》

* * * * *

총독관저가 캐피톨의 화룡정점이다. 도면은, 그 윤곽은 주어진 엄격한 조건의 산물이지만, 자유로운 상상으로 해석된 것이다.

1951~1953년, 이 3년 동안 계획은 발전하고 구체화되었다.

그런데 1954년에 위기가 찾아왔다. 예산이 너무 초과되고 있다. 도대체 무슨 일이 벌어진 것인가?

우리는 모듈러 계열의 맞물림에 사로잡혀 우리의 손가락을 물어버렸다. 도면은 이미 채택되었고, 높이와 폭 기타 모든 것이 재검토되었고, 언제부터인가(이것은 총독을 위한 것이니까) 모듈러의 가장 큰 치수를 채택하는 쪽으로 유도되었다. 훌륭한 일이다. 크기는 예전 것의 두 배가 되었고 관저의 크기는 너무 균형이 맞지 않았다.

우리는 거인의 크기로 지었다.

모든 것을 다시 고려했다. 모듈러는 더 낮은 그러나 충분한 수치에 해당하는 것을 선택하여 건물의 규모를 절반으로 줄이고 다시 인간적인 척도로 되돌렸다. 우리는 가까스로 살아났다. 완성된 작업계획은, 이렇게 총독관저도 인간의 집으로 다시 되돌려 놓았다.《그림 101》

* * * * *

몇몇 건물 속에 작품의 기하학은 모듈러의 훌륭한 조화 속에 아로 새겨져 있다. 그러나 기준선에 따라 중요한 부분의 치수 결정은 가능하다. 대법원의 라인은 정사각형, 두 배의 정사각형, 파이(Φ)를 이용한 직사각형과 루트2의 직사각형으로 만들어 간단하다. 모든 것은 물론 모험이 적절하게 움직이고 판단해 나간다는 조건 하에 조화롭게 맞물릴 것이다.《그림 92, 95, 96》

* * * * *

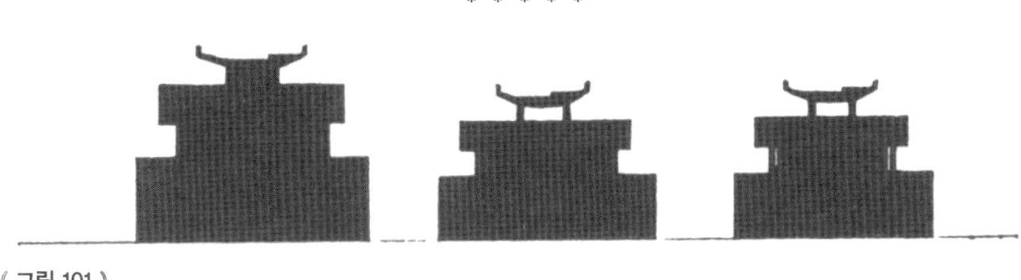

《 그림 101 》

* * * * *

독자는 이상과 같이 산술적 관계와 모듈러의 조성적 풍요로움, 그리고 기준선의 동시성 synchronism을 목격했다.《그림 103 (a)와 (b)》

마지막으로 이 교향곡의 배증doubling이, 잘 배치된 수경mirror of water에서 행해진다. 1955년 3월 20일 네루Nehru에 의한 대법원 낙성식 다음날, 석양이 질 때 우리가 의도한 것이 상상 이상으로 실현되었다. 그날 예정된 세 개 연못 중에서 하나만이 실현되고 있었지만, 새로운 건축 모습이 이론대로 명확함으로 나타났다. 정말 절대적인 모습으로.《그림 102》 스케치가 그 모습을 나타내고 있다. 산들바람에 나부끼고 바람이 부는 대로 훌륭한 모습은 나타났다 사라지고는 했다.

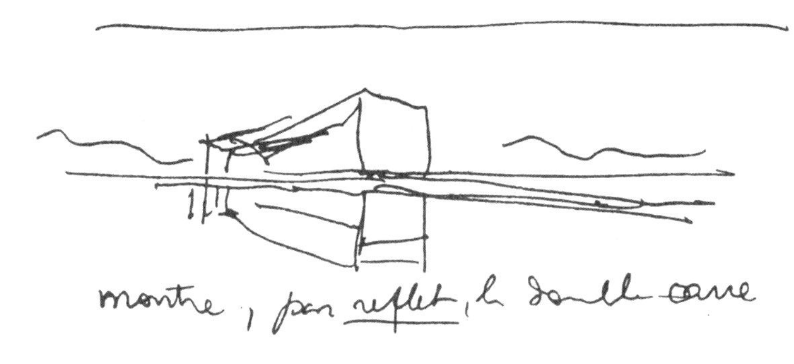

《 그림 102 》

《 그림 103 (a) 》

《 그림 103 (b) 》

음악은 이어진다. …… 앞으로는 우리가 가는 곳마다 어디까지나 함께해줄 것이다.

아메다밧드의 미술관Museum of Ahmedabad

1931년에 《카에이 달*Cahiers d'Art*》지 때문에, 창이 없는 사각형, 나선형의 무한 발전하는 형태의 미술관을 만들었다. 나는 작은 술집에서 슈세프Schussef를 만났다. 그는 모스크바 정부에서 파견되어 파리 국립미술관의 계획을 준비하느라 미술관에 와 있었다. 그의 생각은 상식적인 것 같았다. 나는 그보다 그렇지 않기 때문에 메뉴판 뒷면에, 전면 등이 없는 현대 미술관을 즉흥적으로 그렸다. 파리 교외의 어딘가 감자밭이 있고, 그 옆에 국도가 통하고 있는 곳(또 다른 곳에)이다.《그림 104》[13]

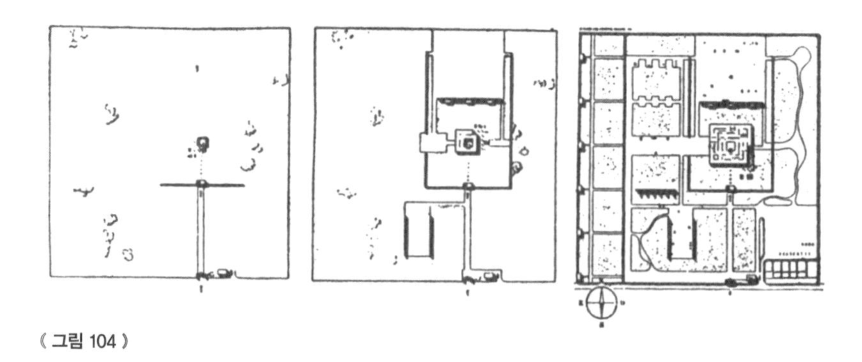

《 그림 104 》

[13] 기르베르지에 편,「르 꼬르뷔지에(le Corbusier's) 작품집」제2권, 1931년, 72페이지 참조.

세월과 함께 이 생각은 명확해지고 마침내 '지식의 박물관Museum for Knowledge'이라는 이름을 얻었다. 온갖 시각적인 방법을 사용하여 설명하거나 증명하는 도구가 되어, 마치 도시 가스 공장과 발전소 같은 것으로 되었다. 하나의 사회적인 집단, 도시, 지방은 중앙의 기둥에서 시작하여, 그 주위에 폭 7m의 네모난 나선을 감아 돌도록 하는 도구를 획득하였다. 그때부터 필요 혹은 여유에 따라 지어졌으며 또 계속 늘리는 방법도 가능하다. 입구는 그 한가운데 아래에 있다. 거기에는 필로티(기존 또는 미래의 것들)를 통해 도달한다. 필로티는 대단히 유효하게, 그때마다 저장 공간이 된다. 이렇게 전면이 없는 미술관이 된다. 그것은 거꾸로 된 세계가 아닌가? 그런 것에 신경 쓸 필요가 없다.

1939년, 북아프리카에 있는 필립빌Philippeville(Skikda의 옛이름)의 마을을 위한 계획이 세워졌다. 전쟁이 시작됐다. 국제미술관 사무국은 이 계획안을 본질적인 기여라고 인정하여 그 기관지 《무제이온*Mouseion*》에 발표했다. 모든 기둥은 동일하며, 칸막이나무transom는 어느 것이나 7m 정도로 같은 길이이고 대들보도 마찬가지이다. 임시 외벽은 큰 수직의 가동성 있는 시멘트 콘크리트판으로 만들어진다. 천장은 규격 부재로 자연채광과 전기조명을 결합했다. 기호의 비례에 따라 전체는 생동감 있게 되었다. 훌륭한 모형이 만들어졌다. 이 모형을 '해외 프랑스' 전시회를 위해 '그랑 팔레Grand Palais'에 출품했지만, 1940년에 큰 변고가 있었다. 1954년에 나는 히말라야 기슭의 찬디가르에서, 난로 옆에 (열대에서 정월) 앉아 피에르 장누레Pierre Jeanneret로부터 그것이 아직도 그르노블Grenoble의 미술관에 조용히 잠들어 있는 것을 알게 되었다.

1951년 인도의 목화방적업의 중심지 안 아메다밧드Ahmedabald 의회가 '지식의 박물관 Museum fo Knowledge'이라고 불리는 건물의 계획을 내게 의뢰해왔다. 거기에서는 시민들에게 그들이 과거에 어떤 것을 했는지, 어떤 사람이었는지, 지금은 무엇을 하고 있는지, 내일 어떤 일이 가능한지를 보여주는 것이 계획되었다. 아메다밧드의 기후는 혹독해서 여러 가지 예방이 필요했다.

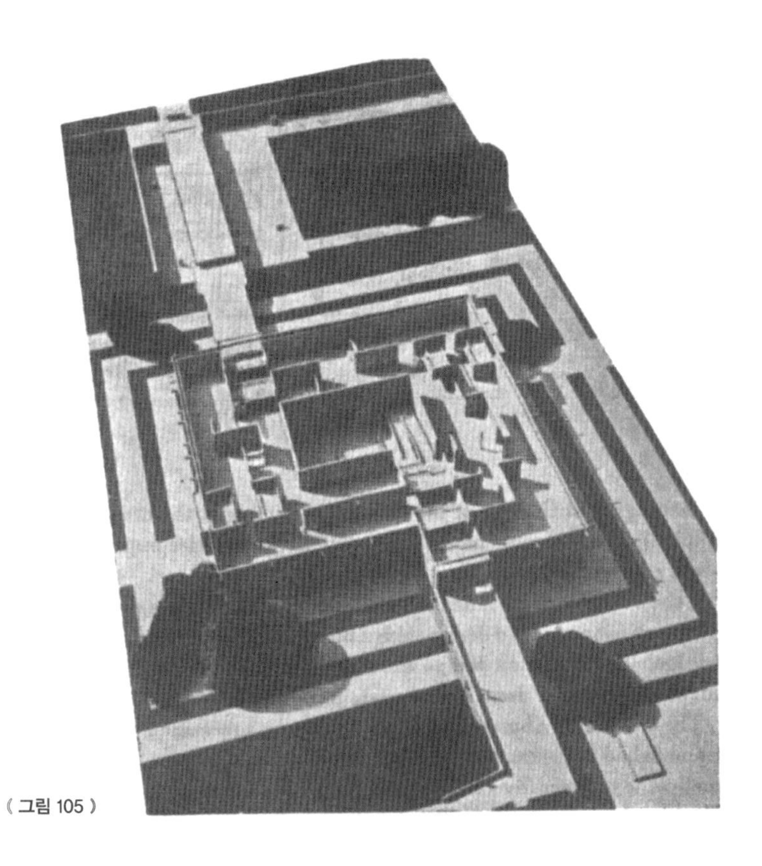

《 그림 105 》

아메다밧드의 박물관 또한 여러 가지 구성 요소를 동시에 고려했다. 산술적으로는 7m×7m의 정방형을 바탕으로 한 나선.

생물적으로(건축적으로), 이 나선의 발전으로 표현된다. 그러나 나선은 연속하는 각에 깨지고, 이른바 인간의 태도가 연속성이 아니라 교체에 따라 지배되고, 그것에 부합할 것처럼 되었다.

도형적으로는 정사각형이 지배한다.

조성적으로는 모듈러에 의해 규격화된 요소에 따라 내부의 가동성과 무한의 확장을 가져오는 것을 가능하게 한다.

이리하여 생긴 것은 차례차례로 변천하는 무수한 건축적 모습이 된다. 조화.《그림 106, 107, 108, 109》

건축, 규격, 단위!

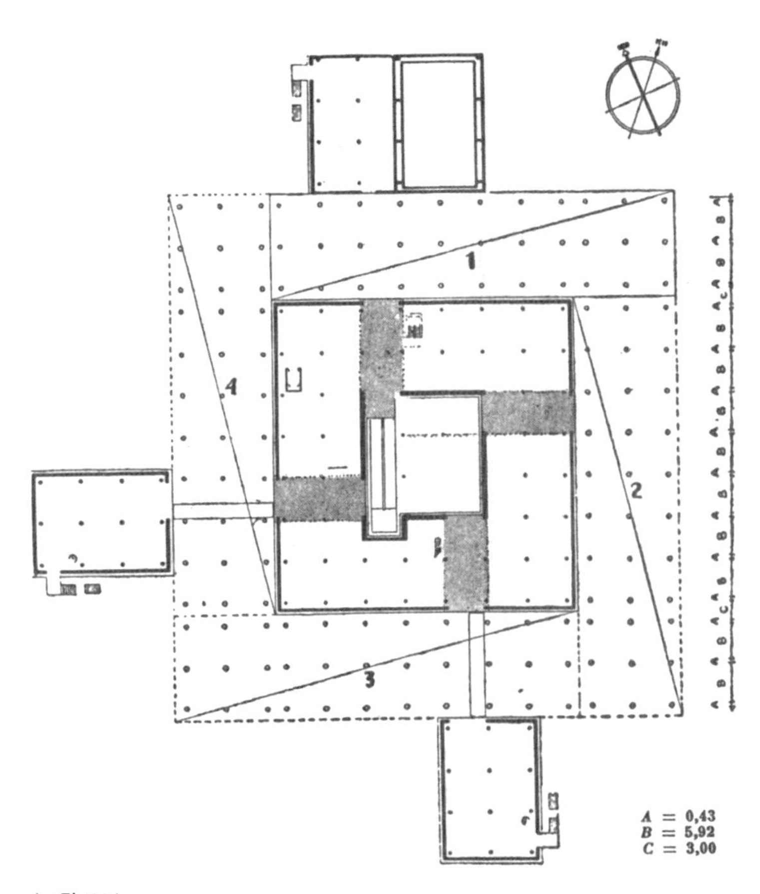

《 그림 106 》

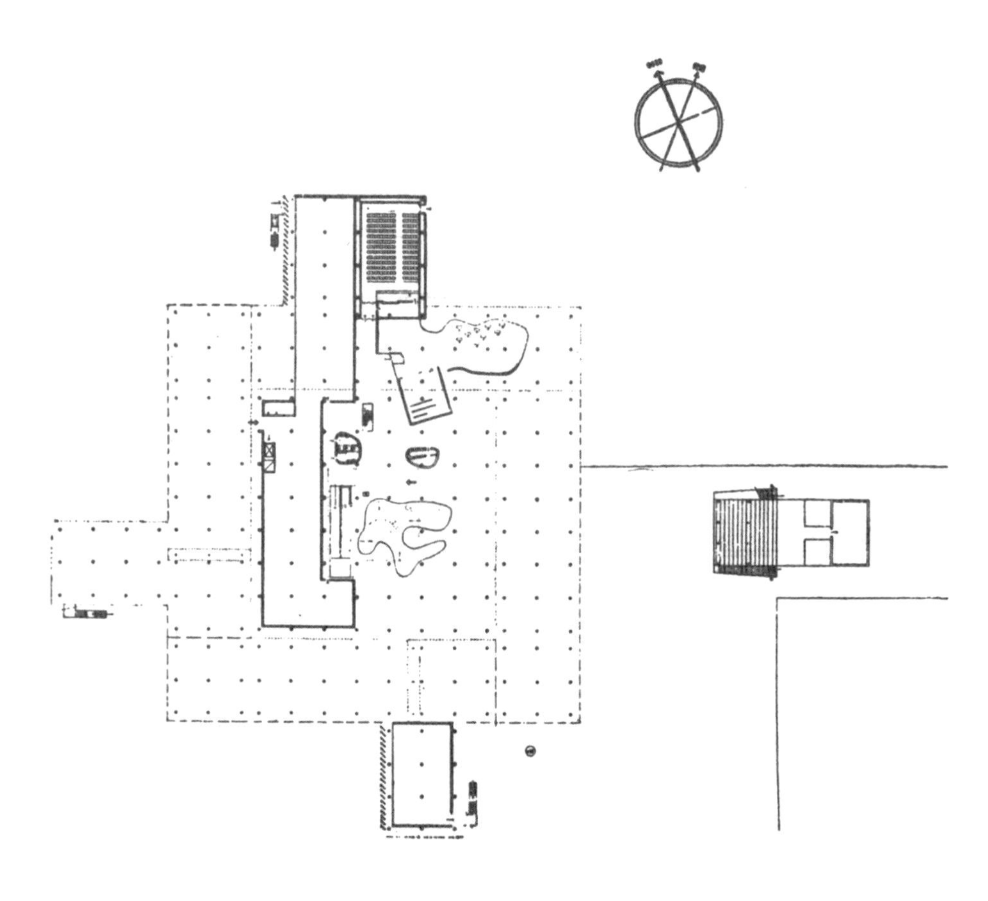

《 그림 107 》

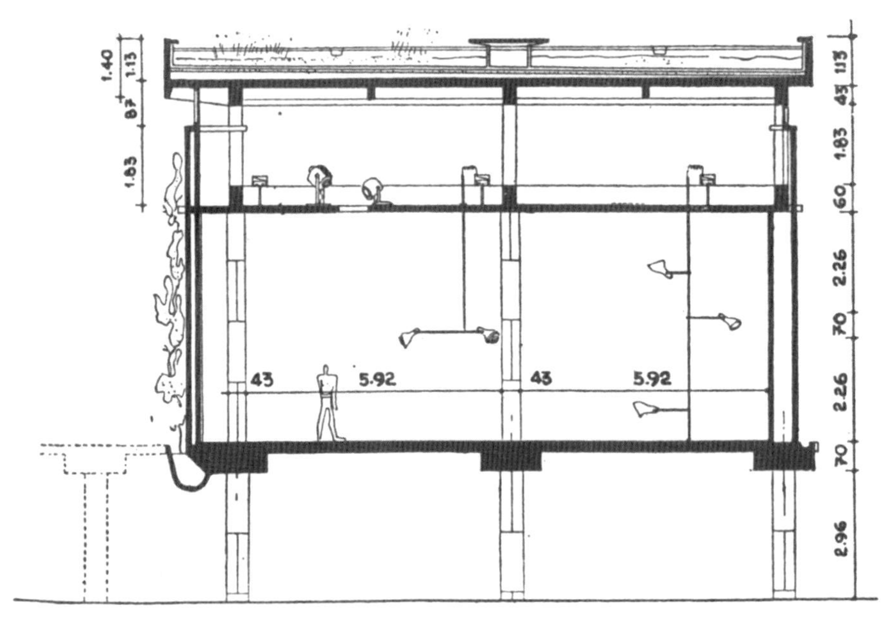

(그림 108)

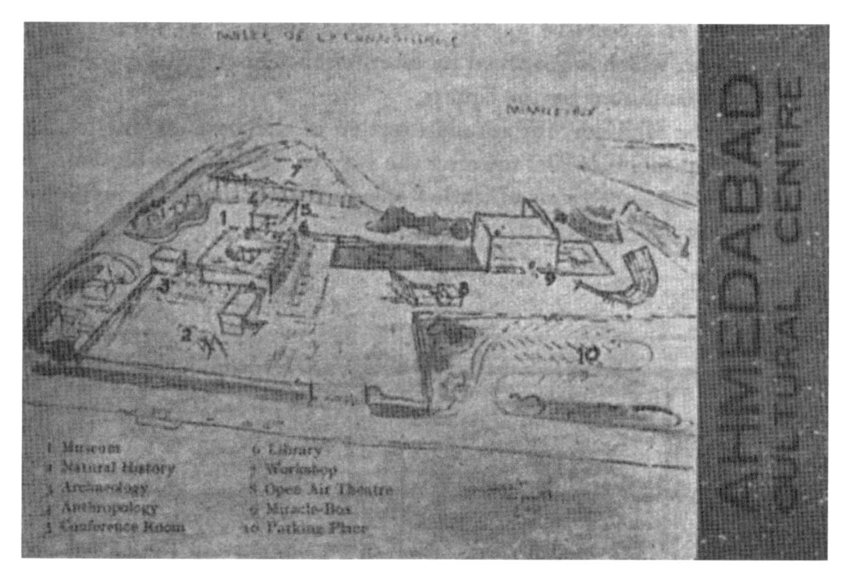

《 그림 109 》
아메다밧드Ahmedabald 미술관의 최초 계획안 「르 꼬르뷔지에Le Corbusier's 작품집」 제5권 161페이지에 있다.

* * * * *

마르세유의 주거 단위The Unité d'Habitation at Marseilles

여기서는 이 거대한 건물의 무한한 미와 시적인 감성을 낳는 건축적 사실 자체에 대해서 말하지 않고 몇몇 부분을 보려 한다.

1948년 『모듈러』 1권에 마르세유의 주거 단위에 대한 자료가 수록되어 있는데, 그 무렵에 건축이 시작되었다. 여기에 임의로 촬영한 골조의 사진이 있다. 여기 사진에 찍힌 대

《 그림 110 》
이 사진은 일부러 옆으로 되어 있다. 용도를 벗어나도 각 요소 사이에 조화가 있는 것을 나타내기 위해서다.

들보와 기둥은 철근 콘크리트 또는 형강 알루미늄의 구부린 판자의 작은 대들보를 조합한 것, 구멍 뚫린 콘크리트에 의한 난간 등이다. 현장에서는 지금 한창 진행 중이다. 그곳 분위기는 시종일관 균형 잡힌, 우호적인 관계로 존재해 서로 영향을 끼치며 형태는 다음의 형태로, 면은 다음 면으로, 선은 다음의 선으로 위에서 아래까지 연결되어 있다. 이것이 마르세유 주거 단위의 승리이다. 그 내부적 구조는 현장을 찾는 모든 사람들에게 정확함이 낳은 결실로 조화를 느끼게 하여, 그것에 의해 힘을 받고 격려를 받는다. 공사 도중에 막힘도 없었고, 방해가 되는 벽도, 잘못도, 불필요한 부분도 없었다. 모든 것을 고려해놓았다. 모든 것이 거기에 있었다.《그림 110, 111》

부주의한 작업 기사의 제멋대로의 행동으로 두 개의 예외가 생겼다. 원인을 간파할 수 있는 사람이라면 누구라도 미관을 해친다고 볼 수 있는 그것은 기준 외의 비례로 나눈 창틀과 이질적인 단위로 만들어진 콘크리트 블록이다. 그때 나는 뉴욕에서 유엔의 계획에 몰두하고 있었다.《그림 112》 모듈러의 조화 속에서는 나올 수 없는 터무니없는 부조화는 너무 슬픈 일이어서 비탄에 잠겨있던 나는 외벽을 화려하고 짙은 색으로 칠하는 방법을 생각해냈다. 그 선명하기 짝이 없는 극채색으로 이 불협화음에서 떼어내 주요색 감각의 저항할 수 없는 분출로 가져가 버렸다. 이 실수만 없었다면, 마르세유의 외부를 극채색으로는 하지 않았을지도 모른다.《그림 113》

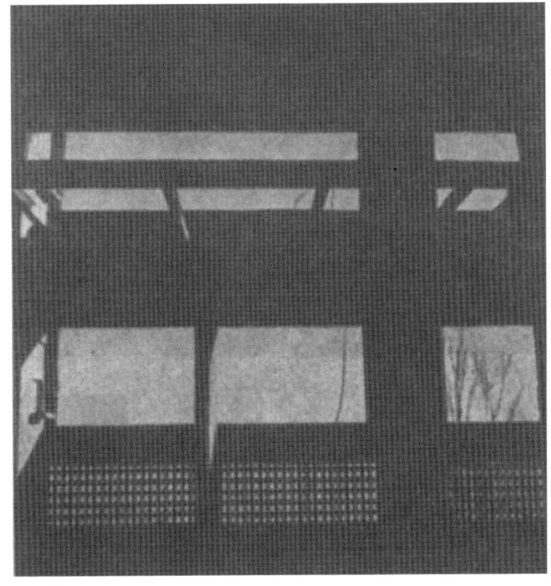
(그림 111)

낭트 루제Nantes-Rezé의 '주거 단위'는 이제 완성되어, 마르세유의 독창성을 더욱 확증해준다.

주거 단위의 최초의 독창성은 1948년 출간된 『모듈러』 제1권의 131페이지 《그림 50》에 나와 있다. 그것은 두 개의 개구부(유리 판넬), 즉 주택의 앞뒤에 두 개의 외벽을 만든 것이다. 하나는 크고, 하나는 작다. 이 두 개의 개구부가 하나의 집, 아파트 형태의 '가족 컨테이너'의 구분선이다. 1948년의 스케치는 그 후 건설 도중에 보완되었다. 이리하여 낭트 루제에서는 같은 과제를 실행했다. 이 모듈러는 지금 시대에 가족의 방을 나타내는 것으로 건축 속에 도입되고, 비뇰라Vignola의 제약으로부터 해방시켜 줄 것이다.《그림 114》

이러한 가족 모듈러들은 건물의 입면에 콘크리트 판으로서 가로대가 되거나 혹은 수직

《 그림 112 》

《 그림 113 》

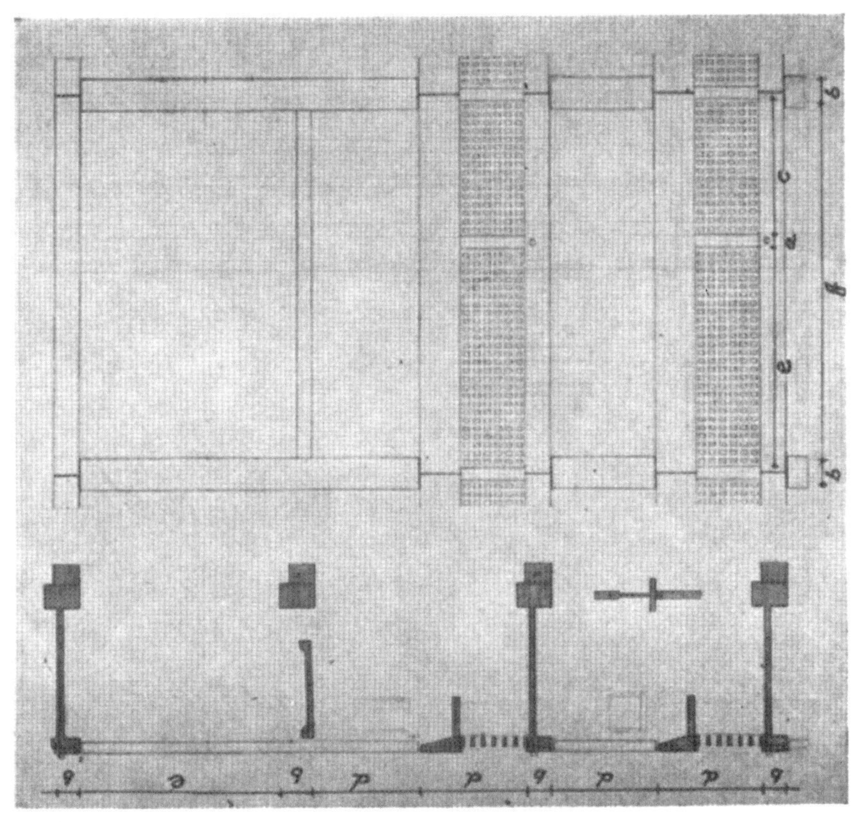

《 그림 114 》

$a = 0.13$
$b = 0.27$
$c = 1.40$

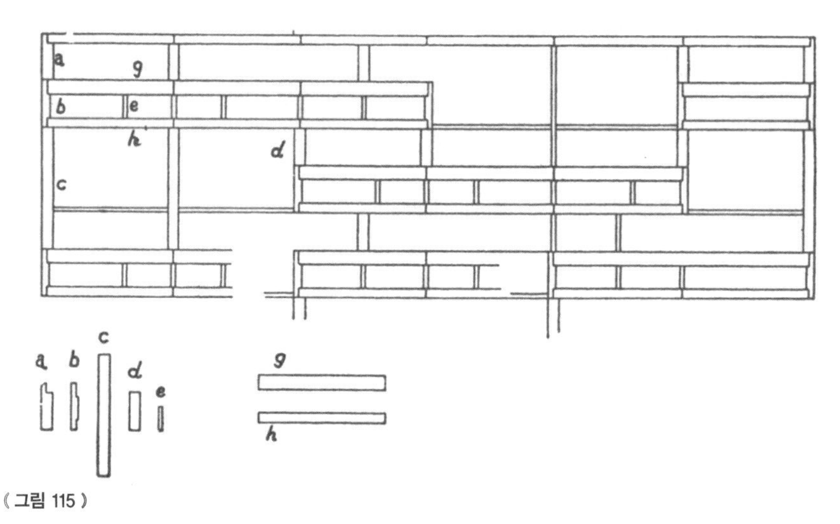

《 그림 115 》

기둥으로 표현된다. 그림에 제시된 것은 낭트 건물의 동쪽, 남쪽, 서쪽 세 개의 도면에 사용된 일곱 가지의 다른 형태의 판이며, 땅 위에서 조립되고 주조된 것이다. 이것이 규격품이다.

여기서 이어서 기록한다. 찬디가르의 캐피톨의 대형 건축물에는 인도의 치수에 따라 시공도를 고쳐야 했다(치수는 피트-인치). 우리가 파리에서 만든 도면에는 치수가 없었지만, 모듈러에 따라 치수를 결정했다. 우리가 그린 대형 건축물의 도면에는 언제나 치수가 기입되어 있지 않았지만, 찬디가르의 인도 건축가들이 사무소에서 자동으로 영국의 척도, 피트-인치의 '정수'에, '6피트의 모듈러'를 정확하게 다시 기입하고 있었다. 이것은 훌륭하고 간단하게 이루어졌다. 우리 도면은 인도인들(기사들과 건축가들)에게 인수되고 있다. 예를 들어 대법원 건물은 1951년에 연구되어, 현장에서 실수 없이 완벽하게 지금도 서 있다. 합동청사(일곱 개의 성을 포함) 건물도 마찬가지 방법으로 지금 공사 중이다. 모든 것은 잘되고 있다. 제도판 위에서, 현장에서, 연구실에서 혹은 기사들이 있는 곳에서, 파리에서도, 찬디가르에서도.

IV
인간 가까이에

1951년 12월 30일, 코트 다쥐르Côte d'Azur의 작은 '간이식당' 책상 끝에서 나는 아내의 생일선물로 보낼 작은 휴가용 집 또는 오두막 그림을 그리고 있었고, 그림 속의 집은 이듬해 파도가 치는 암벽 끝부분에 지었다.

(나의) 이 도면들은 45분 정도 만에 만들어졌다. 그것은 결정적이었다. 아무것도 바꾸지 않았다. 그 작은 집은 도면을 그대로 옮겨 지어졌다. 모듈러 덕분에 이를 추진하는 것이 매우 확실해졌다.《그림 116, 117, 118, 119, 120, 121, 122》

이런 그림을 고쳐, 독자는 스스로 모듈러적인 치수 결정이 확실함을 주고 게다가 자유로운 상상이 가능하게 함을 알 수 있을 것이다.

1954년 8월 29일, 색다른 경험을 다시 하게 됐다. 30분간 '간이식당' 주인 로베르를 위해 나는 여행객에게 임대할 5개 '캠핑 유니트'의 최종안을 그려 주었다(226×366). 그것은 공간적으로는 호화로운 선실의 쾌적함을 갖는 배치로 만들었다. 단 30분만에《그림 123, 124》!

1949년에 이미 코트 다쥐르의 토지를 잘 개발하는 것을 연구하고 있었다. 최근 이 토지는 아무 방침도 없는 건물에 의해 쓸쓸한 풍경이 되고 있었기 때문에, 나는 당시 획득한 특허를 이용하려고 생각하고 있었다. 그 특허는 226×226×226(전술의 《그림 66, 67》에 나타낸 것).[14]

문제의 핵심은 여기에 있다. 살 수 있는 세포적 공간을 실현하되 여기에서 확실함을 주고, 생리적으로나 정신적으로 쾌적함을 만들어내는 것이 기본이다. 이 살 수 있는 세포적 공간은 그 자체가 인간적인 척도의 기준을 제공하고, 무수한 조합을 가능하게 한다.

---

[14] 기르베르지에 편, 「르꼬르뷔지에(le Corbusier's) 작품집」 제5권, 73페이지 참조.

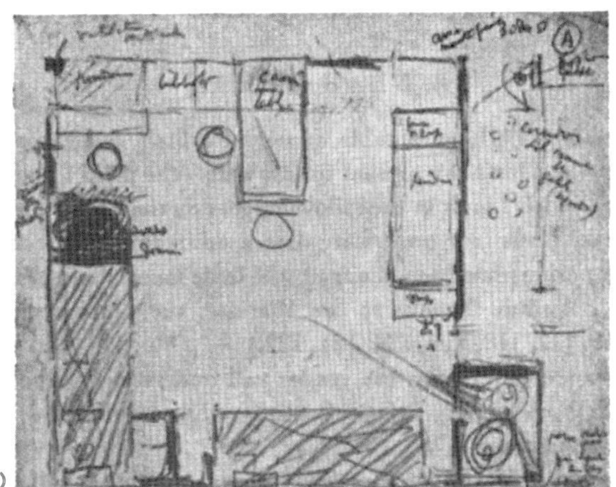

《 그림 116 》

《 그림 117 》

(그림 118)

(그림 119)

Q

《 그림 120 》

1954년 2월 8일, 나는 찬디가르에서 기록적인 속도로 도면상의 검토도 없이 단지 숫자를 말하는 것만으로 대법원 건물의 금도금을 한 놋쇠문의 구도를 결정하였다. 《그림 125》의 그림은 폭 3.66m, 높이 3.66m의 개구부를 나타내고 있다. 손잡이는 딱 좋은 높이에 있고, 문은 중앙을 축으로 회전하게 되어 있다. 높이는 모듈러에 따라서 3.66m로 정해져 있다. 폭은 모듈러의 몇 가지 치수를 더해 총 3.66m이다.《그림 125》

《 그림 121 》

〈 그림 122 〉

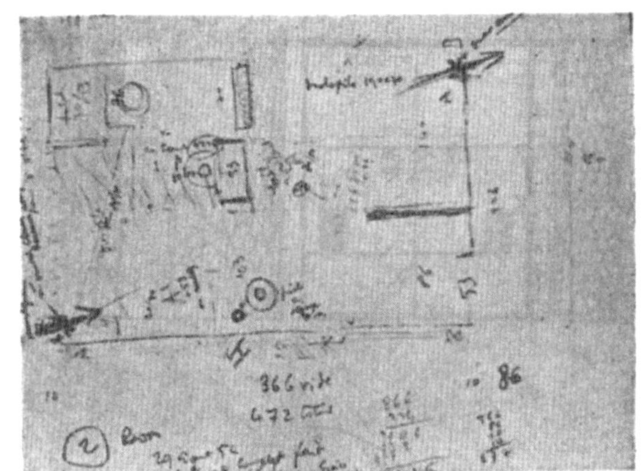

(그림 123)

(그림 124)

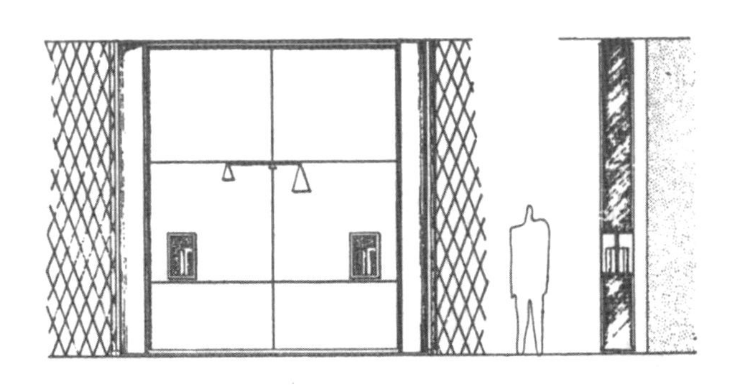

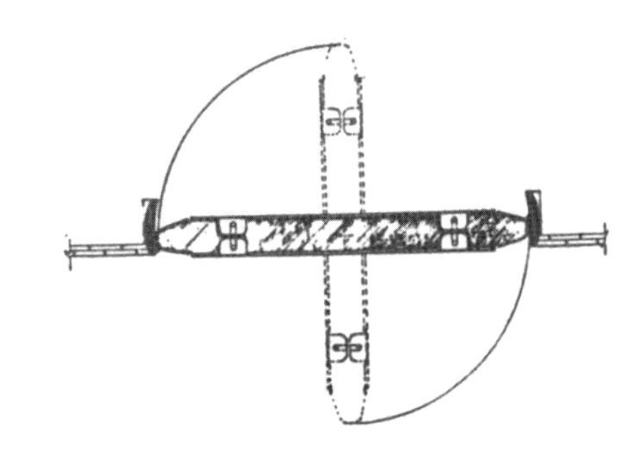

(그림 125)

33 - 7.8 - 2.4 - 16 - 2.4 - 33 - 2.4 - 86 | 86 - 2.4 - 33 - 2.4 - 16 - 2.4 - 7.8 - 33
33 10.2 139.8 | 139.8 10.2 33
183 | 183
366

V
자유 예술

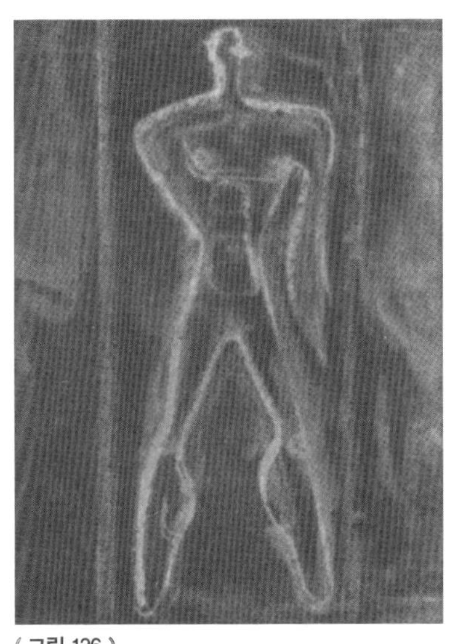
《그림 126》

모듈러의 형상을 콘크리트로 주조하기.
낭트 루제Nantes-Reze에 또 하나의 형상
롱샹 교회Ronchamp.
찬디가르의 펼친 손.
비인간적 전시실의 개조.

마르세유에서 모듈러의 형태를 확정했다. 그 준비는 1948년 초판『모듈러』에 설명되어 있다. 이것은《그림 126》연구실 흑색칠판에 그려진 그림(제1권《그림 56, 58》)이다. 실물 크기로 그린 그림과 목재로 만든 틀, 그리고 마침내 구체적인 것이 완성되었다.《그림 126, 127, 128, 129》

낭트 루제에도 이 창작의 메아리가 울린다. 이 계획은 실제 실행에서 조금 바뀌었다. 이 그림은 비례에 맞게 재구성하여, 지금 승강기 탑의 외벽 콘크리트에 구체적으로 표현되어 있다. 주민의 눈앞에 실물 크기의 주택의 한 단면을 보여준 것은 그들이 작은 규모의 집에서도 편하게 사는 것이 가능하다는 것을 깨닫게 하기 위해서였다. 거듭 말하자면 이러한 치수를 응용해 건축 용적을 줄여나가면 주거 문제를 해결하는 데 도움이 되리라는 것이다. (《그림 130》의 아랫 부분은 스위스의 젊은 건축가 베르나르 헤스리에게서 교활한 미소를 이끌어냈다.)

(그림 128)

(그림 127)

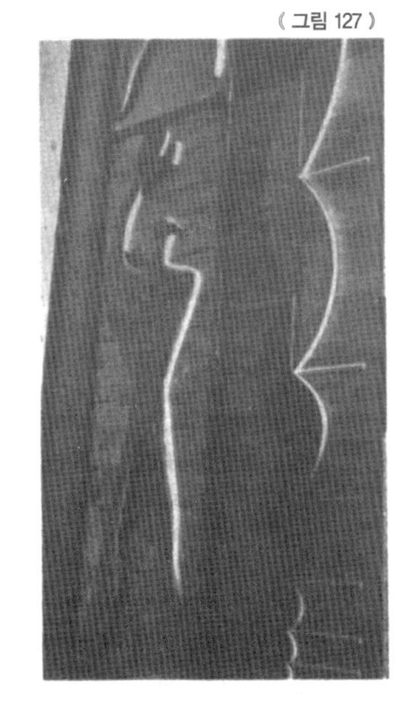

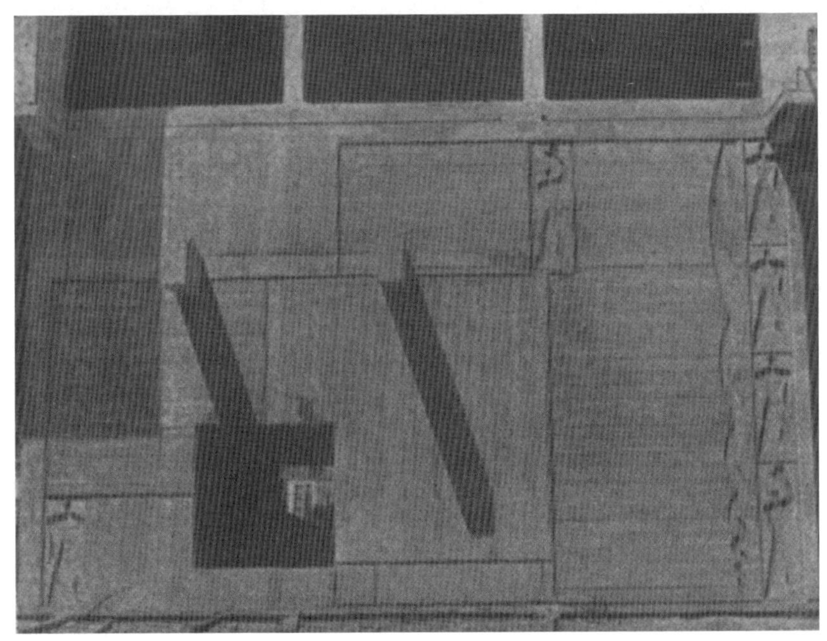

《 그림 129 》

여기에 마르세유 유니테의 현관홀에 있는 채광 칸막이가 있다. 우리는 뚜껑도 없고 바닥도 없는 시멘트 상자를 5개 모듈에 따라 만들었다. 이 상자들을 겹쳐 쌓고 남은 빈틈은 시멘트로 덮었다. 그리고 흰 유리 사이는 색을 섞은 회반죽으로 메웠다. 이것은 현관홀과 마찬가지로 15층 탁아소 벽에서도 이루어졌고 이 클라우스트라(창에 끼워 넣는 석판)들은 건축적으로 풍요로움을 주었다는 데 논쟁의 여지가 없고, 납과 연을 사용하는 스테인드글라스에 새로운 방식을 제안하여 시대 정신에 부응한 것이다.《그림 131, 132, 133》

같은 방법이 아메다밧드Ahmedabald에서 지금 건축 중인 주택에 응용되고 있다.

* * * * *

《 그림 131 》

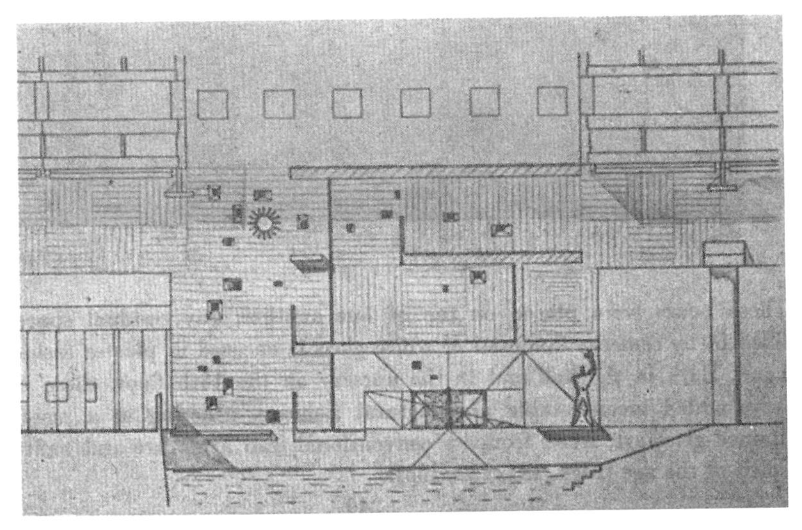

《 그림 130 》

《 그림 132 》

롱샹 성당《그림 134, 135, 136, 137》.

나는 상상을 방해하거나 사물의 절대성을 주장하거나 혹은 발명을 움츠리게 하는 경우에는 원칙적으로 '모듈러'에 반대한다. 그러나 나는 (시적) 상호 관계의 절대적 속성을 믿는다. 그리고 상호 관계는 그 정의에서도 가변적이며, 잡다하며, 무수하다. 나의 마음은 AFNOR의 표준척도(모듈러)나 비뇰라Vignola를 건물에 채용할 생각은 없다. 나는 '기준'을 받아들이지 않는다. 나는 문제를 다룬 사물 사이에 조화의 존재를 요구한다.

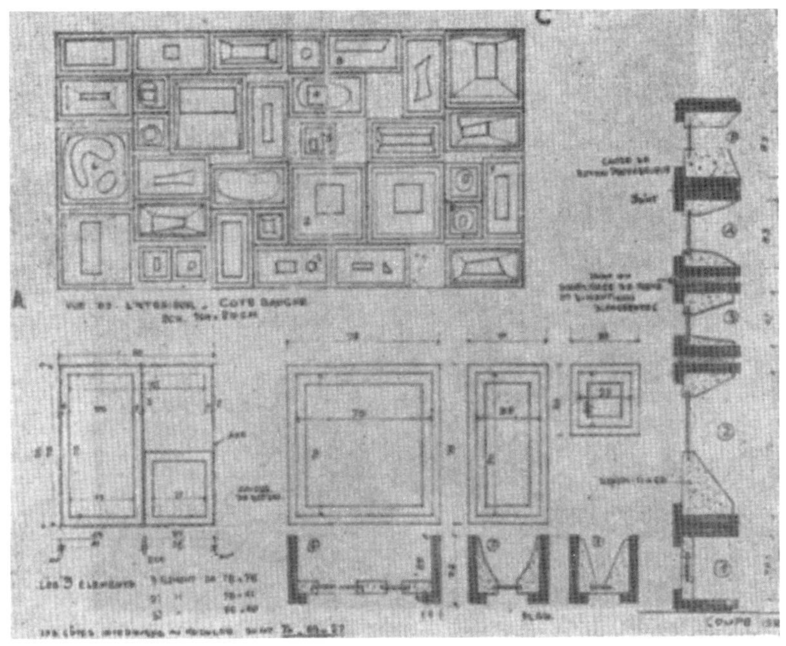

(그림 133)

1955년 봄 롱샹 성당이 완성되면 건축이 기둥의 문제가 아니라 조형적 이벤트임을 증명할지도 모른다. 조형적 이벤트라는 것은 학술적 공식이나 아카데미 법칙을 따르는 것은 아니다. 그것은 자유롭고 다양하다. 롱샹 성당은 보주 산맥의 가장 끝 봉우리 위에 있는 순례 교회로 기도와 구원의 장소가 될 것이다. 그것은 서쪽으로 손Saône 계곡이 위치하고 있고, 동쪽에는 보주 산맥이 있고, 북쪽과 남쪽에는 작은 골짜기가 있다. 이 사방의 풍경은 거기에 실재하고 그곳의 주인이다. 이 전망을 교회는 '형태의 세계에 도입된 음향적 현

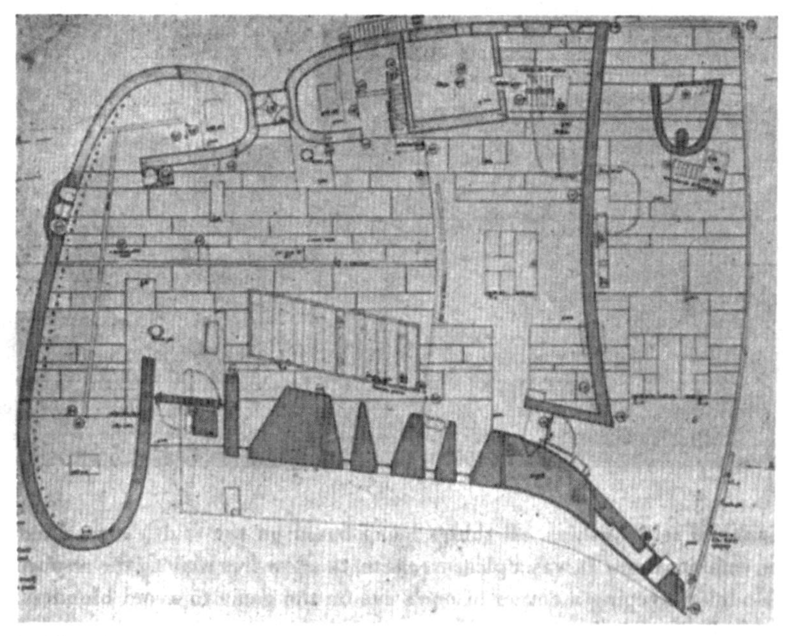

〈그림 134〉

상' 효과를 낼 수 있게 해달라고 주문했다. 그것은 모든 것을 관용하고 있고 형언할 수 없는 공간이 사방으로 내뻗치게 할 수 있는 친밀한 분위기이다. 안도 밖도 순백으로 하자. 그러나 모든 것은 정말 자유이며, 간소한 의식 외에는 이 계획을 제약하는 것이 없고, 그 의식 자체, 문제의 조건을 보다 품위 있게 하는 것이다. 모든 것이 호응할 것이다. 서정적인 것의 시적인 현상은 어긋나지 않는 수학적인 조합에 준거하여 이해를 초월한 발명과 상호관계의 빛남에 따라 분출된다. 여기에서는 모듈러의 풍부한 자원을 마음껏 이용해 조합 ·

《 그림 135 》

발전시켜 바라보는 것이 하나의 기쁨이었으며, 실수를 피하게 눈이 옆으로 빠지지 않도록 감시해야 했다. 왜냐하면 큰 실수가 당신을 노리고 있고, 당신을 유혹해서, 소매를 잡아끌어 깊은 구렁 속으로 끌고 들어가려 하니까.

* * * * *

찬디가르의 '열린 손Open hand'

1951년 이후 히말라야 산맥 앞에 새로운 수도의 앞부분에 '열린 손'을 만들 생각이 생겨났다.《그림 138》

'열린 손'은 1948년에 생겼다.《그림 148》 그리고 몇 년간 계속 이를 생각하고 다시 재검

《 그림 136 》

《 그림 137》

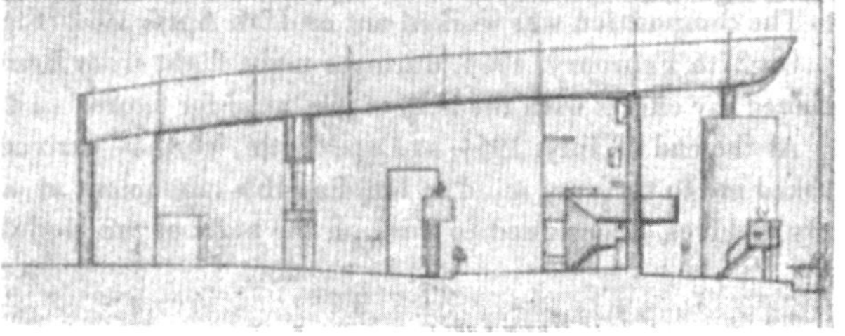

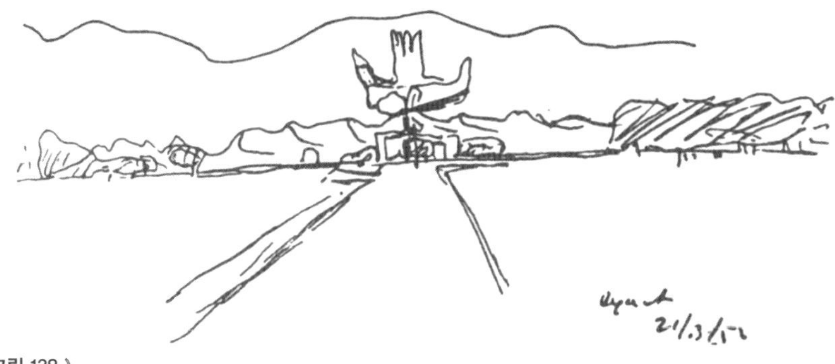

《 그림 138 》

토하여 찬디가르에 처음 그 존재를 나타냈다. 그리고 수용하였다. 1952년에 나의 여행 스케치북에서 이 평야의 점토층을 파낸 구덩이pit에 높이 서게 되었다.

그 구덩이는 뛰어난 장소이며, 나는 그것을 '배려의 구덩이'라고 이름 붙였다.《그림 141》 1952년 3월 27일 다시 찬디가르의 현장에서 나는 이 구도에 처음으로 치수를 적용했다.《그림 139》

1952년 4월 6일 역시 찬디가르에서, 나는 기준선을 찾고 있었고, 세랄타-메조니에가 그린 그림에서 힌트를 얻었다. 그러나 이것은 시험에 지나지 않았다. 아마 유혹에 불과했다 (이에 대해서는 이 책 81페이지와 254페이지 참조).《그림 140》.

이 구도는 1952년 4월 12일에 정확하게 구체화되었다.《그림 141》

1954년 4월 27일, 봄베이에서 카이로로 가는 저녁 비행기 안에서 나는 (애매한) 수를 떠올리며 이 구상을 계속하고 있었다.

1954년 7월 말에 카프 마르탱Cap Martin에 있었는데, 찬디가르에서 온 바르마Varma가 이 조형물을 당장 실현할 수 있도록 마음을 돌려달라고 나에게 부탁했다. 주위에 자료도 없었지만 모듈러에 의존하여 (1954년 8월 1일의 스케치) 그것을 계속했다. 8월 1일부터 12일까지,

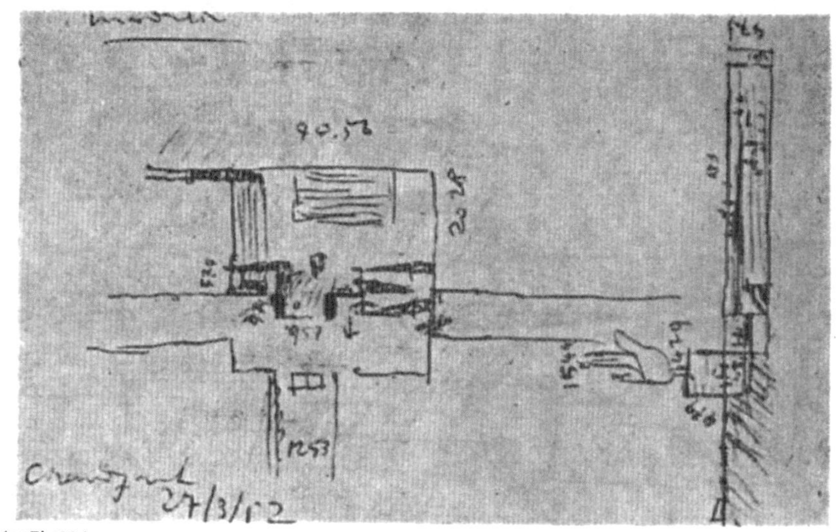

《 그림 139 》

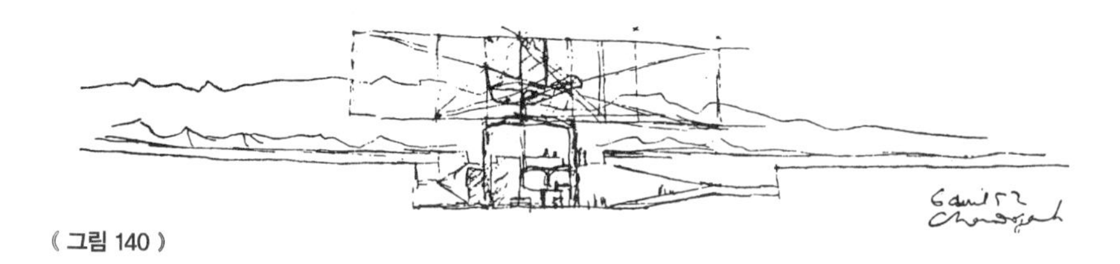

《 그림 140 》

《그림 141》

나는 27장의 스케치를 거쳐 겨우 결정적인 것에 도달한 것 같았다. 머리가 좋은 노예인 모듈러는 중심배우가 되어 …… 내 머리와 함께, 둘이서 함께 했다. 그런데 갑자기 8월 28일에 날개로 된 펜을 깎으려다가, 생각이 나서 단숨에 스케치를 했고,《그림 144》 1951년 보고타에서 그것으로 '열린 손Open hand'을 다시 만들었다.《그림 145》 그리고 네 번째 스케치에 의해 모듈러의 그리드에 정확하게 틀을 만들어내며 19에서 27까지 번호를 붙인 스케치가 탄생했다. 상상에 날개를 달았지만, 이번에는 수의 직물의 견고한 기초 위에 제대로 올라탄 것이다.《그림 147, 142, 143》

1948년 이후《그림 148》 서서히 한 발 한 발씩, 이 복잡한 건축적 작품은 조각, 기계, 음향적, 윤리적인 과정을 거쳐 발명에서 실현으로의 길을 갔다.

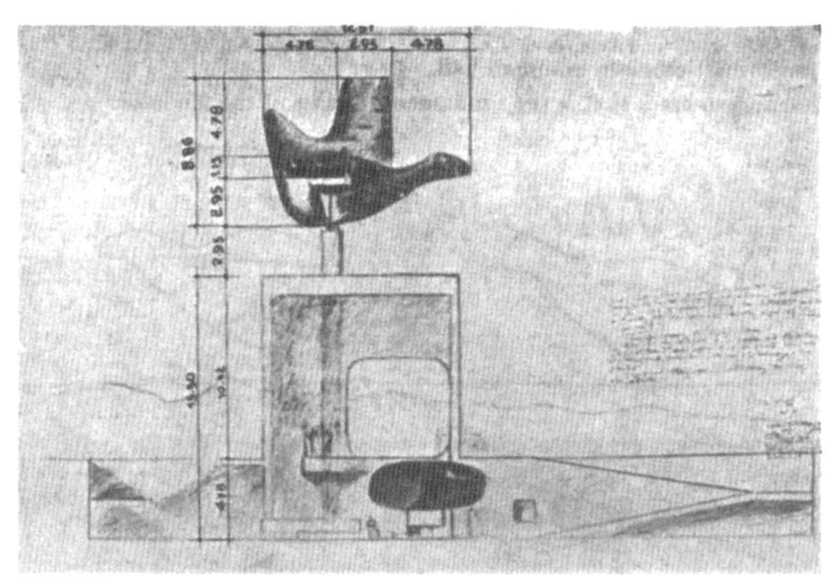

(그림 142)

(그림 143)

* * * * *

비인간적인 홀의 개조

인간에게 아주 가까이라는 것이 모듈러의 근원적인 가치이다.

《 그림 144 》 《 그림 145 》

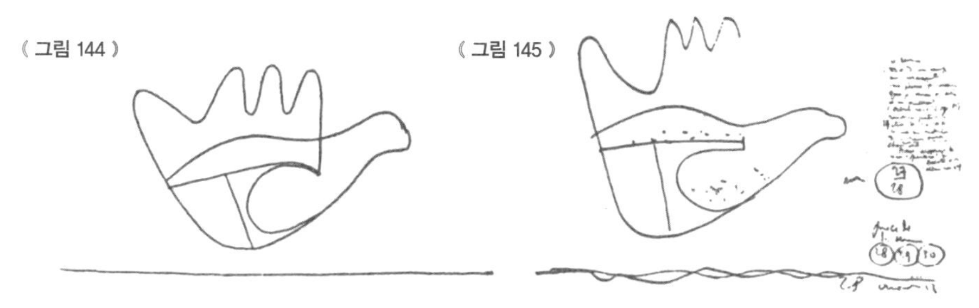

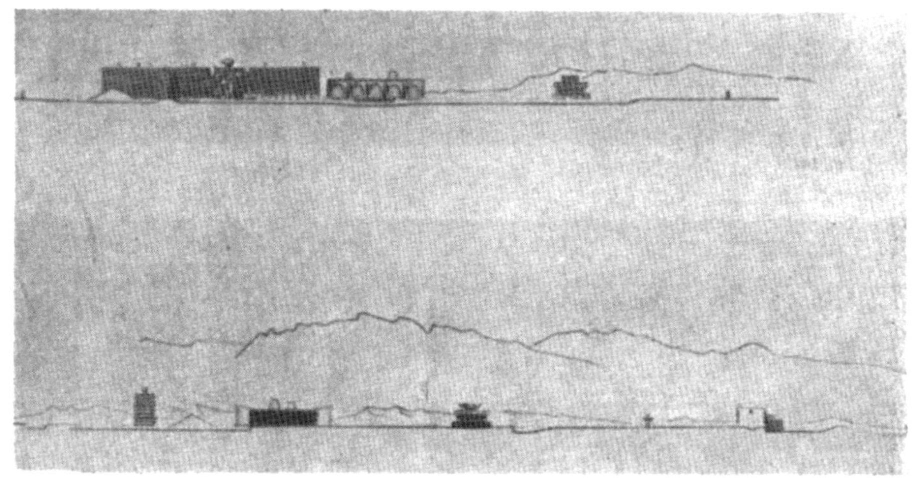

《 그림 146 》

《 그림 147 》

파리국립근대미술관은 비인간적인 건물이다. 1953년 11월부터 1954년 1월에 걸쳐 나의 회화 작품 전시를 위한 장소로 제공되었던 그 방 역시 비인간적이었다. 위대한 화가들, 마티스, 브라크, 피카소, 레제, 게다가 조각가 로런츠Laurents, 무어Moore 등은 각 치수의 애매함 때문에 명성이 폄하되었다. 나는 이 불행에서 벗어나려고 인간적인 척도를 적용하는 시도를 했다. 내가 하는 방법에 박수를 쳐주는 사람도 있었고 나를 원망하는 사람도 있었다. '틀린 치수라는 것이 있다.'는 사실에 대한 의심은 독자의 평가를 기다리기로 했다. 어째서,

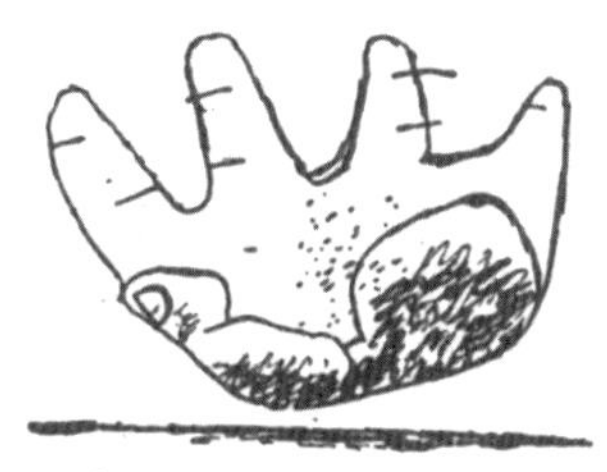

《 그림 148 》

《 그림 149 》

왜? 그것은 증명할 수 있을지도 모르지만, 어쨌든 그것은 느껴진다. 확신할 수는 없지만 건축에서도 벼룩을 위한 또는 기린을 위한 치수는 있다. 어쨌든 인간을 위해서는 아닐 것 같다. 로마의 성 베드로사원St Peter's의 내부[15]처럼 눈에 띄는 것이 있는가 하면 파리국립근대미술관의 전시실처럼 실망스러운 것 중에 지금 여기에서 문제가 되고 있는 그것이 있다.

[15] 1955년 3월 델리로 가는 도중에 로마에 들러 성 베드로 사원에 갔다. 나는 비행장에 인사차 나온 네르비에게 이렇게 말했다. '성 베드로 사원에 조금 지불해야 하는 것이 있어서'라고. 이 교회당에서는 1910년, 1921년, 1936년에 방문해서 완벽한 부정의 반응을 생산했다. 1955년 3월 15일에 이 상태는 몰랐다. 그 상태는 확인되었다. 성 베드로 사원에는 무언가 있다. 미켈란젤로의 제자들은 중대한 죄를 저질렀다.

그곳에서는 원칙에 맞는 미술작품도 의도 되었거나, 말하고 보여주고자 했던 인간과의 진정한 관계를 잃게 하고 함부로 변형되기도 한다.

(그림 150)

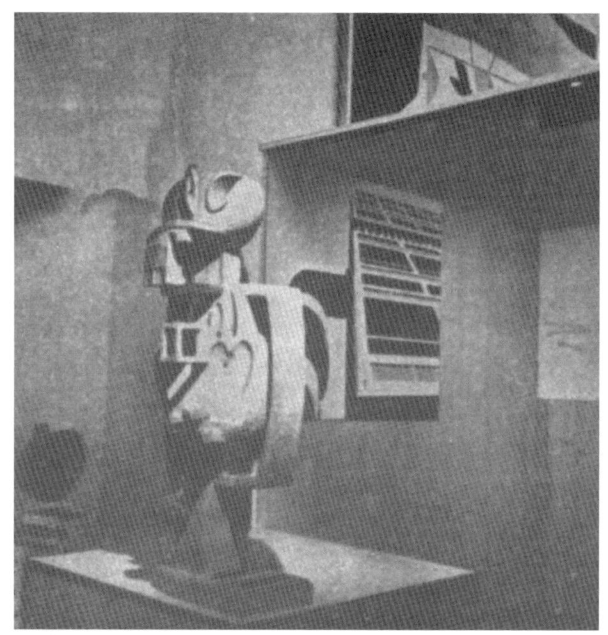

《 그림 151 》

국립근대미술관에서 열리는 전람회에 즈음해서 어떤 효과적인 공작에 의해 작품(유화, 조각, 사진자료)과 관람자와의 접촉을 재현하는 것이 필요했다. 이 접촉은 제3의 존재, 인간적인 척도의 볼륨(포장물, 또는 수신물)을 도입함으로써 생겼다. 이 엄청난 방의 높이에 226이라는 치수를 두고, 그 높이에 볼륨을 조합하여, 안에도 밖에도 그림을 걸거나 조각과 자료를 배열하기에 적절한 것을 만들어내라고 했다. 친구인 페르낭 레제Fernand Leger는 개회식 날 "이 훌륭한 회장을 엉망으로 한 것은 부끄러운 일이다."라고 말했다. 나는 건축가로서 공간

《그림 152》

《그림 154》

을 다루는 사람이다. 나는 어쩌면 이 방을 죽였는지 모른다. 그러나 그것은 예상했던 일이다. 나의 전시회가 끝나고 모든 것은 원래대로 바뀌었다.

《그림 154》는 이 개조의 상황을 보여주는 모형인데, 몇 장의 사진이 이를 보충하고 있다. 유일한 언급은 여기에 전시된 작품과 조각, 그리고 그림을 모두 진짜 치수로 보이게 했던 것이다. 그리고 출발점부터 그들이 하거나 혹시 그렇게 할 힘을 가지고 있다면 시적인 감동을 일으키고, 빛낼 수 있었으리라.(《그림 149》에서 《그림 154》까지)

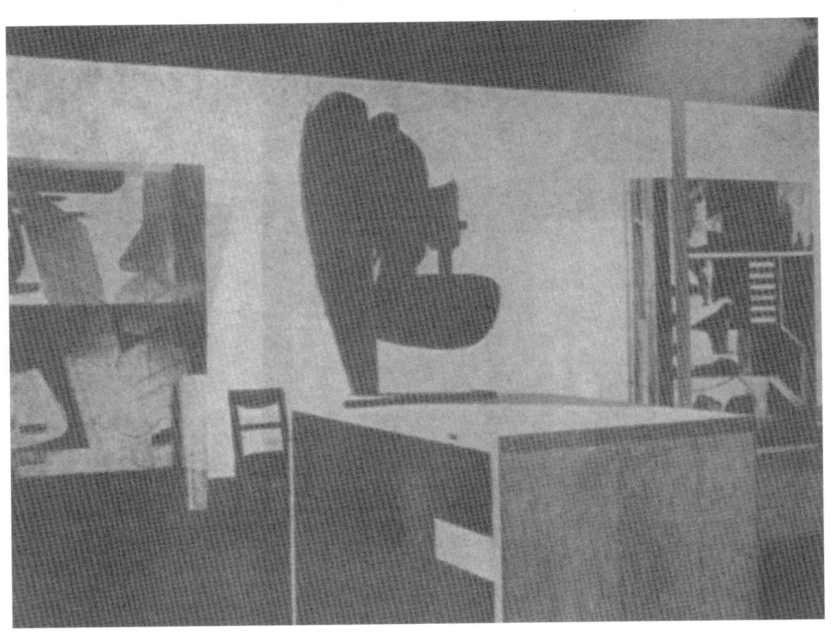

《 그림 153 》

* * * * *

찬디가르의 576m²의 벽tapestry

파리 1954년 3월 16일

P. L. 바르마Varma 씨
찬디가르 수도계획,
펀잡Punjab 정부 기사장

찬디가르 캐피톨 법원의 대법정 및 8개 소법정의 음향을 좋게 하기 위한 벽tapestry.

내용 건물 = 법원
홀 = 대법정 또는 8개의 소법정의 하나
벽 = 대법정 또는 소법정 하나의 안쪽 벽을 덮는 전체
요소 = 벽의 부분
3개의 요소 : (a) 규격
(b) 특수형
(c) 잔여
색 견본
책임자 (벽 하나의)

여기에 채용된 방법들이 효과적이라 나는 세브르 가의 작업실에서 열심히 의구심들에 대한 연구에 착수하였다. 그래서 며칠 내에 이 벽의 일정표를 보낼 수 있었다.

의심의 기본적인 사실에 대해 다시 생각해보자.

1. 이런 벽은 대법정의 안쪽 벽(재판관의 뒤)에 걸리는 것이다.《그림 156》

$12m \times 12m = 144m^2$(1,550 ft^2)

마찬가지로 소법정(문은 제외)의 안쪽 벽, $54m^2$(581 ft^2) = 각각 $54m^2$의 벽 8개(《그림 159》, 《그림 159 (a)》)

2. 이런 벽은 모듈러 덕분에 독립된 몇 가지 요소로 분해된다. 그것은 다음과 같다.

(a) 대법정

로마주기 8요소 − $1.40m \times 4.19m$(3.66 0.53) $=5.866m^2$

(4ft. 7in.)×(13ft. 9in.) =(63ft^2)

8요소 − $1.40m \times 2.26m$ $=3.164m^2$

(4ft. 7in.)×(7ft. 5in.) =(34ft^2)

5요소 − $1.40m \times 3.33m$ $=4.662m^2$

(4ft. 7in.)×(10ft. 11in.) =(50ft^2)

5요소 − $1.40m \times 2.26m=3.164m^2$

(4ft. 7in.)×(7ft. 5in.) =(34ft^2)

(b) 소법정

5요소 − $1.40m \times 2.26m$ $=3.164m^2$

(4ft. 7in.)×(7ft. 5in.) =(34ft^2)

2요소 − $1.40m \times 3.33m$ $=4.662m^2$

(4ft. 7in.)×(10ft. 11in.) =(50ft^2)

2요소 − $1.40m \times 2.26m=3.164m^2$

(4ft. 7in.)×(7ft. 5in.) =(34ft^2)

3. 모두 합치면 벽의 제작은 다음과 같다.

대법정:	$144m^2$	$(1,550ft^2)$
소법정:	$54m^2 \times 8 = 432m^2 = (581ft^2) \times 8 =$	$(4,650ft^2)$
합계	$576m^2$	$(6,200ft^2)$

$576m^2$의 벽

4. 벽은 다음의 형태로 나누어진다.

(a) 규격형

(b) 특수형

(c) 잔여 《그림155》

대법정에는 8요소 − 1.40m×4.19m +1 잔여 1.33m×4.19m
(4ft. 7in.)×(13ft. 9in.) (4ft. 4.5")×(13ft. 9in.)

8요소 − 1.40m×2.26m +1 잔여 1.33m×2.26m
(4ft. 7in.)×(7ft. 5in.) (4ft. 4.5in.)×(7ft. 5in.)

5요소 − 1.40m×3.33m +3 특수형
(4ft. 7in.)×(10ft. 11in.)
+1 잔여 1.33m×3.33m
(4ft. 4.5in.)×(10ft. 11in.)

5요소 − 1.40m×2.26m +1 특수형 1.13m×2.26m
(4ft. 7in.)×(7ft. 5in.) (3ft. 8.5in.)×(7ft. 5in.)
+1 잔여 1.13m×2.26m
(4ft. 4.5in.)×(7ft. 5in.)

소법정에는 5요소 − 1.40m×2.26m +1 잔여 0.72m×2.26m
(4ft. 7in.)×(7ft. 5in.) (2ft. 4.5in.)×(7ft. 5in.)

2요소 - 1.40m×3.33m +3 특수형
(4ft. 7in.)×(10ft. 11in.)
+1 잔여 0.72m×3.33m
(2ft. 4.5in.)×(10ft. 11in.)

2요소 - 1.40m×2.26m +1 특수형 1.13m×2.26
(4ft. 7in.)×(7ft. 5in.) (3ft. 8.5in.)×(7ft. 5in.)
+1 잔여 0.72m×2.26m
(2ft. 4.5in.)×(7ft. 5in.)

못은 간단히 전기총으로 고정할 수 있다.

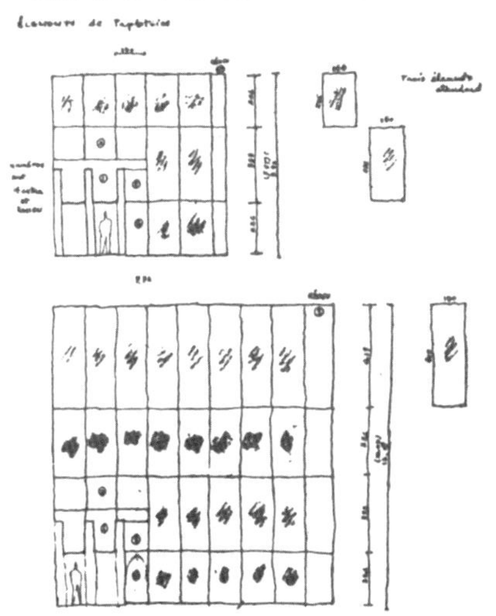

《그림 155》

5. 벽tapestry은 마을들(마을사람이나 장인들)과 형무소에서 실행될 예정이다.

여기서 분배의 방법에 따라 구성요소의 체계는 간략해질 것이다. 예를 들어 마을 또는 형무소는 54m² 또는 144m²의 벽이 세워지게 된다. '책임자'가 다음과 같은 것을 (나에게서) 받게 될 것이다.

각 요소는 그 상부에 4개의 구멍을 (트럭의 덮개처럼) 만들어 각각 독립하여 열쇠형의 못에 매달아 늘어뜨릴 수 있다.《그림 155》

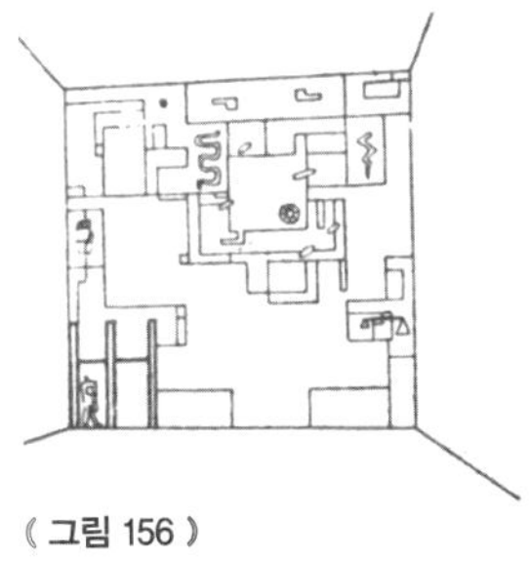

《그림 156》

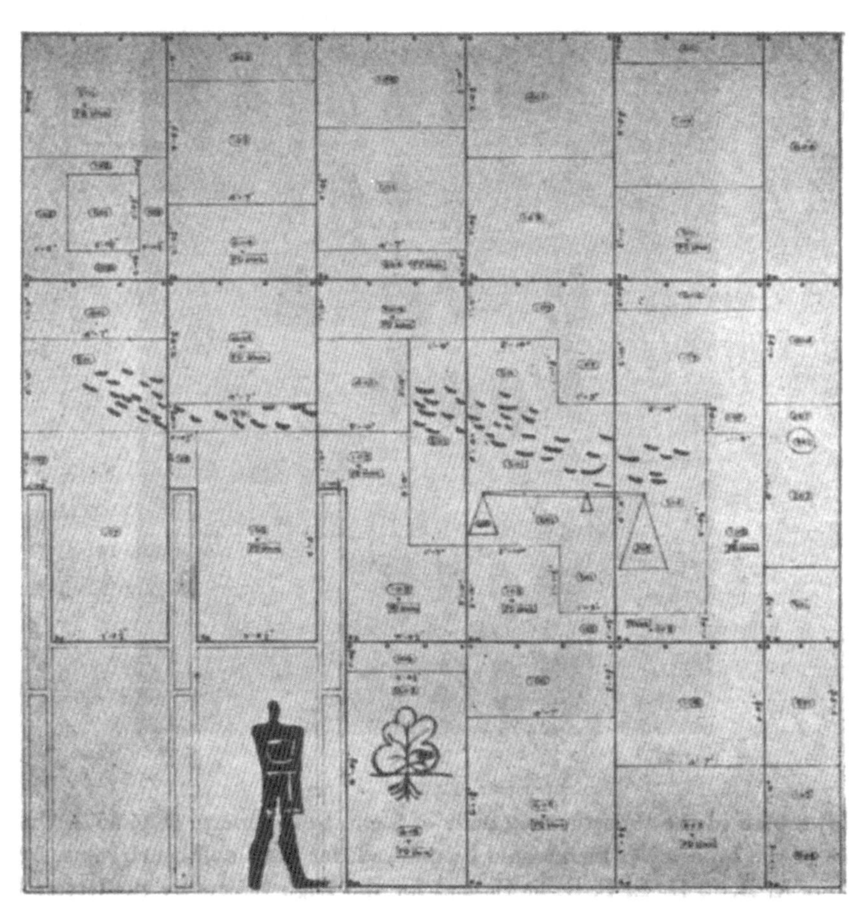

(그림 157)

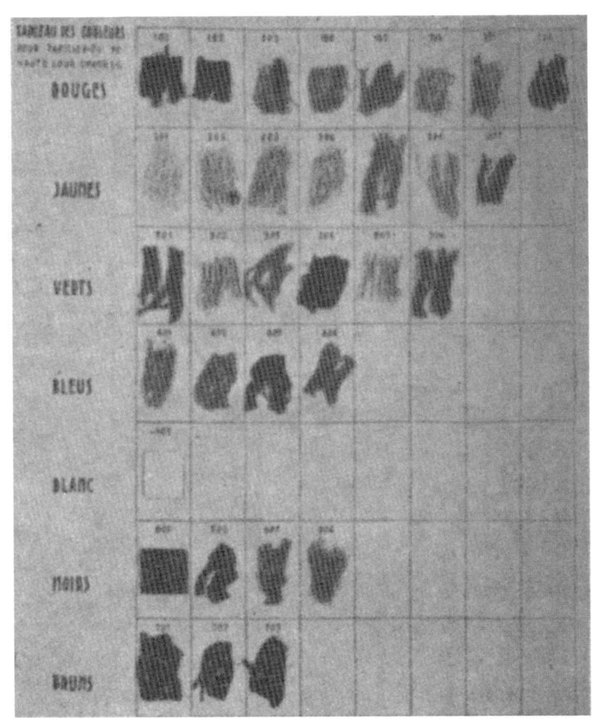

《 그림 158 》

ⓐ m를 5cm의 크기로 변환한 벽의 평면《그림 157》. 이 벽의 도면에서 각각 소법정은 A, B, C, D, E, F, H, G 또는 H로, 그리고 대법정은 HC로 구분되며 각 부분은 (일정) 규격의 치수로 선이 그어져 있다.

1.40m×2.26m
(4ft. 7in.)×(7ft. 5in.)

1.40m×3.33m
(4ft. 7in.)×(10ft. 11in.)

1.40m×4.19m
(4ft. 7in.)×(13ft. 9in.)

등등

각각의 부분은 다음과 같은 명칭이 붙어 있다. 예를 들어,

A1	A2	A3	……
B1	B2	B3	……
C1	C2	C3	……

등등

이렇게 벽의 각 부분에는 정확한 명칭을 붙여 각 부분의 왼쪽 아래에 표시를 해둔다.

《 그림 159 (a) 》

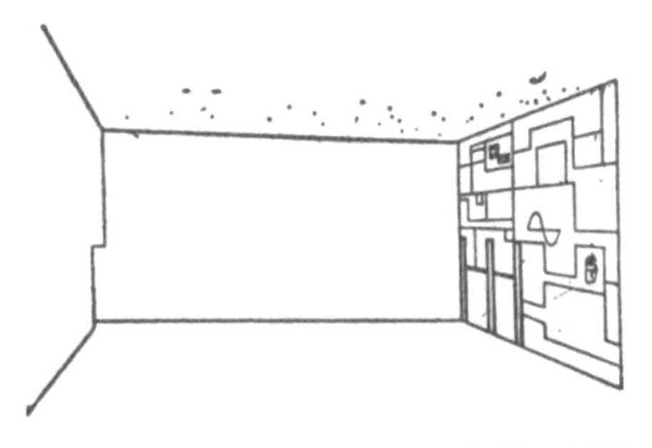

《 그림 159 (b) 》

(b) 각 책임자는 벽 도면의 사본을 받을 것이다. 책임자는 가위로 그 사본의 각 요소들을 오려낸다. 그는 그것들을 어느 가족에게 한 개, 또 다른 한 가족에게 두 개, 어딘가의 공방에는 네 개 … 하는 식으로 자유롭게 분배할 수 있다.

(c) 책임자는 또 색 카드를 받게 될 것이다. 이 카드는 52×44cm의 크기에 빨강, 노랑, 녹색, 파랑, 하양, 검정, 갈색 등의 여러 가지 색조를 나타내는데, 찬디가르의 얼레에서 잘라낸 양모 또는 무명실로, 염색을 '확실히' 한 것을 잘라서 붙인다. 이런 양모나 면사는 동그라미 번호가 쓰여진 각각의 사각형 카드에 붙인다.《그림 158》

빨강	101	102	103	104	105	106	107	108
노랑	201	202	203	204	205	206	207	
녹색	301	302	303	304	305	306		
파랑	401	402	403	404				
하양	501							
검정	601							
갈색	701	702	703	704				

이렇게 해서 양모를 염색을 하기 위한 색을 표시했다.

(d) 책임자와 각 가정, 공방, 교도소에서도 벽장식 각 부분 내의 구역에서 이 숫자(원으로 둘러싸인)를 발견할 수 있을 것이다.

(e) 그 각 부분은 모두 모듈러를 통해 치수가 정해진다. 그리고 모두 피트-인치로 표현하여 각 장인들이 정확하게 담당 부분을 만들 수 있는 치수로 표시한다. 이렇게 모든 부분이 모아지면 벽의 전체 구도가 만들어진다.

(f) 이렇게 멀리서 실현되는 일의 양도 도면도 색도 명령이 도달된다. 이 간단한 방법은 모듈러 사용의 결과에 따르고 있다.

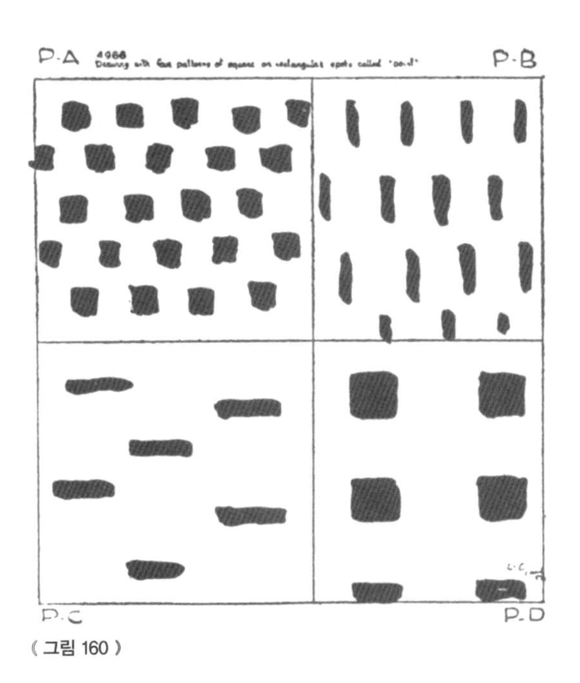

(그림 160)

6. 나는 이 일에 다음 사람들을 추천한다.

(a) 피에르 장누레가 전체를 총괄하는 것

(b) 쵸도리Choedry 부인 심라Simla와 타파르Thaper 양(뉴델리)이 각 가정이나 공방 등과 직접 접촉을 한다. 그리고 바르마Varma의 지시에 따라 각 벽의 책임자에게 적당한 장소를 조회하고, 그 주문을 보낸다.

나는 벽 전체를 완성할 마을(가정이나 공방)을 제안한다.

벽의 각 부분은 참고용 숫자를 왼쪽 아래에 섞어 넣는다. 예를 들어

A1 A2 A3 ……
B1 B2 B3 ……
C1 C2 C3 ……
등등

7. 이런 방법은 제작자들에게 큰 의욕을 불러일으킨다. 이 같은 분업은 576m²(6,200ft²)라는 규모가 큰 주문을 예정된 시간 내에 간단하게 실현시켜줄 것이다. 4월에서부터 8월까지 5개월 동안에 표준화를 적용하고 일을 분배한 결과가 이를 증명하게 될 것이다.
8. 마지막으로 '점'이라고 칭하는 사각 또는 직사각형의 표시를 넣은 표 네 개를 덧붙였다. 이것들을 PA, PB, PC, PD라고 이름 붙였다. 이것은 각 벽의 바탕색을 단일 색으로 하기 위한 것이다. 이러한 점은 검정 혹은 흰색이다.(4966시트(얇은 판), 스케일 1:1)《그림 160》
이 벽이 이 점의 조합을 해야 할 곳은 다음과 같은 형태로 지정되고 있다.

'PA 백' 또는 'PA 흑'
'PB 백' 또는 'PB 흑'
'PC 백' 또는 'PC 흑'
'PD 백' 또는 'PD 흑'
을 사각으로 둘러싼다.

9. 이 외에 벽이 있는 부분을 살리는 요소로 태양이나 구름, 번개, 나선, 손, 발 등은 각각 다르게 5분의 1의 축척으로 그렸다.
이 그림들은 때로는 검은 선으로 그려서 표시했다.《그림 161》 그러나 색밖에 없는 곳은 가는 연필 선을 그어 경계선만 나타냈다.《그림 162》
10. 수많은 시트(스케일1:5)는 번개나 손, 다리 두 개 등이 그려져 있다. 이 그림에는 곡선 또는 사선으로 그려지는 어떠한 연속적인 선도 허락되지 않는 벽의 기법을 보여주기 위해

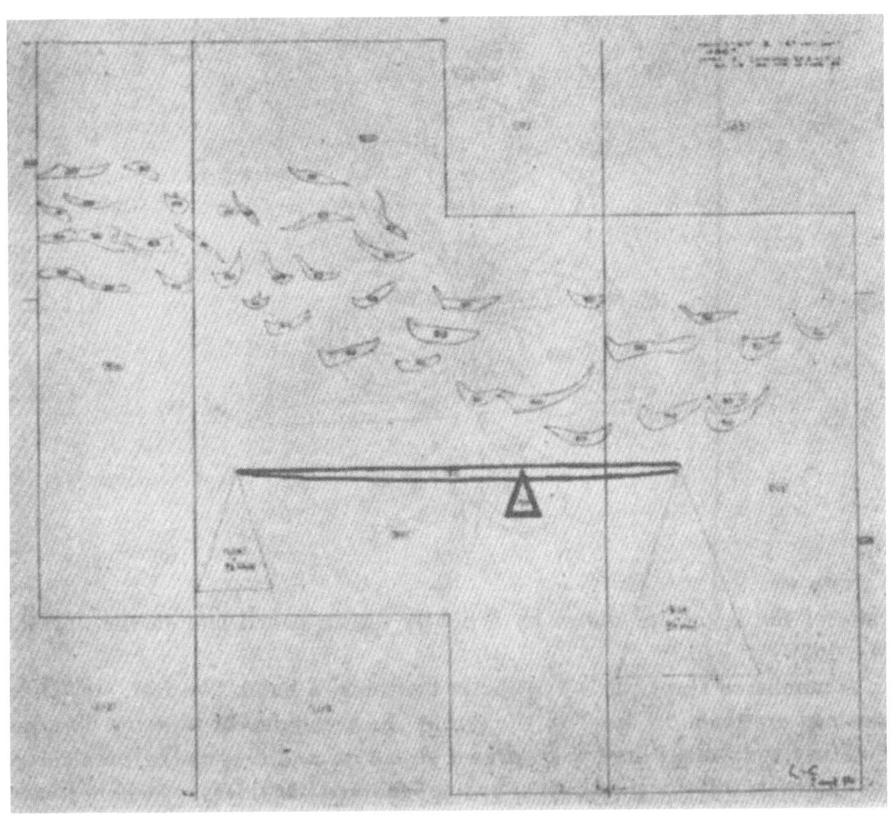
《 그림 161 》

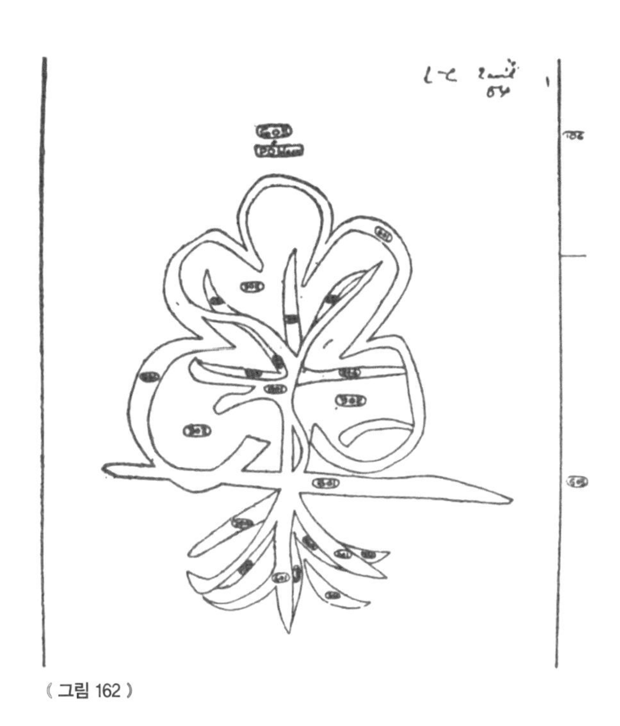

《 그림 162 》

만들어진다. 이러한 곡선 또는 사선은 계단 모양의 선으로 나타나지만 그러나 그래도 괜찮다.

L. C.[16]

[16] 결과로서 576m²의 벽은 최고도의 기술을 갖는 인도의 한 공장에서 이것을 실행하여 제한된 기일 안에 벽 전체를 완성했다.

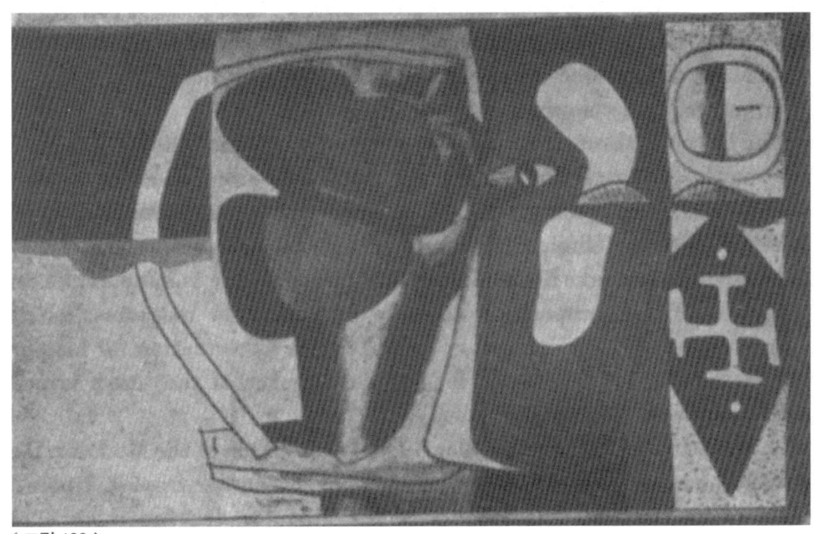

《 그림 163 》

유화

모듈러는 상상력이 없는 사람에게 베풀어진 적이 없다. 여기에 최근의 유화 몇 개가 있다. 그것들은 오랜 기간 준비한 결과이지만(수년이 걸리기도 하지만), 일반적으로 매우 빨리 완성됐다. 그것은 반드시 작품의 질에 반비례하는 것은 아니다. 한 가지 생각이 생겨나기까지는 긴 시간이 걸린다. 오랜 시간이 걸려 나타나며, 오랜 시간 걸려 작품 전체의 형태로 나타난다. 구도도 색도 가치 등도. 그것은 어려움 없이(우유부단과는 다른), 기준선 없이, 모듈러 없이 생겨나며 게다가 그 정서, 그 시적인 힘은 생각의 처음부터 일고 있었다.

그러고 나면 드디어 작품을 만들 때가 오고 작품을 그릴 때가 온다. 그것을 하기 위해서는 옷감 또는 판자를 꺼내어 데생을 하고, 색을 혼합하고 붓으로 그려야 한다. 긴 준비 기간을 가진 화가는 화폭 앞에서 보상을 찾지 않으며, 이미 획득된 생각을 표현하고 이를 실시할 뿐이다. 만약 그렇게 하고 싶으면, 기준선을 찾고, 그 작품을 더욱 명확하게 할 수 있다(부정확함을 없애고, 조화로움을 명확히 함으로써). 그때 그는 모듈러 표를 꺼내어 기준을 따고, 중요한 몇몇 구도의 점을 모듈러 치수에 일치시키고, 또 어떤 면적은 모듈러로 결정할 수 있다. …… 이렇게 해서 그는 그 작품을 침착하게 안정시킬 수 있다. 왜냐하면 붓의 힘으로 하는 일은 상당히 위태로운 것이기 때문이다.《그림 165》

나는 1951년부터 1952년에 특히, 모듈러를 더 이용하려고 노력했다. 그것을 이용하고, 또 편리함을 얻으면서 나는 이 연구의 해설을 어느 그림의 가장자리에 모듈러 마크로 그려 넣었다.(《그림 163》, 오른쪽 위 모퉁이) 문제가 해결된 지금, '이러한 문제 속에 모듈러의 증가를 도입함으로써 나는 시를 모독했을까? 신비나 간격에 대한 모독의 죄를 저질렀을까?'라고 내 스스로에게 묻는다.

여기에 1953년 9월 13일 표를 제시한다.《그림 164》

덧붙여 여기에 모듈러의 16증가분(10cm에서 3.66m까지)을 5분도 걸리지 않고, 아틀리에 바닥에 떨어져 있던 마분지 끝에 그린 것이 있다(이 종이에 붓의 얼룩이 생겼었다). 이것은 같은 축척으로 그린 찬디가르의 벽에 시도했던 스케일의 구성 계획이다. 그러고 나자 일이 날개 단 것처럼 빠르게 진행되었다. 그리고 손으로 더듬는 것 대신에 그리는 작업에 손을 맡기고 생각을 자유롭게 했다.《그림 166》

* * * * *

《 그림 164 》

《 그림 165 》

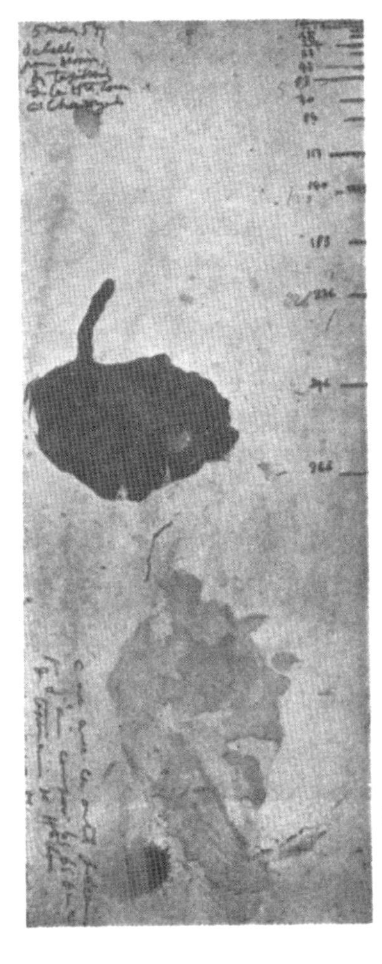

《 그림 166 》

벽 《그림 167》

이미 5년 전부터 오뷔송Aubusson의 'P. 보두앵 피카르P. Baudoin-Picard 공방 젊은이들의 요구로 벽의 밑그림을 여러 개 그려왔다.

나의 최초 관심사는 벽의 높이를 모듈러로 결정한다는 것, 220(+6), 또는 290(+5), 또는 360(+6)으로 하여 언젠가는 현대 건축에 도입되게 하고 싶었다.[17] 나는 전에 벽을 '방랑자의 벽mural of the nomad'이라고 불렀다. 우리는 향후 혹은 이미 임대주택에 사는 '방랑자'가 되고 있다고 생각했기 때문이다. 벽은 가정에 있어서 시적인 욕망을 정당하게 채워주는 것이다. 그러나 그 구도 자체도 규정되어야 한다. 거기에 모듈러가 나타났다.

[17] 통상 벽걸이는 지면에 접해야 한다. 이리하여 226, 295, 366 등의 치수가 자유공간이 된다.

《 그림 167 》

타이포그래피Typography

(1953년 2월 28일의 메모에서 인용)

나는 위원회 석상에서 부샹Bonxin으로부터 파리의 큰 국제적인 조직이 사용하고 있는 33×42.2cm 크기의 종이를 받았다. 이것은 33cm와 43cm의 모듈러와 일치하는 것이다.[18]

1945년 해방 후, 타이포그래피Typography 전문가인 포슈Faucheux는 ASCORAL 멤버의 명함을 만들었다. 이 카드는 두 장으로 되어 있고 펼치면 7.8×10cm인데, 이는 모듈러 두 개의 치수이다. 오늘 1953년 2월 28일, 나는 마르세유의 주거 단위 거주자협회의 명함을 그 위원회의 주문으로 그리고 있다. 나는 포슈에 의해 선택된 ASCORAL의 형태를 채택했다. 이 견본을 쓰기 위해 근방에 있던 부샹의 종이 한 장을 꺼냈다(위의 것). 그 가장자리에 ASCORAL의 카드를 대고 보면, 대각선이 정확히 일치한다.《그림 168》 이를 계속하면 어디까지나 모듈러의 비례로 분할된다. 이것은 우연이다. 『모듈러』 2권의 편집 종반에, 사람들은 언제 어디서나 자신의 신체를 측정, 그 동작의 풍부함, 자신의 활동의 척도로 우주를 만들어내고 있다는 것을 발견하는 것은 행복한 일이다. 나는 '팔을 든 인간'의 치수에 지배되고 있는 집 앞이나 집의 내부를 볼 때마다 즐거움을 느끼는 경험을 하면서 이미 30년 이상 모듈러의 열쇠를 발견하는 관찰을 계속하고 있었고, 그 결과 높이를 2.20m으로 계산해왔다. 그 후 2.16m 그리고 마침내 2.26m으로 상황에 따라 변화시켜 온 것은 이미 독자들이 알고

---

[18] 이 책의 교정을 끝낸 오늘, 구아슈화법(수채화 물감으로 그리는 방법)의 그림을 그리려고 찬디가르에서 가지고온 종이 한 장을 집어들었다. 그것은 인도관청의 규격형의 종이이며, 편지와 보고서 등의 형태는 이 배로 되어 있다. 치수는 34x43cm. 그 반이 되는 34x21cm 치수는 '도시계획의 CIAM의 그리드' 21x33에 해당하며, 그것은 편지지의 21x27에 범례의 장소를 6cm 잡은 것이다. 합계로 21x33.

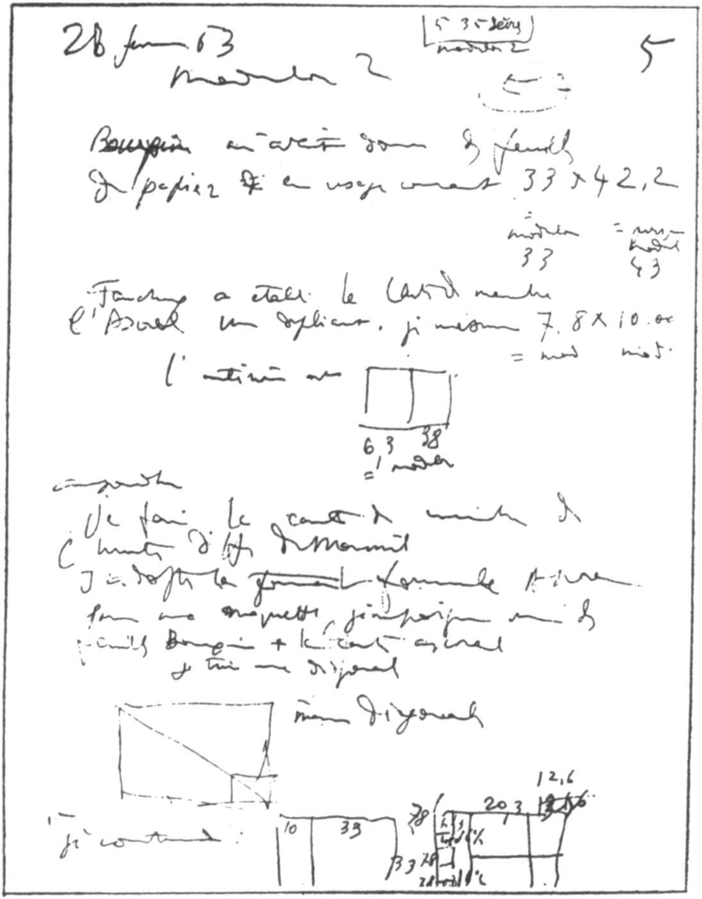

《 그림 168 》

있다.

또 나는 우정에 움직여 알베르 장누레의 〈바이올린만을 위한 소나타〉를 위해, 매우 내실 있고 확실히 감동적인 악보 표지의 그래픽을 모듈러로 정했다.

나는 모듈러를 쓰는 사람들에게 내용에 실속이 있는 내용과 잴 수 없을 정도의 만족을 준다고 생각한다.

(그림 169)

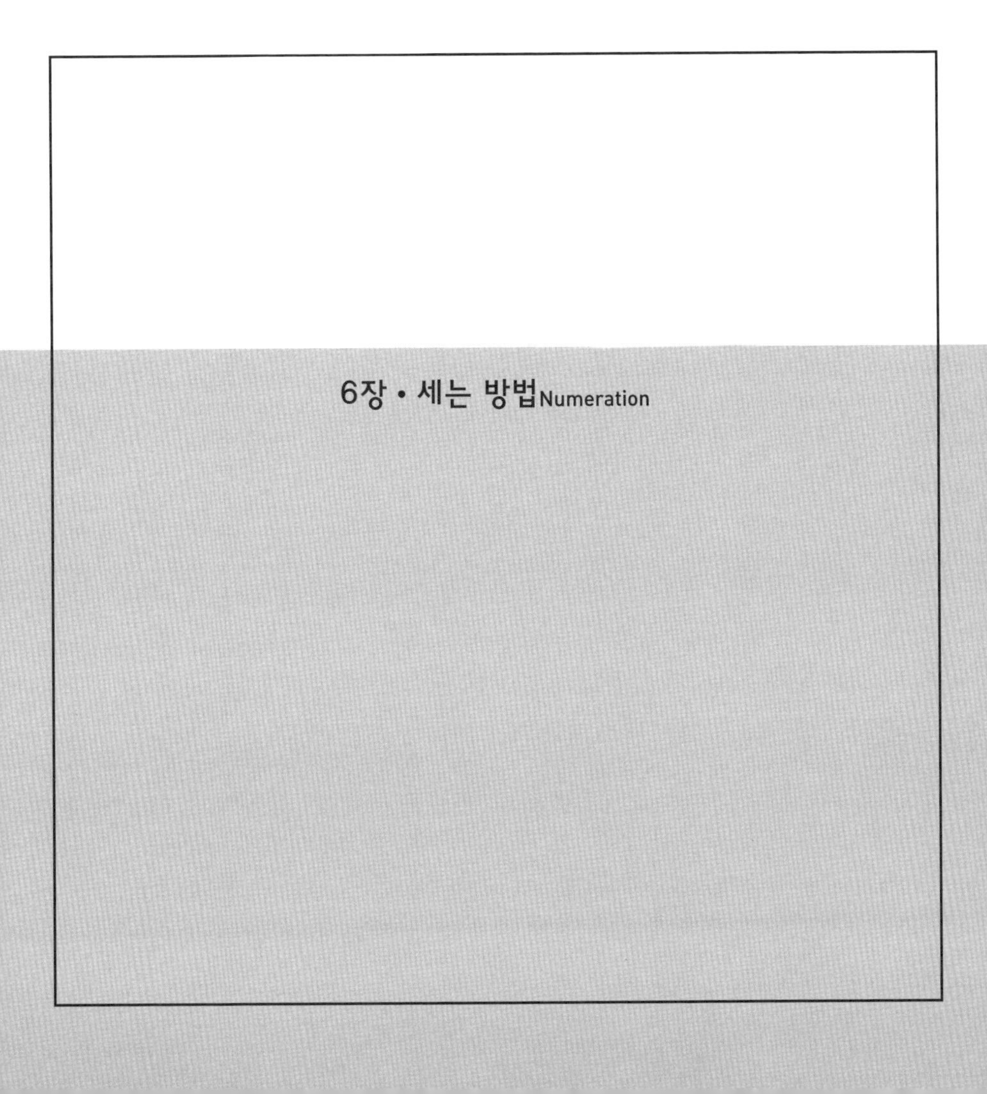

6장 • 세는 방법Numeration

이것은 비례의 스케일로,
악을 어렵게 만들고,
선을 부드럽게 하는 것이다.
아인슈타인, 프린스톤, 1946년
(제1권 54페이지를 보자.)

1949년 전후 《프랑스 소아르France-Soir》 지 '15분 안에 모두 안다'라는 꼭지에 건축가 르 꼬르뷔지에의 건축은 미터에 싸움을 건다는 의미의 제목 '미터를 버려라!'가 실렸다. 그리고 몇 가지 이 설을 지지하는 진술을 말하고 있었다. 저널리즘이라고 떠들어대는 쓸데없는 짓을 한 것이다. 리포터의 양심적인 계획에도 불구하고 악평을 만드는 것. 나는 한번도 미터법을 없애려고 생각한 적은 없다. 모듈러(제1권의 176~182페이지 참조)

미터법은 십진법에 의해 이루어진 측정 방법이다. 그것이 현대에 들어와서 일의 도구가 된 이유이다.

여기까지 모듈러의 각각의 단계는 미터법(십진법) 또는 피트-인치법(비10진법)으로 표현되어 있다. 눈이 먼 사람이 도움을 받지 않는 이야기와 같은 선상에서 이 조합은 피트-인치를 사용하는 사람에게 십진법적인 계산을 하게 된 것이다.

《카이에 드 슈드Cahiers du Sud》지의 연구 중에, 앙드레 우젠스키는 『모듈러』의 전문용어의 부정확성을 지적하고 있다. 특히 '조화로운 척도에 관한 에세이……' 나는 오히려 '모든 것에 응용할 수 있고, 인간적 척도의 조화로운 스케일에 관한 에세이'라고 하는 편이 좋다고 생각한다. 그러나 이것만으로는 완전히 해결되지 않았다. 모듈러의 증가increment가 한편으로는 영원히 거기에 이르지 못하고 제로에 향하고, 또 다른 한편으로는 무한대로 뻗어 있어, 이들 사이에 간격은 현미경적이거나 혹은 천문학적이어서 이것을 부르는 적절하고 간

GCB PAGE 4

LES INSTANTANÉS DE « FRANCE-SOIR »

En 1/4 d'heure vous saurez tout sur...

...LE MODULOR DE LE CORBUSIER

IL S'EN PASSE D

Un procès aux deux la fortune

L'ARCHITECTE LE CORBUSIER PART EN GUERRE CONTRE LE MÈTRE

Quatre nouvelles mesures qu'il a inventées lui permettront (dit-il) de construire les maisons et les meubles de l'avenir

Ce n'est pas seulement contre les procédés ordinaires de la construction que l'architecte Le Corbusier est parti en guerre en bâtissant à Marseille sa fameuse « Cité radieuse ». C'est contre le mètre lui-même. Les proportions employées dans ce bâtiment extraordinaire ne sont pas en effet basées sur le système métrique, mais sur une « unité » nouvelle que Le Corbusier a créée et qu'il a baptisée le « Modulor ».

Ce « Modulor », inspiré par les proportions que, selon son inventeur, doit avoir l'homme parfait, règle aussi bien les dimensions de l'édifice que celles des meubles.

...bas le système métrique !

Le Modulor de Le Corbusier

2m26

1m82

《 그림 170 》

편한 표현 방법이 없다. 그러나 이것은 중요한 결과도, 또 누구를 괴롭히는 일도 없을지 모르지만…… 이론의 명확함이라는 관점에서는 이 조화로운 척도, 모듈러는 절대 영zero에 도달하지 않기 때문에 발로 서 있지 않는 것이 되고(그 어느 것에도), 또 한편 존재하지 않는 무한으로 뻗어 있어 어느 가상의 하늘에도 매달려 있지 않다. 참으로 훌륭한 궤변이다, 안 그런가? 그러나 이를 지적하는 것은 정당한 권리이다. 만약 모듈러에서 그 세는 방법을 발견하려고 하면, '현실적'인 점에서 출발해야 한다. 그것은 1(단위)이며, 그곳에서 위로 올라가고, 혹은 아래로 내려와야 한다. 출발점을 찾는다는 것은 쉬운 일은 아니다. 내가 질문한 사람들은 모두 대답해주지 않았고 혹은 흥미가 없는 일이라고 느꼈을지도 모른다. 반쯤 놀리는 기분으로 한 명은 "'서 있는 사람'의 발바닥을 기준으로 하면 좋겠죠?"라고 답했다. 그러나 모듈러 그림에서는 땅에 발을 붙이고 있다. 땅 위에 있다는 것은 착륙했다는 것으로, 영까지 내려온 것이 된다. 그런데 영은 (전에도 말했듯이) 도달할 수 없지만, 목표로서 가까워지는 것이나 다름없다. 거기에 도달할 수는 없고 다만 가까워지는 것 말이다.

나는 1951년 6월 크류사루Crussard에게 세는 방법의 출발점으로 《그림 171》에 표현한 것을 제안했다. (같은 질문을 다시 1954년에 쉬바이저 박사에게 했다) 이 출발점은 113의 수에 있으며, 이곳에서 0쪽으로 향해서는 1, 2, 3, 4, … 20, … 100, … 200의 수에 각각 A의 표시index를

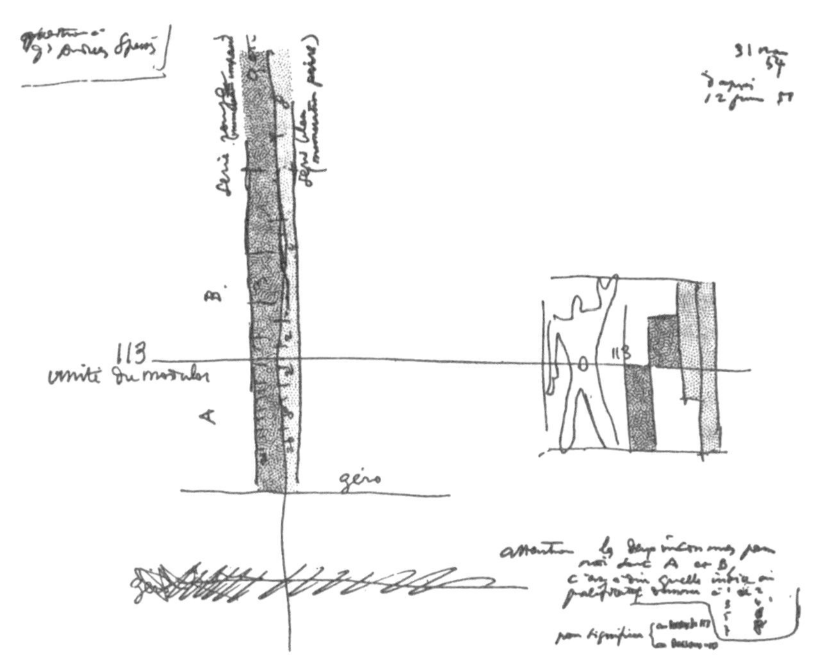

《 그림 171 》

붙여 1A, 2A, 3A, 4A, 20A, 100A, 200A라고 쓰고, 곧바로 세밀한 치수에 이른다.

113에서 위쪽에는 B라는 표시를 붙이고, 이 단계의 위치에서 무한까지 1, 2, 3, 4, 5, 9, 27, 99, 205 등으로 하고, 이를 1B, 2B, 3B, 4B, 5B, 9B, 27B, 99B, 205B 등으로 쓴다.

하지만 이 체계에서는 그다지 상쾌함도 빛나는 것도 느껴지지 않는다. 나는 이 정확하고 편리한 방법을 발견해주기를 학자들에게 기대했다. 내가 여기서 편리하다고 말한 것은 이 표현법에서 더하기 빼기, 곱하기, 나누기 등의 가감승제 또는 대수 방정식 등으로도 계산을 시작할 수 있기 때문이다. 거기에 따라 표시된 A와 B가 방해가 되지는 않을까 생각되어 오히려 위나 아래에 표시할 지수가 필요하다고 생각했다.

출발점의 113이라는 수는 모듈러가 갖는 풍부함의 근원이다. 그것은 226(파랑색 계열)의 반이며, 팔을 든 남자의 배꼽에 해당한다. 또 183은 서 있는 남자(빨강색 계열)의 황금비에 해당한다.

모듈러 세는 방법의 문제를 일반에게 공개한다. 아마 독자가 그 해결을 발견할지도 모른다.

끝 맺는말Epilogue

FROM MAN AS A MEASURE AND FROM THE NUMBERS AS A MEASURE: THE MODULOR,*
DEVELOPED BY LE CORBUSIER, IS A SCALE FOR HARMONIC MEASUREMENT OF SPACE.

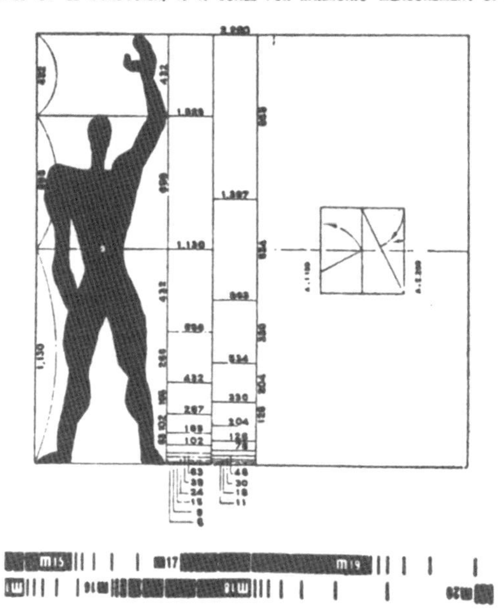

The human figure produces the elements from which are determined two Fibonacci series: the RED series (left), taking its base value from the height of a standing man, and the BLUE series (right), taking its base value from the height of a standing man with arm upraised. Together or separately the two series can be used as an instrument of proportional measurements. The diagram at the right recalls the two progressions determined by the golden mean: magnitude extended by the golden mean, and magnitude reduced by the golden-mean. Below the diagram a fragment of the Modulor tape.

---

* *In 1947 Durisol Inc., New York, undertook the development of Modulor in the form of a graduated tape.*

《 그림 172 》

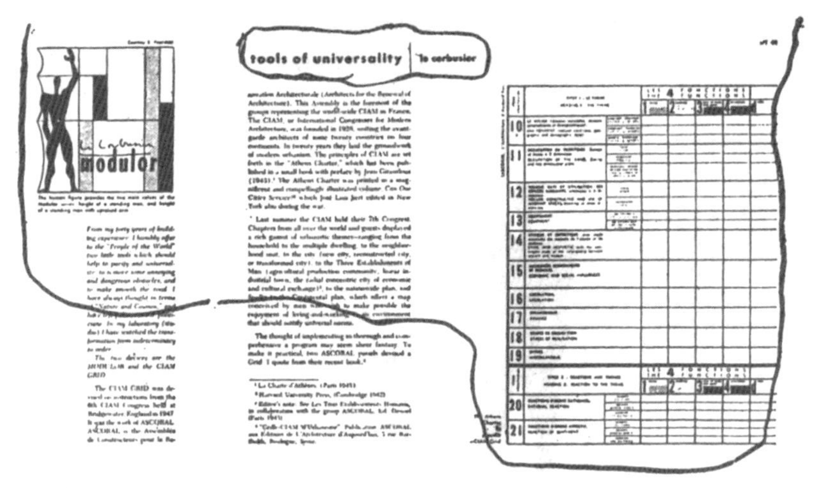

tools of universality | le corbusier

modulor

...ovation Architecturale (Architects for the Renewal of Architecture). This Assembly is the foremost of the groups representing the world-wide CIAM in France. The CIAM, or International Congresses for Modern Architecture, was founded in 1928, uniting the avant-garde architects of some twenty countries on four continents. In twenty years they laid the groundwork of modern urbanism. The principles of CIAM are set forth in the "Athens Charter," which has been published in a small book with preface by Jean Giraudoux (1943).[1] The Athens Charter was printed in a magnificent and compellingly illustrated volume, Can Our Cities Survive?[2] which José Luis Sert edited in New York also during the war.

Last summer the CIAM held their 7th Congress. Chapters from all over the world and guests displayed a rich gamut of urbanistic themes—ranging from the household to the multiple dwelling, to the neighborhood unit, to the city (new city, reconstructed city, or transformed city), to the Three Establishments of Man (agricultural production community, linear industrial town, the radial concentric city of economic and cultural exchange)[3], to the nationwide plan, and finally to the Continental plan, which offers a map conceived by men who wish to make possible the enjoyment of living and working in an environment that should satisfy universal norms.

The thought of implementing so thorough and comprehensive a program may seem sheer fantasy. To make it practical, two ASCORAL panels devised a Grid. I quote from their recent book.[4]

[1] La Charte d'Athènes, (Paris 1943)

[2] Harvard University Press, (Cambridge 1942)

[3] Editor's note: See Les Trois Etablissements Humains, in collaboration with the group ASCORAL, Ed. Denoel (Paris 1945)

[4] "Grille CIAM d'Urbanisme", Publication ASCORAL, aux Editions de L'Architecture d'Aujourd'hui, 5 rue Bartholdi, Boulogne, Seine.

《 그림 173 》

나는 예순 살을 넘어서야 미리 생각하지 않거나 평이하게 세 가지 도구를 자연스럽게 제안할 수 있게 되었다.

1. 모듈러

2. CIAM의 도시계획 그리드(ASCORAL)

3. 기후 그리드(세브르 가 35번지의 아틀리에에서)

이러한 도구는 서로를 연결하며, 조정하고, 벽을 제거하는, 사상이나 물건을 교류하는 도구이다.[19]

[19] '모듈러'([그림 173]) 및 '도시계획의 CIAM의 그리드'는 뉴욕의 《리컨스트럭션(Reconstruction)》 지에서 '보편적인 도구'로 출판.

내 연구의 비밀은 내 그림 속에서 발견해야 한다. 나는 어릴 때부터 아버지를 따라 골짜기나 산에 가서 감동받았던 대비의 다양함, 경이로운 사물의 개성, 그리고 법칙의 일치가 있음을 보았다.

학교를 떠나기 전 열세 살에 받은 물리나 화학, 우주나 대수 따위의 초보적인 교육이 나에게 나중에 문을 열어주었다. 그리고 나에게는 그림 선생님(레플라테니에L'Eplattenier)이 있었고, 나는 그를 존경했고 그도 나를 숲이나 밭에 데리고 가 그곳에서 발견하도록 했다. 발견한다는 것은 위대한 말이다. 발견을 하기 시작한다. 어느 날 발견하고, 그러고 나서 발견을 멈추지 않게 된다. 길을 가면서 한 걸음 한 길음마다 발견한다.

서른한 살 때 나는 처음으로 유화를 그렸다(엄격할 정도로 정확하게. 왜냐하면 유화를 그린다는 것은 색을 말하는 것이며, 이것은 간단한 것이다. 어려운 것은 오히려 무엇을 그리느냐에 있다). 나의 그림은 창조적이었지 묘사적이지는 않았다. 항상 구성적이며, 유기적으로 조립되고 인간의 왕국 완성을 요구하는 것이었다. 머리와 손 사이의 정상적인 흐름을 확립하는 것과 손에 평형을 유지하고 있는 듯한 행동을 동시에 하는 것이었다.

거기에는 건설적인 정신이 필요하며 평형감각이 필요하고, 오래가는 것에 대한 취향, '가장 중요한 것은 무엇인가'라는 관념이 필요했다.

또 상상력도 필요했다.

회화적인 현상은 정확함 속에서 상호 관계의 빛남과 독특함과 통하여, 시적인 순간을 밖으로 끌어내는 것처럼 생각되었다. 정확함과 고조된 감정의 도약판이다.

그리고 내 눈은 건축으로 열렸다.[20] 지적인 기계장치는 이미 획득했고, 이것이 건설적인 것이라는 다른 면으로 옮겨졌다. 도시계획에, 즉 사회적인 면으로, 집단 · 개인이라는 복합자로, 인간애로, 인간적인 척도로, 자연의 법칙으로, 공간의 접대로 옮겨졌다. ……

[20] 나는 그것을 열일곱 반쯤의 나이부터 했다(내가 최초로 세운 집은 1905년). 그러나 그 후 여러 가지 바뀐 끝에 1919년이 되어 처음으로 건축적 사상에 바른 눈을 떴다. 서른두 살 때.

이러한 이유에서 어느 날 저쪽에서 신들이 놀고 있는 담 밑을 다닐 때 나는 듣기 위해 멈췄다. 나는 지칠 줄 모르는 호기심에 사로잡혔다.

끝END

1954년 8월 9일 월요일 카프 마르탱Cap Martin에서 되풀이해서 읽는 것을 끝낸다. 이 책은 6월에 구술로 비서인 쟝느Jeanne에게 적게 한 것이다. 읽는 이들은 구술필기에 따른 애매함을 이해할 것이고, 그 일에 분개하지 않을 것이다. 오히려 각 장 속에 논의된 문제의 근본에 대해 곰곰이 생각하리라.

1955년 4월 14일, 카프 마르탱에서 인쇄 허가

부록 Appendix

가벼운 혼잣말

《 그림 174 》

《 그림 175 》

위대한 일은 인간을 감동시키며 영혼을 놀라게 하고, 넘칠 정도로 가득차게 하고, 초조하게 하거나 일깨우게 하는 수천 가지 영향을 통해 감동을 준다.

《그림 174》. 조잡하나 그것으로 충분한 나무 모형은 나를 인도의 아메다밧드에 가게 하였다. 그곳은 덥다. 매우 덥다. 거기에서 달팽이 껍질(주거)에서 영감을 얻어 주위에 그늘을 만드는 장치, 여름에는 그늘을 그러나 겨울에는 태양이 깊숙이 들어가도록 하여 기분을 좋게 만드는 바람이 빠져나가는 곳을 만들었다. 지붕도 벽면도 그늘을 만든다. 그 안에서 자유롭게 마음대로 돌아다닌다. 마찬가지로 집은 항상 바람의 방향으로 열려 있다.

《 그림 176 》

《그림 175》 영구 도시의 부분. 우리는 프로방스의 생트 보무Sainte Baume에 있는 성스러운 고원성, 성 막달라 마리아에게 바쳐진 그 자리에 있다. 몇 세기 동안 신앙이 있었다. 그러고 나서 잊혀졌다. 그리고 온갖 폭력과 혼돈, 난잡함, 놀랄 정도의 발명 등이 존재하는 이 시대에 다시 인식할 것이다. 사람은 생각하거나 마음을 가라앉히거나 명상하고 싶어할 것이다. 토르앙Trouin과 나는 오랜 세월 동안, 생트 보무의 건축적, 또 도상(종교나 신화적 주제를 표현한 미술작품에 나타난 인물 또는 형상)적 큰 깨달음을 준비했다. 지하의 대성당, 어두운 곳과 신비, 그리고 밖에서는 풍경의 스케일에서 진심에서 우러난 단순함으로 살아가는, 그들의 동작과 마음의 스케일에 살아 있는 사람들이 있다. 이것은 아름답다. 이것은 인내를 요하는 큰일이었고, 우리들을 높이 올려준 것이었다. 그러나 프랑스의 주교나 대주교는 잘못된 보고로 이 계획을 버리고 금지시켜 버렸다.

1946년부터 1952년까지 나는 마르세유의 투쟁 가운데 있었다. 동업자들(건축가들과 그 조직자들)이 길을 막고 있었다. 마르세유를 얻기 위해 얼마나 많은 시련과 인내가 있었는가. 여기 마르세유가 만들어졌다. 마르세유를 보자. 확실히 이것은 직업적 업무의 건축이 아닌 것은 확실하다. 이는 중세에서 오늘에 걸쳐진 다리이다. 이것은 왕이나 왕자를 위한 건축이 아니라 인간인 남자, 여자, 어린이들의 건축이다.

지중해의 태양 아래에서 시원하게 여름을 지낸다. 이곳은 마르세유이며, 바다가 창문으로 바로 들어온다. 그리고 건너편에는 산 전체가 집 안에 있다. 이 서사시 풍Homeric의 풍경은 델포이Delphi와 섬들에서 볼 수 있는 풍경이고, 마르세유의 마을이나 집에서는 닫힌 덧문 뒤에서 무시되었다.

마르세유의 주거 단위 1,600명의 주민들에게 이 층에서 저 층으로 가면서 어머니와 아이와 아버지에게 질문을 했다. "새로운 생활이 그들 앞에 펼쳐진 건 아닌지?"라고.

그리고 오늘 1955년 봄, 낭트 루제에 '이해관계가 없는 수직적 공동체vertical community without politics'의 제2호에 들어가는 사람들이 벌써 1개월 전부터 매일 새집을 갖추고 있다. 마르세

(그림 177)

유는 6년 동안이 싸움이었으나, 지금 이 호화선에는 날마다 기쁨이 넘쳐나고 있다. 그것은 40년 동안 고찰한 결과이다. 그것은 한 사람이 생애를 통해 경험한 것들의 성과이며, 무조건 도와준, 마치 동지 같은 많은 젊은 사람들의 협력에 따라 만들어진 것이다. 그것은 프랑스와 함께 전 세계에서 온 사람들이었다. 1907년부터 1952년에. 참음과 인내와 겸손한 연구와 태도, 침묵과 일. 그것은 실험이었다. 연속적으로 임명된 일곱 명의 장관이 허용하거나 열심히 도와주었다. 오늘날 말뫼Malmö와 칼레Calais와 콜로뉴Cologne에서 직접 버스가 온다. 로와르르의 성순례 다음으로, 프랑스에서 가장 많이 방문하는 건물이다. 그렇지만 18개월 만에 완성된 낭트 루제《그림 195》는 프랑스에서 일반적 법정의 건설비로 만들어진 것으로, 세브르 가 35번지 젊은 건축가들이 부단히 연구해서 만든 작품이다.

독자 여러분 스스로 잘 봐주길 바란다. 모듈러는 '좋은 일을 하기 쉽게 한다'는 것에 의해서 흐뭇한 모양으로 만든 이 그림들을.

《그림 176》 '주거의 상자'(마르세유)의 입구

《그림 177》 공중에 있는 입체가 조각된다(마르세유)

《그림 178》 여기는 56m 높이의 지붕 위. 환기용 굴뚝. 또 320m의 경주용 트럭

《그림 179》 이곳은 빵집, 정육점, 채소가게가 7층의 시장거리(높은 곳에), 또 높은 곳에 있는 카페가. 그리고 잡화점이나 세탁소 등

《그림 180》 북쪽의 바라보는 벽은 북풍(미스트랄mistral)에 등을 돌리고 있다.

《그림 181》 위에서 아래까지 거친 콘크리트가 있다. 훌륭한 재료로서 철근 콘크리트를 성스러운 것으로 칭송한다.

《그림 182》 기하학의 빛남, 순수함

《그림 183》 가족의 세포. 각 가정에 하나. 인간적인 척도로 만들어진 것

《그림 184》 다가올 도시상의 영웅으로서의 필로티, '빛나는 도시', 대지는 보행자들이 이용한다.

《그림 185》 이 유리와 나무와 시멘트의 진기한 울타리 뒤에 시장이 있으며, 오래 된 나무들은 그 아래에 있다. 그리고 한편에는 산, 한편에는 바다가 있다. 모듈러는 여기에서 '그리스풍'으로, '이오니아풍'으로 미소 짓고 있다. 그것은 숫자의 우아한 미소이며, 인간적 척도의 균형의 우아함이다.

《그림 186》 현관 입구에서 56m 위로 올라간 곳. 여기서 유치원 아이들 앞에 물과 태양과 아름다운 풍경이 펼쳐졌다. 얼마나 기뻐하고 있는지 올라가서 보겠는가?

《그림 187》 간단한 비례의 놀이

《그림 188》 낭트 루제 유니테의 출입구 콘크리트에 모듈러의 영광(1955년)

《그림 189, 190》 독자분들, 주의하세요. 여기는 찬디가르의 법원 입구이다. 1955년 3월 19일에 네루가 와서 낙성식을 가진 곳. 참으세요. 이 전당 앞에 지금 큰 수영장이 만들어졌다. 거기서 사진작가는 몇 주 후까지 기다려주었다.

《 그림 178 》

〈 그림 179 〉

(그림 180)

《 그림 181 》

《 그림 182 》

(그림 183)

(그림 184)

《 그림 185 》

《 그림 186 》

《 그림 187 》

《 그림 188 》

《 그림 189 》

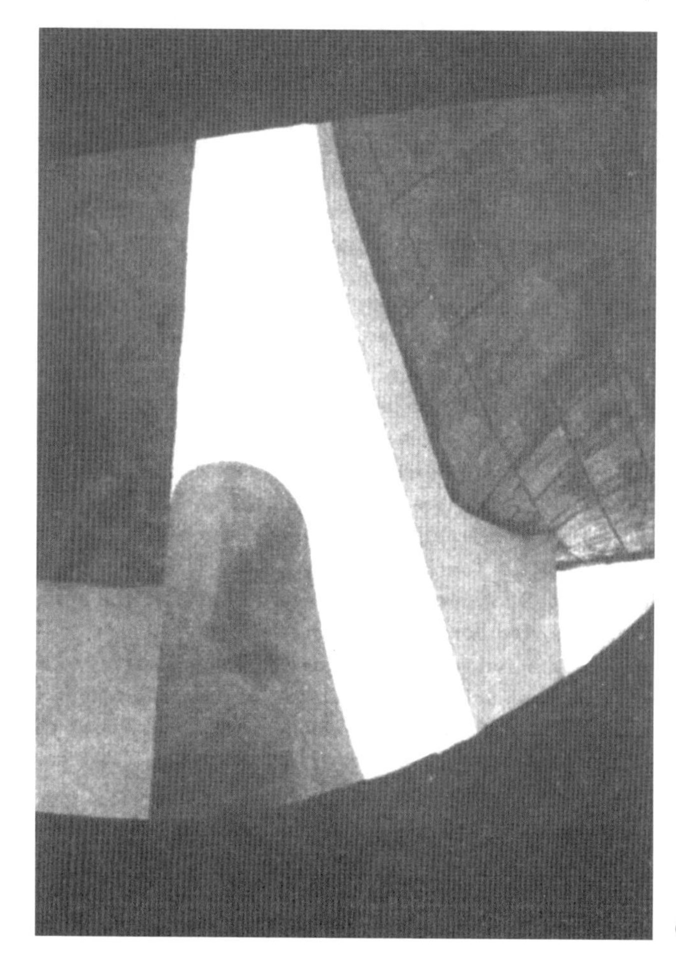
〈 그림 190 〉

이 훌륭한 풍경 속에서 사진작가는 곧 자연과 건축의 교향곡을 부를 것이다.

《그림 191》이것은 비 오는 날 상 디에의 공장 풍경이다.

《그림 192》 이 공장의 지붕 위에는 관리사무실이 있는 곳으로, 이것만이 1946년에 버려진 상 디에의 르 꼬르뷔지에의 도시계획안으로 실현된 것이다.

《 그림 191 》

(그림 192)

《그림 193》 이것은 재봉사의 홀(이 공장의 업무 장소). 여기에 있는 강하고 밝은 색을 보지 않으면 안 되지만, 그것이 천장을 생생하게 하여 영웅적인 위엄을 띠고 들어오거나 중세적인 숨결이 여기에 맡겨진다. (주의, 중세의 정신이다.)

《그림 194》 새로운 도미니코회의 수도 학교. 지금 리옹Lyon 근처의 라 투레트La Tourette에 건설 중이다. 그 평면은 인간의 윤리적 · 정신적 상태나 동작을 존중하고 유효한 의식을 모으도록 되어 있다. 모듈러를 적용하기에 좋은 과제이다. ……

이 혼잣말은 기분 좋은 상태에서 썼다. 왜냐하면 인간의 가치를 놓고, 모든 것이 조직된 우리 관심사의 공정한 증명 때문이다. 즉, 현대의 주거=삶의 집을 가족의 신전으로 본 것. 또 현대의 작업장=공장. 또 숭고한 장소=이 수도원. 그렇다. 그렇지 않으면 어떤 것인가. 확실히 그렇다. 공명을 부르는 문제.

국제 연맹(1927년 제네바)에서 우리는 내쳐졌다. 그리고 또 소비에트 팰러스(1931년 모스크바)에서도, 또 유엔(1947년 뉴욕)에서도 그리고 유네스코(1952년 우리 동네 파리)에서도. 그렇지만 좋다.

나는 내 인생을 그것이 인간의 집이 되도록 설계하며 보내왔다. 주택도 그것을 궁전으로 지어 왔다. 최근의 발명은 찬디가르 캐피톨의 합동청사와 리옹의 라 투레트의 수도원에서 과거 오랜 시간 동안 음악을 지배해온 규칙에 의해 통제된 '음악적'이라고 불리는 유리 판넬을 붙인 일이다. 현대의 창을 만드는 방법의 가장 정당한 해법이다.

복도나 공동의 방에 불빛을 넣은 유리가 든 이 정면,《그림 196》 이것은 구조체에서 독립된 것이다. 그 유리의 박막은 콘크리트의 호리호리한 부재로 튼튼하다. 모듈러의 공헌이 없었다면, 콘크리트 부재를 배치하는 것에는 기존의 두 가지 해결법밖에 없었다, 그 하나는 가장 평범한 것이지만 같은 간격으로 나열하는 것이다. 두 번째는 리듬의 모티브가 산술적 급수를 이용해 부재를 일정치 않는 간격으로 두는 것이다.

이 두 가지 해결 방안은 정적이다. 거기에 제3의 해결책을 도입했으며, 당분간 '음악적 유리 판넬musical glazed panels'이라고 부르자.《그림 196》

《 그림 193 》

《 그림 194 》

《 그림 195 》

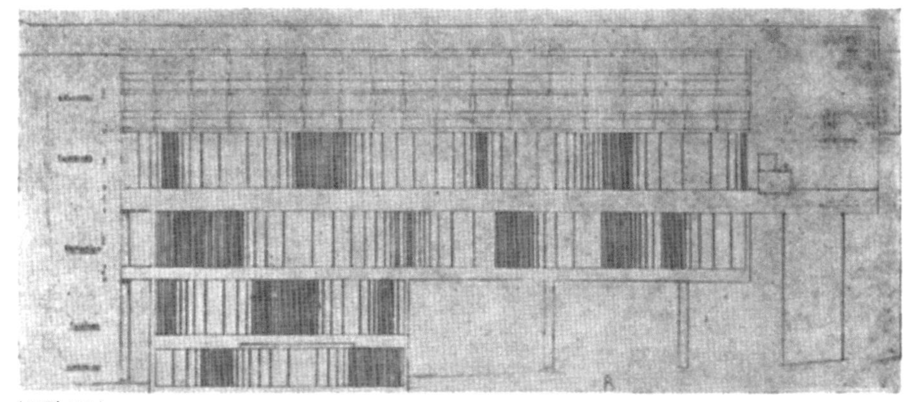
《 그림 196 》

여기에 모듈러의 동적인 곳이 완전히 자유롭게 활개치고 있다. 두 개의 직각 방향 수직과 수평에 매스들이 되어 요소가 맞부딪힌다. 수평에는 탄성매체의 파동에 따라서 연속적 방식에서 부재의 밀도에 변화를 취한다. 수직에는 여러 가지 밀도의 대위가 어우러져 만들어졌다. 모듈러의 빨강과 파랑의 두 체계가 다르게 혹은 교차되면서 사용되어 미묘한 균형을 만들어내고, 모듈러의 두 가지 방법을 종합하고 있다.

(살무사나 독사에 물리는 것을 피하기 위해 결과적으로 이 발명을 '파동하는 유리 판넬undulatory glazed panels'이라고 이름 붙이기로 했다.)

* * * * *

이 수도원의 유리 판넬 완성은 크세나키스Xenakis가 해주었다. 그는 엔지니어 출신으로 음악가이기도 하고, 지금은 건축가로서 세브르 가 35번지에서 일하고 있다. 세 개의 직분을 알맞게 해내고 있다. 이 음악과 건축의 접점은 모듈러에 관해서 몇 번이나 언급했었지만, 이번에는 크세나키스의 음악 작품 참여를 통해 완전히 표현되었다. 그것은 〈메타스타시스 Metastassis〉라는 곡으로 모듈러에 의해 작곡되어 음악적 구성이 만들어진 것이다.

크세나키스의 글을 여기에 옮긴다.

> "괴테는 '건축이란 음악이 돌처럼 되는 것'이라고 말했다. 그러나 음악 작곡가의 관점에서 보면 이 말에는 반대하고, '음악이란 움직이는 건축'이다."라고 말했다. 이론적인 단계에서 이 두 가지 표현은 아름답고, 정말로 그러한 것인지도 모른다. 그러나 두 예술의 본질적 구조 속으로 들어가지 않는다.

〈메타스타시스〉는 65명의 정식 오케스트라를 위한 것이지만, 모듈러 덕분에 건축의 참가는 직접적이고 근본적으로 이루어지고 있다. 모듈러가 음악적 전개의 진수까지 응용되고 있음을 나타낸 것이다.

지금까지 음량은 소리의 현상과 병행한 현상으로 알려졌다. 작곡가들은 마치 물리학자나 고전 역학의 사람들이 이용하는 것과 같은 방법으로 이를 이용하고 있다. 19세기 물리학자에게 시간은 물리학 법칙의 외적 문제였다. 그것은 일정하고 연속적이었다. 상대성 이론에 따라 대략의 관념이 뒤집혀져 시간을 질과 에너지와의 근본에 도입한 것이었다.

〈메타스타시스〉에서 시간은 이 상대성 이론에 따라 취급되고 있다. 〈메타스타시스〉의 근본적인 응용은 이 생각에 따르면 보통의 대수가 완화된 12음계 6음정을 각각의 주파수에 비례한 시간으로 소리를 내는 것이다. 거기서 여섯 개의 음계가 음정으로 발생한다.

계속되는 음정은 기하학적인 발전이다. 그 경과 시간(역사) 역시 이에 따른다. 또 한편 역사에는 덧셈적인 성격이 있다. 하나의 역사에 다음 역사를 더할 수 있고, 그 조화가 그대로 나온다. 거기서 하나 위의 한정된 의미로 덧셈이 가능한 역사라는 음계가 당연히 필요하게

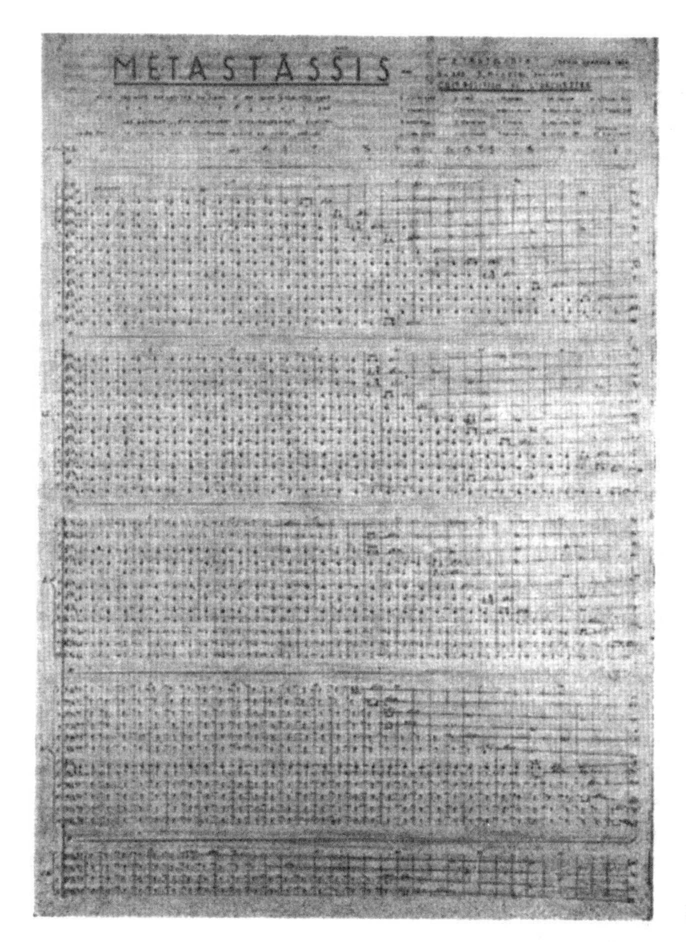

《 그림 197 》

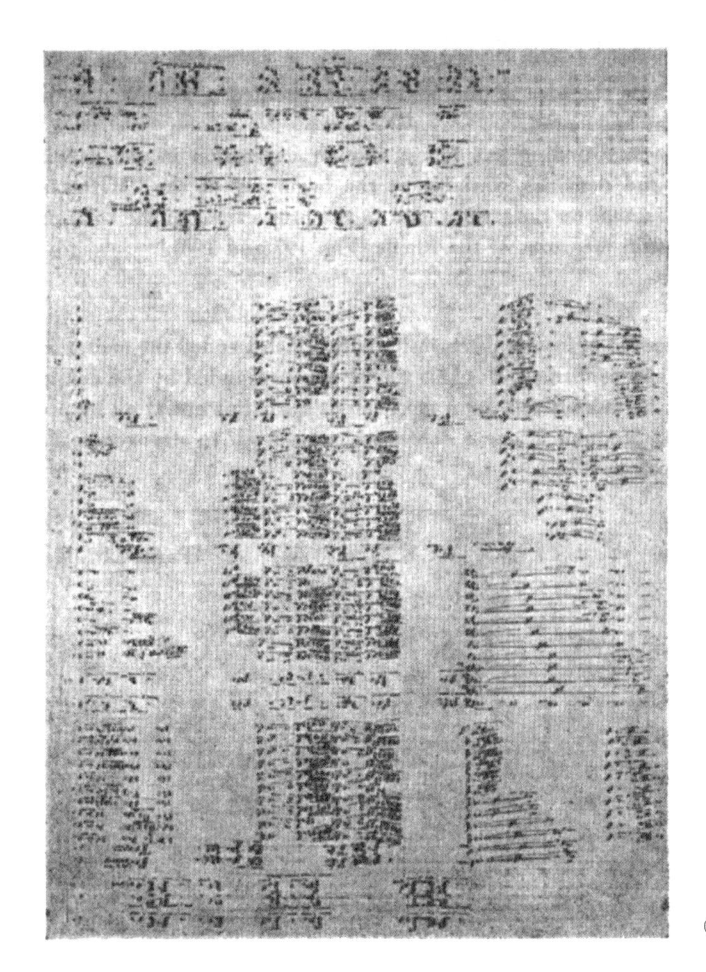

《 그림 198 》

된다.

온갖 기하학적인 급수 가운데 이 덧셈적인 성능을 가지고 있는 것은 단지 하나밖에 없다. 그것은 황금비의 급수이다.

이렇게 모듈러의 생각이 시간과 음과의 구조의 단단한 연결을 낳은 것이다. 그러나 이 조건이 다른 표현을 나타냈다. 〈메타스타시스〉의 처음인 곳에 있는 현악의 글리산디glissandi를 이용해 나타낸 음향적, 가변적인 밀도의 필드와 마지막 곡의 글리산디에 의한 전체적인 역사의 균형에서 만들어진 필드다.《그림 197, 198》

나의 해소할 수 없는 호기심의 고백으로, 이 책을 끝내려고 한 것에서 확인되었다. 그러나 이번에 나는 모르는 환경에 있고, 모르는 것에 직면했다. 나는 마음속에서는 음악가이지만, 실제로는 전혀 그렇지 않다. 다시 『모듈러』 2권의 문을 열고, 모르는 세계에 호소하고, 사용자에게 발언권을 주고자 한다.

혼잣말(연극 속 독백)의 마지막
1955년 5월 12일, 파리에서
L.C

역자 소개

손세욱 1987년부터 대전대학교 건축학과 교수로 재직중이며, 미국 미시간대학에서 건축학 석사, 서울시립대 건축공학 박사 학위를 취득했다. 영국 옥스퍼드 브룩스대학에서 객원연구원으로, 서울시 도시계획상임기획단 책임연구원으로, 희림종합설계사무소 등에서 일했다.

『라스무쎈의 도시와 건축이야기』, 『르 코르뷔지에의 인간의 집』, 『까밀로 지테의 도시건축미학』, 『단지계획의 이해』, 『건축산책』 등의 역서와 저서가 있으며, 50여 편 이상의 논문 연구보고서가 있다.

김경완 현재 오씨에스도시건축사무소 연구실장과 대전대학교 건축학과 겸임교수로 재직하고 있다.
일본 큐슈공업대학교 대학원 사회건설학과, 공학빅사 취득 후 김해시청 진문공무원로 3여 년간 근무했다.
부산대학교, 창원대학교 건축학과에서 강의하였고, 여러 논문과 연구보고서가 있다.

모듈러MODULOR 2

초판인쇄 2016년 3월 7일
초판발행 2016년 3월 15일
저자 Le Corbusier
역자 손세욱, 김경완
펴낸이 김성배
펴낸곳 도서출판 씨아이알
책임편집 정은희
디자인 김나리, 정은희
제작책임 이헌상
등록번호 제 2-3285호
등록일 2001년 3월 19일
주소 (04626) 서울특별시 중구 필동로 8길 43 (예장동 1-151)
전화 02-2275-8603(대표) 팩스번호 02-2265-9394
홈페이지 www.circom.co.kr
ISBN 979-11-5610-205-2 (94540)
979-11-5610-203-8 (세트)

저자와
협의하에
인지 생략